TABLE des matières

LES GRANDS DOSSIERS (PAGES 14 À 27)

COMPÉTENCES

Portrait-robot du travailleur de demain 16

À quoi ressemblera le travailleur de demain? Quelles compétences clés les recruteurs exigeront-ils? Des spécialistes en ressources humaines sortent leur boule de cristal pour définir les cinq caractéristiques de l'employé modèle de l'avenir.

SECTEUR PROMETTEUR

Tous les chemins mènent aux TIC 20

Dynamique et prospère, le secteur des technologies de l'information et des communications est attirant. Bonne nouvelle : pas besoin d'être un spécialiste de l'informatique pour y travailler. En effet, ce domaine recherche une variété de diplômés provenant de différentes sphères d'activité. Découvrez lesquelles.

CHOIX DE CARRIÈRE

Changez de côté, vous vous êtes trompé! 24

Se rendre compte en cours d'études qu'on a fait fausse route en s'inscrivant à un programme qui ne nous convient pas, c'est troublant. Mais il n'est jamais trop tard pour changer de voie. Quelques conseils pour s'assurer de faire le bon choix.

RAPPORTS de recherche

> LA SÉLECTION 2014 DES FORMATIONS GAGNANTES (PAGES 28 À 165)

Les départs à la retraite et le développement de certains secteurs de pointe créent bon nombre d'ouvertures pour les jeunes diplômés. Découvrez plus d'une centaine de formations présentant d'excellentes perspectives!

Les formations gagnantes de 2014 ....de 30 à 152

À surveiller 154

Index des programmes par niveaux de formation 275

> TOURNÉE DES SECTEURS D'EMPLOI (PAGES 166 À 204)

Si certains secteurs d'emploi peinent toujours à se relever de la crise de 2008, d'autres se portent mieux que jamais et manquent de main-d'œuvre.
Tour d'horizon de 23 secteurs de l'économie québécoise.

Index des secteurs d'emploi 274

> LES 17 RÉGIONS DU QUÉBEC (PAGES 206 À 258)

Les régions du Québec font face à de nombreux défis, tant sur le plan économique que démographique. Portrait des enjeux propres à chacune.

Index des régions 273

À NE PAS MANQUER

Comment interpréter l'information 8

Index des annonceurs 280

L'équipe derrière *Les carrières d'avenir 2014* 282

Répertoire des établissements d'enseignement 264

Répertoire des ressources en emploi 259

Les carrières d'avenir 201

POUR un choix JUDICIEUX

Choisir une carrière n'est pas une décision facile : non seulement faut-il considérer nos forces, nos aptitudes et nos champs d'intérêt, mais aussi nos objectifs professionnels et personnels, les prévisions d'embauche des différents métiers, le contexte économique...

Loin de prétendre fournir une réponse toute faite à ce questionnement, le guide que vous avez entre les mains pourra toutefois vous accompagner dans cette démarche en vous donnant les informations requises pour faire un choix éclairé.

L'équipe de Jobboom a mené une enquête rigoureuse afin de dresser une liste de quelque 130 formations, offertes aux ordres d'enseignement secondaire, collégial et universitaire, qui présentent les meilleures possibilités d'emploi.

Les perspectives sont loin d'être sombres pour les jeunes qui feront leur entrée sur le marché du travail au cours des prochaines années. Des emplois seront créés, mais ce sont surtout les départs massifs à la retraite de la génération des *baby-boomers* qui seront à l'origine des ouvertures. Dans ses prévisions pour la période 2012-2021, Emploi-Québec estimait que, sur les 1,4 million de postes à pourvoir dans cet intervalle, 80 % résulteraient du remplacement des retraités. Ce n'est pas rien! On s'attend en outre à ce que les jeunes actuellement âgés de 5 à 24 ans occupent 56 % des postes laissés vacants.

Pour profiter de la manne, l'obtention d'un diplôme est un préalable quasi essentiel. Les emplois exigeant une formation universitaire connaissent une forte croissance, qui devrait se poursuivre au cours des années à venir.

Mais n'allez pas croire que les diplômes collégiaux et professionnels mènent à un cul-de-sac; dans plusieurs des programmes présentés dans ce guide, le taux de placement des diplômés est de 100 %, et ceux-ci trouvent parfois du boulot avant même d'avoir terminé leurs études. Ces formations, souvent méconnues, peinent à attirer les élèves, si bien que le nombre de leurs diplômés ne suffit pas à la demande des employeurs.

COMPÉTENCES RECHERCHÉES

Vos préférences guideront bien sûr votre choix de carrière; mais peu importe le secteur pour lequel vous opterez, certaines qualités et aptitudes sont aujourd'hui essentielles. En tête de liste : la capacité d'adaptation. Dans un monde où les progrès technologiques se font à une vitesse fulgurante et où l'activité économique se déplace d'une industrie vers une autre, les travailleurs qui sauront s'adapter rapidement et efficacement parviendront à tirer leur épingle du jeu.

On pourrait y ajouter la mobilité. Toutes les régions du Québec ressentent les effets du vieillissement de la population et manquent de jeunes diplômés qualifiés pour prendre la relève des retraités, particulièrement à l'extérieur des grands centres. Ceux qui ne craignent pas de déménager pourraient ainsi profiter de belles occasions de carrière, et ce, dans une variété de domaines. En effet, le salut des régions passe par la diversification économique, et plusieurs d'entre elles l'ont bien compris.

Bien entendu, un choix de carrière n'est pas immuable; personne n'est à l'abri d'une réorientation professionnelle, que celle-ci survienne à 20, 30 ou 40 ans. On peut se découvrir de nouveaux champs d'intérêt en cours de route; un secteur perçu comme prometteur peut être frappé par une crise; ou on peut simplement avoir besoin de changer d'air. Quelle que soit la raison, il faut se rappeler qu'un diplôme ne nous enchaîne jamais à un emploi et qu'il est toujours possible d'aller explorer un autre milieu.

Nous espérons que ce guide saura vous fournir tous les outils nécessaires pour prendre une décision réfléchie... et judicieuse!

L'équipe de rédaction de Jobboom

LE CONTENU DE CE GUIDE S'APPUIE SUR UNE RECHERCHE CONSIDÉRABLE. NOUS PRÉCISONS ICI NOTRE DÉMARCHE.

Nous tenons d'abord à remercier de leur collaboration les nombreux organismes joints au cours de cette recherche : le gouvernement du Québec, plus particulièrement Emploi-Québec, le ministère de l'Éducation, du Loisir et du Sport (MELS) et le ministère de l'Enseignement supérieur, de la Recherche, de la Science et de la Technologie (MESRST). Nous remercions également les personnes-ressources des services de placement des établissements d'enseignement universitaire, collégial et professionnel, de même que les comités sectoriels de main-d'œuvre, l'Agence de développement économique du Canada pour les régions du Québec, les associations et les ordres professionnels, ainsi que toutes les autres personnes-ressources issues des régions. Ces collaborateurs nous ont permis d'enrichir nos recherches, notre réflexion et l'information que nous publions dans ce guide.

> À PROPOS DE LA SÉLECTION DES 130 FORMATIONS GAGNANTES

La sélection des programmes est d'abord basée sur les résultats des enquêtes *La Relance au secondaire en formation professionnelle, La Relance au collégial en formation technique* et *La Relance à l'université*. Menées par le MELS et le MESRST, ces enquêtes visent à décrire et à faire connaître la situation des personnes diplômées, plusieurs mois après l'obtention de leur diplôme – environ 9 mois dans le cas des diplômés de la formation professionnelle et technique, et environ 20 pour les diplômés universitaires.

Pour faire partie de notre liste de formations gagnantes, un programme devait répondre aux critères suivants :

- Proportion de diplômés en emploi : **80** % ou plus;
- Taux d'emploi en rapport avec la formation : **80** % et plus;
- Taux de chômage : **10** % et moins;
- Cohorte d'au moins **15** diplômés.

Comme les employeurs expriment des besoins de plus en plus pointus, notre analyse des programmes ne s'arrête pas au placement des diplômés. Nous incluons aussi des informations sur les qualités requises pour exceller dans les professions relatives aux programmes traités ainsi que sur les perspectives d'avancement et les défis professionnels qui y sont liés.

La formation
professionnelle
au secondaire
la solution
concrète et payante!
Tu veux un métier.
On a plus de 195 solutions pour toi.
Les 200 centres de formation professionnelle des commissions scolaires du Québec t'offrent tout ce qu'il y a de plus concret pour apprendre le métier qui te passionne.
Vas-y, plonge dans ton avenir et ton succès!
La Fédération des commissions scolaires du Québec
LE GOÛT DU PUBLIC

NOTRE ENQUÊTE SUR LE TERRAIN

Entre août et novembre 2013, nous avons consulté plus de 150 personnes-ressources et spécialistes issus des milieux scolaire et professionnel, ainsi que des gens en entreprise. Ces personnes ont tour à tour validé et corroboré, de façons quantitative et qualitative, la pertinence de retenir les formations qui figurent dans la présente publication.

Ces informations nous permettent également de valider celles récoltées lors de nos enquêtes sur le placement menées au cours de l'année.

Dans tous les cas, si notre recherche approfondie sur le terrain (entrevues, documentation, etc.) ne permettait pas de valider de manière concluante le caractère prometteur d'une formation sélectionnée au départ selon les critères statistiques décrits ci-contre, cette dernière était éliminée.

EN COMPLÉMENT

Les formations classées dans la section *À surveiller* (voir page 154) sont aussi reconnues pour leur caractère prometteur : recrudescence marquée de la demande de diplômés, intégration possible dans des secteurs en croissance sur le marché du travail, perspectives d'emploi intéressantes mais momentanément au ralenti, etc.

PRÉCISION

Qu'une formation soit absente de cette sélection ne signifie aucunement qu'elle se résume à une impasse sur le marché du travail.

À l'inverse, tous les programmes choisis ne garantissent pas nécessairement un emploi à la fin des études. Cependant, nous croyons qu'ils présentent des ouvertures prometteuses, en fonction des données dont nous disposons aujourd'hui.

LES STATISTIQUES DES FORMATIONS PROFESSIONNELLES ET TECHNIQUES

En août 2013, nous avons établi notre classement des formations gagnantes pour les ordres d'enseignement professionnel et collégial à partir des enquêtes *La Relance au secondaire en formation professionnelle – 2012* et *La Relance au collégial en formation technique – 2012*, portant sur la situation des diplômés environ neuf mois après l'obtention de leur diplôme. Ainsi, les statistiques publiées à la fin de chaque texte concernent la situation en 2012 des diplômés de 2010-2011.

LES STATISTIQUES DES FORMATIONS UNIVERSITAIRES

En novembre 2013, nous avons actualisé notre sélection en nous basant sur les données de l'enquête *La Relance à l'université – 2013* du MELS et du MESRST. Cette enquête fait état de la situation des diplômés environ 20 mois après l'obtention de leur diplôme. Ainsi, les statistiques publiées à la fin de chaque texte concernent la situation en 2013 des diplômés de 2011. En règle générale, les statistiques qui accompagnent un programme d'études que nous présentons correspondent à ce seul programme. Il arrive toutefois que des données s'appliquent à un regroupement de programmes. Le cas échéant, nous mentionnons de quel regroupement sont issues les statistiques.

PRÉCISION SUR LES STATISTIQUES MENTIONNÉES PAR LES PERSONNES-RESSOURCES

Les statistiques (taux de placement, entre autres) mentionnées par les personnes-ressources ou simplement indiquées dans les textes de la sélection et dans ceux de la section *À surveiller* renvoient souvent à une situation locale propre à un établissement d'enseignement particulier. Elles peuvent donc différer des résultats provinciaux publiés dans les tableaux de statistiques tirés des enquêtes *Relance*.

> POUR INTERPRÉTER LES STATISTIQUES ISSUES DES ENQUÊTES *RELANCE*

Les données doivent être utilisées **À TITRE INDICATIF** seulement, vu l'évolution rapide du marché du travail.

Généralement, les définitions suivantes s'appliquent aux catégories statistiques tirées des enquêtes provinciales portant sur les diplômés des trois ordres d'enseignement :

PERSONNES VISÉES PAR LES ENQUÊTES

Sont considérées comme «personnes diplômées» toutes les personnes ayant obtenu un diplôme spécifique au cours d'une période donnée (au cours de 2011 pour les baccalauréats et les maîtrises, et en 2010-2011 pour les diplômes d'études professionnelles [DEP], les attestations de spécialisation professionnelle [ASP] et les diplômes d'études collégiales [DEC]).

EN EMPLOI

Sont dites «en emploi» les personnes diplômées qui ont déclaré travailler à temps plein ou à temps partiel, pour leur compte ou pour autrui, sans étudier à temps plein.

À TEMPS PLEIN

Sont dites «à temps plein» les personnes diplômées en emploi qui travaillent, en général, 30 heures ou plus par semaine.

EN RAPPORT AVEC LA FORMATION

Sont dits avoir un emploi «en rapport avec la formation» les travailleurs à temps plein qui jugent que leur travail correspond à leurs études.

AUX ÉTUDES

Sont dites «aux études» les personnes diplômées qui ont déclaré étudier à temps plein ou à temps partiel sans occuper d'emploi en parallèle.

TAUX DE CHÔMAGE

Rapport, exprimé en pourcentage, entre le nombre de personnes diplômées à la recherche d'un emploi et l'ensemble de la population active (constituée uniquement des personnes en emploi et de celles à la recherche d'un emploi).

SALAIRE HEBDOMADAIRE MOYEN

Salaire brut moyen gagné par les travailleurs à temps plein au cours d'une semaine normale de travail lorsqu'ils travaillent pour autrui.

> RENSEIGNEMENTS SUPPLÉMENTAIRES

Les fiches techniques des formations figurant de la page 30 à la page 152 comportent les entrées suivantes :

SECTEUR

Le MELS regroupe les programmes professionnels et techniques selon 21 secteurs de formation. Nous avons librement intégré les programmes universitaires à ce classement.

NUMÉRO DU PROGRAMME

Les numéros des formations professionnelles et techniques correspondent à ceux en vigueur d'après le répertoire du MELS (2013). Nous n'avons pas indiqué de numéros pour les programmes universitaires, car ils varient d'un établissement à l'autre.

NOM DU PROGRAMME

Les noms des formations professionnelles et techniques correspondent à ceux en vigueur d'après le répertoire du MELS (2013). Pour les formations universitaires, toutefois, nous utilisons des appellations générales, car les titres des programmes peuvent varier d'un établissement à l'autre. 2013-11

CASINO
MONTRÉAL
PAR PUR PLAISIR

Les GRANDS dossiers

(pages 16 à 27)

> COMPÉTENCES

Portrait-robot du travailleur de demain 16

À quoi ressemblera le travailleur de demain? Quelles compétences clés les recruteurs exigeront-ils? Des spécialistes en ressources humaines sortent leur boule de cristal pour définir les cinq caractéristiques de l'employé modèle de l'avenir.

> SECTEUR PROMETTEUR

Tous les chemins mènent aux TIC 20

Dynamique et prospère, le secteur des technologies de l'information et des communications est attirant. Bonne nouvelle : pas besoin d'être un spécialiste de l'informatique pour y travailler. En effet, ce domaine recherche des diplômés provenant de différentes sphères d'activité. Découvrez lesquels.

> CHOIX DE CARRIÈRE

Changez de côté, vous vous êtes trompé! 24

Se rendre compte en cours d'études qu'on a fait fausse route en s'inscrivant à un programme qui ne nous convient pas, c'est troublant. Mais il n'est jamais trop tard pour changer de voie. Quelques conseils pour s'assurer de faire le bon choix.

Portrait-robot
du travailleur de demain

Peu importe le domaine vers lequel on se dirige, certaines qualités et compétences seront essentielles pour briller sur le marché du travail de demain. Comment devenir la perle rare, l'employé modèle que tous les recruteurs s'arracheront? C'est simple : en développant ces cinq aptitudes clés.

> par Emmanuelle Gril

1. HABILE COMMUNICATEUR

Parce que le service et les relations avec la clientèle occupent une place de plus en plus importante dans les définitions de tâches, la capacité à bien s'exprimer est une habileté indispensable à développer. «Les entreprises veulent se démarquer avec un service à la clientèle personnalisé, chaleureux, qui sort de l'anonymat. Les employés qui ont un sourire dans la voix sont très recherchés», dit Alain Dessureault, conseiller d'orientation en milieu scolaire.

La maîtrise d'une troisième et d'une quatrième langue est également un atout, estime Isabelle Beauchesne, conseillère-formatrice en démarrage des entreprises pour l'organisme SAJE Montréal. Surtout dans un contexte de mondialisation, où l'on peut être appelé à travailler avec des collègues ou des clients issus de différentes communautés culturelles. Ainsi, les candidats parlant l'espagnol, le mandarin ou l'arabe, en plus du français et de l'anglais, sont dans la mire des recruteurs.

De bonnes habiletés en rédaction sont aussi recherchées. «Le monde du travail exige un certain niveau de langue à l'écrit», prévient Martine Lemonde, conseillère d'orientation et consultante en psychologie organisationnelle. À ce chapitre, il faut se montrer prudent dans l'utilisation des nouvelles technologies! Plutôt que les textos écrits en vitesse et de façon abrégée, les courriels sont à privilégier dans les relations professionnelles.

LE CONSEIL :

Pour développer ces compétences, soignez votre langage, réfléchissez avant de parler et évitez les mots trop familiers en milieu de travail. Saisissez toutes les occasions de vous exercer à l'oral grâce aux exposés en classe, à des cours de théâtre ou d'improvisation, etc. À l'écrit, utilisez les correcteurs offerts par les différents systèmes d'exploitation et, surtout, prenez toujours le temps de vous relire avant de cliquer sur «Envoyer»! Pour devenir polyglotte, pensez aux cours de langues, mais aussi aux échanges d'étudiants dans des pays étrangers.

2. CAPABLE DE S'ADAPTER

Dans un monde du travail en perpétuel changement, l'employé qui tirera son épingle du jeu est celui qui saura évoluer. «Il faut être flexible et s'adapter à toutes sortes de situations, comme des horaires variables, une restructuration, la diversité de la clientèle et des collègues ou une relocalisation», énumère Stéphane Simard, conférencier et auteur du livre *L'ADN d'un employeur de choix*.

Qui dit adaptation dit aussi ouverture aux apprentissages. «On doit être capable d'apprendre de nouvelles façons de faire, de nouvelles méthodes de travail», précise Martine Lemonde. Un travailleur conservera ainsi sa valeur aux yeux de son employeur, qui, même en période de rationalisation, saura qu'il peut lui confier d'autres tâches plutôt que de lui montrer la porte.

LE CONSEIL :

Comment développer cette habileté? En gardant l'esprit ouvert et en évitant de résister au changement. «Voyez tout changement comme une occasion de croître et non pas comme un obstacle», conseille Martine Lemonde. Suivez également des formations complémentaires, même une fois sur le marché du travail, pour maintenir vos connaissances à jour.

3. FIN ANALYSTE

«Les tâches se complexifient et le monde du travail aussi. Avoir un bon esprit d'analyse permet de faire face à des situations de plus en plus compliquées», estime Alain Dessureault. Ce que confirme Isabelle Beauchesne, qui ajoute que le travailleur doit constamment être à la recherche de solutions. «Les entreprises veulent des gens qui voient les occasions d'affaires et qui se servent des problèmes comme de leviers», fait-elle valoir.

Ces qualités sont recherchées partout, même pour des emplois en usine. «Dans une perspective d'amélioration de la production, les ouvriers sont souvent sollicités afin de revoir les processus et de les optimiser», illustre Alain Gosselin, conseiller en ressources humaines agréé, qui est aussi professeur en gestion des ressources humaines et directeur associé à la Formation des cadres et des dirigeants à HEC Montréal.

LE CONSEIL :

Pour aiguiser votre sens de l'analyse, prenez l'habitude d'observer et de réfléchir. Triez, classez et structurez les informations reçues. S'il s'agit d'un problème complexe, fractionnez-le en plusieurs éléments et tentez de faire des liens. Et n'hésitez pas à discuter avec d'autres pour voir de quelle façon ils appréhendent le problème. Vous pouvez commencer à acquérir ces habiletés à l'école, avec les travaux de fin de session, par exemple.

4. VISIONNAIRE

Il faut voir plus loin que le bout de son nez! «On doit être capable de faire des liens entre notre travail et celui de nos collègues, soutient Martine Lemonde. Il faut anticiper les besoins du patron et des clients. Les employeurs ne veulent plus seulement des exécutants, ils recherchent des gens qui prennent le temps de réfléchir et qui ont le sens de l'initiative.» Alain Gosselin ajoute que les employés devraient développer une «vision horizontale» des choses. Selon lui, les patrons recherchent des collaborateurs qui ne se contentent pas d'accomplir les tâches mécaniquement, mais qui, au contraire, proposent de meilleures façons de faire.

LE CONSEIL :

Le travail en équipe est une bonne façon de développer cette compétence. Cela vous apprendra à voir les choses sous différents angles, à tenir compte du point de vue des autres et à mieux comprendre les tâches qu'ils doivent accomplir.

5. CRÉATIF

«Pour affronter une concurrence accrue, les entreprises doivent toujours faire plus, faire mieux. Cela nécessite une certaine prise de risque, on doit essayer de nouvelles choses», croit Alain Gosselin. Dans ce sens, la créativité et l'innovation sont des incontournables. C'est vrai pour les dirigeants d'entreprise, mais aussi pour les employés. «Faire preuve de créativité, ça peut être de se servir de choses qui existent déjà, mais en les agençant autrement», dit Stéphane Simard. Par exemple, reprendre dans son service une méthode de classement des documents qui a déjà été utilisée avec succès dans un autre secteur.

La créativité est essentielle pour élaborer des concepts, trouver de nouvelles façons de faire ou améliorer des méthodes de travail. Ainsi, un technicien chargé de voir au bon fonctionnement des équipements de ventilation d'un immeuble de bureaux pourrait proposer des idées nouvelles pour optimiser leur rendement et économiser sur la consommation d'électricité.

LE CONSEIL :

Pour stimuler votre sens de l'innovation, gardez l'esprit ouvert, restez attentif aux idées des autres et participez à des activités (parascolaires, communautaires, etc.) qui mettront votre créativité à contribution. 2013-09

UN MÉTIER ADAPTÉ À VOTRE PERSONNALITÉ

Au-delà des compétences universellement recherchées, chacun possède des forces propres, qui représentent autant d'atouts pour exceller dans des domaines précis. Le code RIASEC permet de classer ses aptitudes selon six types de personnalité et de découvrir les métiers qui y sont associés. À noter que la plupart des gens se retrouvent dans plus d'une catégorie à la fois.

R comme Réaliste

Le type R a un sens pratique. Il apprécie les choses concrètes, le travail physique et les outils. Actif et endurant, il aime travailler à l'extérieur. Des fonctions comme celles de mécanicien, technicien en informatique, chauffeur lui conviennent bien, de même que les métiers liés à la construction et à la fabrication. Il est également à l'aise dans les métiers comportant des risques, par exemple pompier ou policier.

I comme Investigateur

L'investigateur est un intellectuel à l'esprit curieux et rationnel, doté d'une excellente logique. Il est studieux, rigoureux et réservé. Il aime comprendre les phénomènes et résoudre des problèmes. On le trouve dans les professions scientifiques qui exigent de longues études (biologiste, mathématicien, chercheur). Il est aussi à l'aise dans des professions des sciences humaines en rapport avec la recherche ou les chiffres, comme celle d'économiste.

A comme Artiste

Créatif, imaginatif, passionné, idéaliste, spontané, émotif, désireux de changer des choses... Les épithètes ne manquent pas pour qualifier le type A. On le voit dans les métiers artistiques (peintre, comédien, musicien, etc.), mais aussi dans ceux de l'écriture, des communications, de la publicité et des relations publiques (traducteur, animateur, journaliste, chroniqueur).

S comme Social

Attentif aux autres, le type S a une nature généreuse, coopérative, dévouée et responsable. Il s'intéresse aux autres et veut aider. Il se sent bien dans les métiers liés à la relation d'aide, aux sciences sociales et à l'enseignement (préposé aux bénéficiaires, éducateur, travailleur social).

E comme Entreprenant

Le type E est un ambitieux, sûr de lui, persuasif, sociable et audacieux. En vrai leader, il aime prendre des initiatives et influencer les autres. On le trouve dans les professions ayant trait à l'administration, la comptabilité, la gestion, la vente, les relations publiques, le droit et la politique.

C comme Conventionnel

Méthodique et ordonné, le type C est minutieux, calme et discret. Raisonnable et digne de confiance, il est très efficace. Il est à sa place dans les emplois de bureau (adjoint administratif), au service à la clientèle et à des postes d'inspection et de vérification (vérificateur comptable).

Merci à Mélina Gareau, conseillère d'orientation au Carrefour jeunesse-emploi Vaudreuil-Soulanges.

Tous les chemins **mènent** aux TIC

Pas besoin d'être féru d'informatique pour intégrer le milieu des technologies de l'information et des communications. Ce secteur en pleine croissance offre aussi une foule de possibilités à des professionnels issus de divers horizons. À preuve : des enseignants, des musiciens, des anthropologues et même des infirmières arrivent à s'y tailler une place!

> par Carole Boulé

Le secteur des technologies de l'information et des communications (TIC), c'est avant tout l'industrie du jeu vidéo, la création de logiciels, la conception de sites Web et la gestion des systèmes informatiques. Mais l'expertise technologique ne suffit pas à faire rouler les affaires; les entreprises qui œuvrent dans ces milieux doivent compter sur des équipes pluridisciplinaires, composées de spécialistes aux compétences variées, afin de répondre aux besoins de leurs clientèles spécifiques.

«Le bagage professionnel du personnel qui travaille en TIC est étonnant! Au-delà des programmeurs et des intégrateurs Web, la conception, l'écriture et l'aspect éducatif des produits et services offerts sont confiés à des travailleurs provenant de différents milieux», explique Nicole Martel, présidente-directrice générale de l'Association québécoise des technologies.

INDISPENSABLES GESTIONNAIRES

«Les entreprises du secteur fonctionnent avec des structures administratives, comme toutes les autres organisations», souligne Vincent Corbeil, chargé de projets pour TECHNO*Compétences*, le Comité sectoriel de main-d'œuvre en technologies de l'information et des communications. En plus des professionnels des TIC, on y trouve donc du personnel formé en administration, en communication, en ressources humaines, en comptabilité et en finance. Car si le spécialiste en TIC possède les connaissances pour développer des outils technologiques, il n'est pas nécessairement formé pour analyser les besoins des clients. C'est là que les autres professionnels entrent en scène pour compléter le travail. «Sur le terrain, près de la moitié des emplois du domaine sont occupés par des professionnels des technologies de l'information et des communications, alors que l'autre moitié de la main-d'œuvre est constituée de travailleurs qui viennent appuyer le développement du produit, de la solution ou du service», explique Vincent Corbeil.

«LORSQUE J'AI COMMENCÉ À TRAVAILLER DANS LES NOUVEAUX MÉDIAS DANS LES ANNÉES 1990, PERSONNE N'ÉTAIT FORMÉ EN TIC. LES TRAVAILLEURS PROVENAIENT DE PLUSIEURS DOMAINES. CE PHÉNOMÈNE A BONIFIÉ LES CONTENUS MULTIMÉDIAS.»

— Lise Sicard, studio CREO

Selon lui, les gestionnaires de projet et les analystes d'affaires figurent parmi les professionnels les plus prisés dans les entreprises en TIC. «Ils sont recherchés pour leurs connaissances multisectorielles», précise-t-il.

Ces professionnels possèdent généralement un baccalauréat en administration des affaires, et certains ont obtenu une maîtrise en gestion.

À titre d'exemple, le développement d'un nouveau système pour gérer l'ensemble des stocks des entrepôts d'une grande chaîne d'alimentation nécessitera l'assistance d'un analyste d'affaires possédant une bonne connaissance des systèmes informatiques, mais aussi des systèmes de logistique et d'exploitation du secteur de l'alimentation.

Les chargés ou gestionnaires de projet chapeautent, quant à eux, l'avancement des travaux pour les mener à terme. «Chez MédiaMed Technologies, on a trois chargés de projet qui assurent la gestion et le suivi des mandats, en étroite collaboration avec les clients et l'équipe de développement», indique Jean-François Bélisle, directeur des ressources humaines et de logistique opérationnelle pour cette PME qui offre des solutions technologiques permettant d'accroître la productivité et la rentabilité des établissements de santé. «Ces professionnels sont, par exemple, responsables de préparer et de mettre à jour régulièrement les échéanciers avec l'équipe de développement des produits et l'équipe d'experts cliniques.»

EXPERTS EN CONTENU RECHERCHÉS

Les entreprises du secteur des TIC ont aussi besoin d'une expertise pointue pour développer des contenus adaptés à leur sphère d'activité. Selon Nicole Martel, c'est dans les PME qui conçoivent et mettent en marché des logiciels spécialisés qu'on trouve le plus de professionnels issus de divers horizons.

Anthropologue de formation, Lise Sicard est directrice de production pour le studio montréalais CREO, qui produit des jeux vidéo et autres outils de vulgarisation scientifique multiplateformes. Elle a intégré le monde de l'animation par ordinateur après avoir fait des études en arts. «Lorsque j'ai commencé à travailler dans les nouveaux médias dans les années 1990, personne n'était formé en TIC. Les travailleurs provenaient de plusieurs domaines. Ce phénomène a bonifié les contenus multimédias», estime-t-elle.

Aujourd'hui, les nombreux diplômés en TIC ont conquis le milieu, mais les diplômés en sciences humaines, en communication et en arts y ont toujours leur place.

«LORSQU'ON INSTALLE UN LOGICIEL QUI SERA UTILISÉ PAR LES ARCHIVISTES MÉDICALES D'UN HÔPITAL, CE SONT NOS ARCHIVISTES QUI VONT FORMER LE PERSONNEL. MÊME CHOSE S'IL S'AGIT D'UN SYSTÈME INFORMATIQUE DESTINÉ AUX INFIRMIÈRES D'URGENCE. LA FORMATION SUR PLACE SERA ASSURÉE PAR NOS INFIRMIÈRES.»

— Jean-François Bélisle, MédiaMed Technologies

L'équipe de travail de CREO en est un exemple : elle compte six programmeurs, un concepteur de jeux vidéo et deux artistes 2D, mais aussi un spécialiste au marketing, trois gestionnaires de projet, un vulgarisateur scientifique et un scénariste-réalisateur. «Selon nos mandats, des testeurs, des graphistes, un réalisateur vidéo, un musicien, un directeur artistique, des photographes et d'autres animateurs 2D et 3D se joindront à l'équipe de base, ajoute Lise Sicard. Pour le contenu, on fera aussi appel à d'autres vulgarisateurs scientifiques, formés en journalisme, en environnement ou en anthropologie», indique-t-elle. Un anthropologue, notamment, a participé à la création de *Makanakau*, un jeu virtuel sur le monde innu. Il a revu la scénarisation du jeu pour s'assurer que le contenu représentait bien le mode de vie des communautés innues.

LA DIVERSITÉ À L'HONNEUR

Ellicom, une entreprise spécialisée en formation en ligne, compte également sur une équipe multidisciplinaire pour satisfaire ses clients, parmi lesquels se trouvent Air Canada, Bombardier, Desjardins et Hydro-Québec.

La PME emploie une centaine de personnes, dont des chargés de projet, des concepteurs pédagogues, des rédacteurs, des intégrateurs multimédias, des spécialistes en administration, en marketing et en développement des affaires. «Au final, la majorité de notre équipe n'est pas spécialisée en TIC, mais dans un autre domaine. Nous engageons des diplômés en linguistique, en enseignement, en ressources humaines, en comptabilité et en gestion, entre autres», souligne Jean Després, responsable du développement des affaires chez Ellicom.

De son côté, l'entreprise MédiaMed Technologies mise sur du personnel issu du domaine de la santé, comme des médecins, des infirmières et des archivistes médicales, pour répondre aux besoins pointus de sa clientèle. La PME propose, notamment, des outils informatiques qui améliorent la performance clinique, organisationnelle et financière des établissements de santé.

«Lorsqu'on installe un logiciel qui sera utilisé par les archivistes médicales d'un hôpital, ce sont nos archivistes qui vont former le personnel, explique Jean-François Bélisle. Même chose s'il s'agit d'un système informatique destiné aux infirmières d'urgence. La formation sur place sera assurée par nos infirmières. Ces personnes ont déjà travaillé dans le milieu. Elles peuvent mieux expliquer le fonctionnement et les avantages du logiciel.»

UNE FORMATION EN TIC : UN ATOUT?

Une formation complémentaire en TIC peut constituer un atout pour les gestionnaires attirés par le domaine, qu'il s'agisse d'un certificat en gestion des affaires électroniques ou d'un certificat en systèmes d'information et analyse d'affaires. «Ces connaissances permettent de faciliter la communication avec les programmeurs et de bien traduire les besoins des clients en matière d'outils technologiques», avance Nicole Martel.

D'ailleurs, plusieurs universités ont développé des programmes en administration des affaires avec une spécialisation en technologies de l'information, dont HEC Montréal, l'Université du Québec à Montréal (UQAM) et l'Université de Sherbrooke. Le Département de management et technologie de l'École des sciences de la gestion de l'UQAM a aussi mis sur pied une maîtrise en gestion de projet pour former des gestionnaires qui pourront évoluer dans le monde des TIC.

Cela dit, une formation en TIC apparaît moins nécessaire pour les spécialistes du contenu. «On leur demande surtout d'être performants dans leur domaine d'expertise», avance Vincent Corbeil.

PLUS QU'UNE TENDANCE

Il n'y a pas de doute : le secteur des TIC, en forte progression, continuera de rechercher une main-d'œuvre polyvalente.

«L'une des particularités des entreprises de l'industrie est de se spécialiser en créant des solutions ou des offres de services dans des créneaux où elles deviennent expertes, ici comme à l'étranger. Le secteur des TIC continuera donc à embaucher davantage de professionnels de domaines variés pour répondre à des besoins de plus en plus pointus et diversifiés», conclut Nicole Martel. 2013-10

Changez de côté, vous vous êtes **trompé!**

Après deux sessions en sciences de la nature, vous réalisez que vous n'êtes pas à la bonne place. Est-il trop tard pour changer de programme? Et comment vous assurer de faire le bon choix cette fois-ci? Des spécialistes se prononcent.

> par Catherine Mainville-M.

Depuis le cégep, Laetitia Poirier souhaitait devenir chercheuse en biologie. «J'aimais les expériences scientifiques et la rédaction de rapports de laboratoire», dit-elle. Elle a toutefois déchanté une fois inscrite au baccalauréat en microbiologie. «Les cours étaient beaucoup plus difficiles qu'au cégep et je n'avais pas de bons résultats. J'avais moins d'intérêt, même pour les cours en laboratoire.» Après trois sessions, une période de doute et quelques visites chez la conseillère d'orientation, l'étudiante a décidé de troquer la biologie contre la psychologie.

L'histoire de Laetitia n'est pas unique. À l'université comme au cégep, de nombreux étudiants changent ainsi de voie en cours de route. Selon le ministère de l'Enseignement supérieur, de la Recherche, de la Science et de la Technologie du Québec, en 2010, pas moins de 21,8 % des cégépiens de troisième trimestre étaient inscrits à un programme différent de celui dans lequel ils avaient amorcé leurs études collégiales.

RECONNAÎTRE LES SIGNES

Bien souvent, l'étudiant ne met qu'une ou deux sessions pour constater qu'il n'est pas dans le bon programme, note Isabelle Falardeau, conseillère d'orientation au Collège de Maisonneuve et auteure des livres *Sortir de l'indécision* et *S'orienter malgré l'indécision – À l'usage des étudiants indécis et de leurs parents déboussolés*.

«Parfois, c'est l'idée qu'il s'était faite du programme ou de ses débouchés qui ne correspond pas à la réalité, explique la conseillère. C'est le cas, par exemple, de l'étudiant qui avait choisi le DEC en réadaptation physique pour soigner des athlètes et qui constate qu'il pourrait également travailler avec des personnes âgées. L'accumulation de mauvaises notes et d'échecs, le manque de motivation ou le sentiment de ne pas avoir autant de plaisir que les autres sont aussi des signes qu'on n'est pas dans le bon programme.»

«DANS TOUS LES SCÉNARIOS, LA RÉDACTION D'UNE LISTE DES POUR ET DES CONTRE PEUT AIDER À CLARIFIER NOTRE PENSÉE.»

— Isabelle Falardeau, conseillère d'orientation

CHANGER OU PAS?

Même si le constat est évident, la décision de changer de programme n'est pas facile à prendre pour autant. «Ça m'a pris du temps avant d'en parler à mes proches, avoue Laetitia Poirier. J'avais peur de les décevoir. C'était un échec personnel!» L'appui des parents est pourtant primordial, souligne Isabelle Falardeau. «Ils doivent faire preuve d'empathie et ne pas juger leur jeune. On ne choisit pas d'être indécis et cela peut être une réelle source d'angoisse.»

LORSQU'ON NE PARVIENT PAS À CHOISIR DANS QUEL PROGRAMME POURSUIVRE SES ÉTUDES, ON PEUT REGARDER CE QUE PROPOSENT LES AUTRES ORDRES D'ENSEIGNEMENT.

Le plus important, c'est de s'accorder le temps de réfléchir et de se poser les bonnes questions, ajoute-t-elle. «Lorsque la situation survient au cégep, par exemple, il faut se demander si le problème concerne uniquement les cours spécifiques à son programme ou plutôt les cours généraux obligatoires. Dans ce dernier cas, il est peut-être préférable d'envisager un diplôme d'études professionnelles. De la même façon, si le contenu d'une formation préuniversitaire nous semble trop général, un programme technique pourrait davantage répondre à nos besoins. Dans tous les scénarios, la rédaction d'une liste des pour et des contre peut aider à clarifier notre pensée.»

Pour éviter que son dossier scolaire ne soit entaché d'échecs, Isabelle Falardeau conseille toutefois de terminer la session en cours. «Et s'il ne reste qu'une session à finir avant d'obtenir son diplôme, on a intérêt à terminer son programme avant d'en entreprendre un nouveau, afin de ne pas perdre le temps et l'argent investis», juge-t-elle.

COMMENT FAIRE LE BON CHOIX?

«Quand vient le moment de choisir un nouveau programme, il est important de bien se renseigner pour voir si son contenu s'apparente à ce qu'on aime», dit Marie-Sylvie Dionne, conseillère d'orientation et auteure du livre *Le défi d'orientation – Guide du parent zen.*

Parler avec des gens qui pratiquent le métier visé peut nourrir la réflexion. Si on n'en connaît pas, le site Academos offre un service de cybermentorat qui permet aux jeunes de poser des questions à des travailleurs du milieu qui les intéresse. Les aides pédagogiques individuels et les conseillers d'orientation sont toutefois les intervenants les mieux placés pour guider les étudiants à travers cette période de changement.

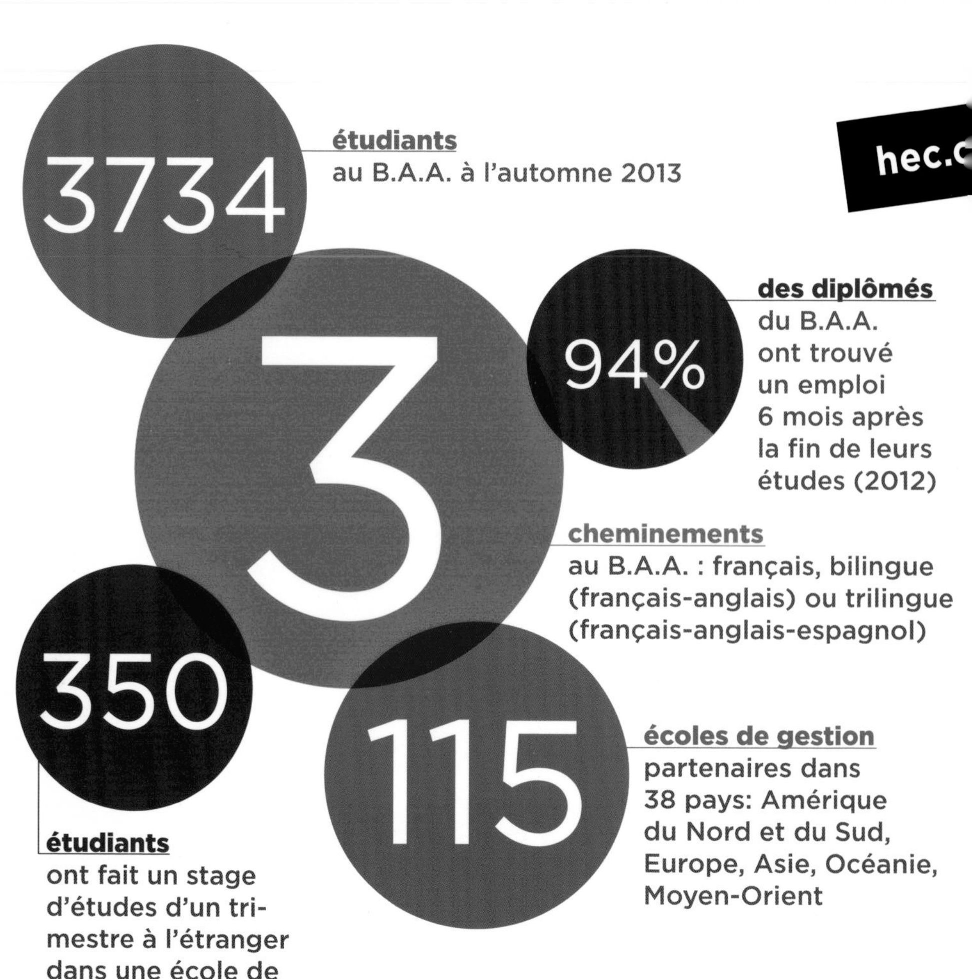

3734
étudiants
au B.A.A. à l'automne 2013
hec.c
94%
des diplômés du B.A.A. ont trouvé un emploi 6 mois après la fin de leurs études (2012)
3
cheminements
au B.A.A. : français, bilingue (français-anglais) ou trilingue (français-anglais-espagnol)
350
étudiants
ont fait un stage d'études d'un trimestre à l'étranger dans une école de gestion partenaire (2012)
115
écoles de gestion
partenaires dans 38 pays: Amérique du Nord et du Sud, Europe, Asie, Océanie, Moyen-Orient

«La psychologie m'avait toujours intéressée, relate Laetitia Poirier. Mon intérêt pour la relation d'aide est d'ailleurs ressorti dans les tests effectués avec la conseillère d'orientation. Grâce à elle, j'ai réalisé que les sciences humaines me convenaient mieux.»

QUAND L'INDÉCISION PERSISTE

Lorsqu'on ne parvient pas à choisir dans quel programme poursuivre ses études, on peut regarder ce que proposent les autres ordres d'enseignement. «Il ne faut surtout pas bouder la formation professionnelle, qui offre de belles occasions d'emploi», indique Marie-Sylvie Dionne.

Le choix d'un programme plus général ouvrant plusieurs portes est une autre option. Après avoir abandonné des baccalauréats en anthropologie et en histoire, Mélissa Godin est retournée au cégep pour y obtenir un DEC préuniversitaire en arts et lettres, option communication. «Sans savoir précisément ce que je voulais faire, j'étais attirée par ce domaine, explique-t-elle. Le programme me permettait de tout connaître du milieu.» Une fois son diplôme en poche, elle a décroché un baccalauréat par cumul en scénarisation, publicité et cinéma pour augmenter ses chances de trouver un bon emploi. Elle travaille aujourd'hui comme éditrice au contenu pour la chaîne jeunesse VRAK.TV.

GARDER L'ESPRIT OUVERT

Il faut aussi garder en tête que notre futur métier ne sera pas nécessairement lié à notre formation, rappelle Isabelle Falardeau. Patrice Gauthier peut en témoigner. Lorsqu'il a abandonné les sciences humaines pour s'inscrire au DEC en techniques d'intervention en loisir, il visait l'organisation d'événements, voire l'animation radio. Depuis, ce trentenaire a mis le cap sur l'Ouest canadien, où il occupe un poste de direction au Conseil de développement économique de l'Alberta! «C'est davantage mon parcours que mon diplôme qui m'a permis d'obtenir cet emploi, dit-il. Mais ce que j'ai appris au cégep en matière d'animation d'événements me sert régulièrement lors d'assemblées, de réunions ou d'ateliers.» Comme quoi il n'y a pas que le diplôme qui détermine notre parcours professionnel! 2013-09

La sélection 2014

Les bons filons

L'ÉCONOMIE QUÉBÉCOISE N'A TOUJOURS PAS RETROUVÉ SA PLEINE VIGUEUR D'AVANT LA CRISE DE 2008. CEPENDANT, CERTAINS SECTEURS D'EMPLOI SONT TOUJOURS PORTEURS ET OFFRENT DE BELLES PERSPECTIVES. COUP D'OEIL SUR QUELQUES FORMATIONS PARTICULIÈREMENT PROMETTEUSES.

DES EMPLOIS À LA TONNE!

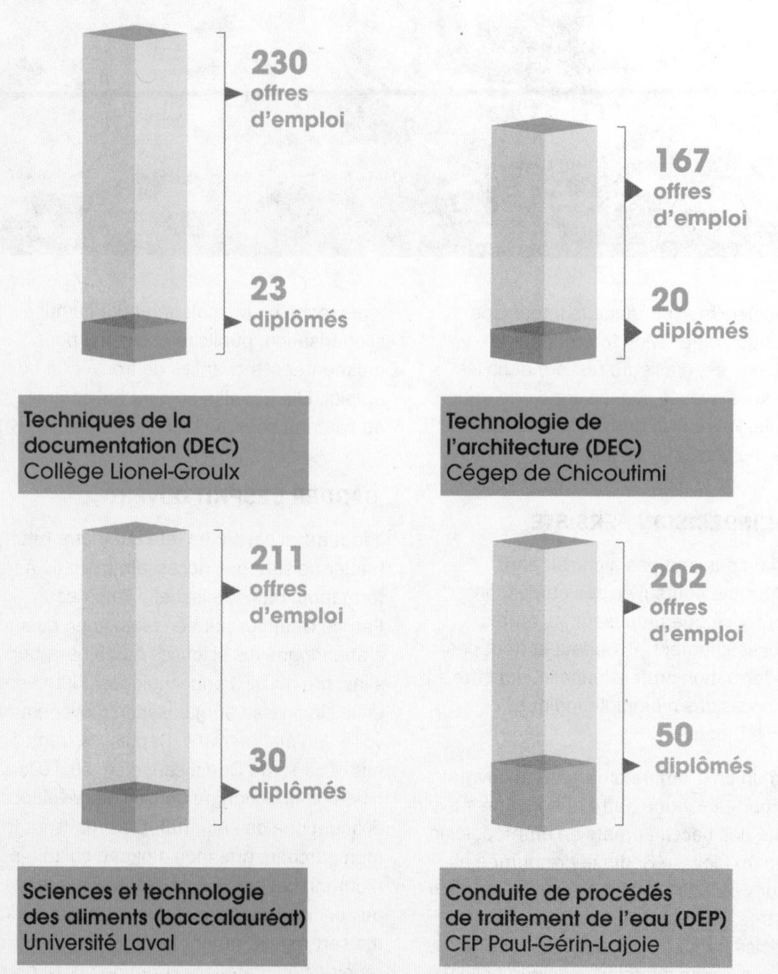

Note : Cette sélection est présentée à titre indicatif et concerne seulement les établissements ayant accepté de nous fournir ces chiffres. Le ratio offres d'emploi/nombre de diplômés peut résulter d'un contexte particulier à un établissement ou une région, et ne constitue pas une mesure officielle de la situation des diplômés.

DES FORMATIONS À 0 % DE CHÔMAGE

DEP

Calorifugeage

Chaudronnerie

Production acéricole

DEC

Conseil en assurances et en services financiers

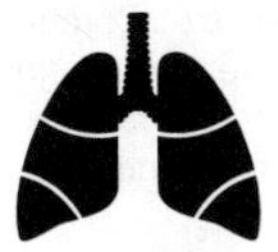

Techniques d'inhalothérapie

Techniques d'intervention en délinquance

Diplômes universitaires

Chiropratique

Criminologie

Psychoéducation

C'EST PAYANT!

Les salaires hebdomadaires moyens les plus élevés

DEP

Rang	Formation	Salaire
2	Chaudronnerie	1 310 $
1	Conduite de grues	1 548 $
3	Montage structural et architectural	1 235 $

DEC

Rang	Formation	Salaire
2	Techniques de construction aéronautique	1 067 $
1	Forage et dynamitage	1 294 $
3	Techniques de génie chimique	975 $

Diplômes universitaires

Rang	Formation	Salaire
2	Optométrie	2 200 $
1	Médecine dentaire	2 201 $
3	Pharmacie	1 849 $

Sources : *La Relance au secondaire en formation professionnelle*, *La Relance au collégial en formation technique*, *La Relance à l'université*, Jobboom.

Arboriculture-élagage

DEP 5079 > par Laurence Hallé

Nombre de diplômés	62
Diplômés en emploi	75,0 %*
À temps plein	95,2 %
En rapport avec la formation	90,0 %
Aux études	16,7 %
Taux de chômage	3,6 %

Salaire hebdo. moyen
701 $

La Relance au secondaire en formation professionnelle - 2012, MELS et MESRST.

*Ce faible taux d'emploi peut s'expliquer par le pourcentage élevé de diplômés qui poursuivent leurs études (16,7 %).

ÇA VOUS INTÉRESSE? Plus d'info page 178

PLACEMENT

Au Centre de formation professionnelle (CFP) Fierbourg, à Charlesbourg, les 12 élèves diplômés en arboriculture-élagage en août 2013 ont tous décroché un emploi. Le taux de placement frise 100 % depuis les débuts de cette formation, il y a 18 ans. Les diplômés doivent toutefois être prêts à se déplacer pour trouver de l'emploi, puisque la demande est plus faible à l'extérieur des régions de Montréal et de la Montérégie.

Du côté du Centre de formation horticole de Laval, le taux de placement de la promotion 2013 n'était pas encore connu au moment d'écrire ces lignes. Mais en 2012, 75 % des 62 diplômés se sont placés, selon Lamartine Bien-Aimé, conseiller pédagogique.

Le roulement de personnel est élevé dans le secteur. «C'est un métier extrêmement exigeant physiquement. Ce sont bien souvent les plus jeunes qui abandonnent dans un délai de trois ans. Mais ceux qui aiment bouger et avoir un sentiment d'accomplissement s'y plaisent», explique Steve Désautels, enseignant au CFP des Moissons, à Beauharnois, où le programme est aussi offert.

SUR LE TERRAIN

- **Postes :** homme au sol, élagueur, arboriculteur-élagueur, chef d'équipe, propriétaire d'entreprise de services arboricoles
- **Principaux employeurs :** municipalités, entreprises de services de dégagement des réseaux, entreprises privées de services arboricoles

PROFIL RECHERCHÉ

Les élagueurs sont des spécialistes de l'entretien des arbres. Ils doivent être en excellente condition physique et ne pas craindre les hauteurs, puisqu'ils grimpent régulièrement dans les arbres et montent dans des nacelles. Un bon sens de la planification est aussi nécessaire. «L'élagueur doit être capable de tailler ou d'abattre l'arbre tout en contournant les obstacles, comme les réseaux électriques et les maisons», indique Daniel Allard, enseignant au CFP Fierbourg.

Un grand sens de la responsabilité est aussi requis afin de minimiser les risques de chutes ou d'accidents causés par un contact avec les fils électriques. Compte tenu de ces dangers, les élagueurs sont toujours jumelés à un collègue.

PERSPECTIVES

La plupart des nouveaux diplômés travaillent pour des entreprises de services arboricoles, où ils font notamment de l'abattage, de l'élagage, de la taille, de la plantation, de la transplantation ou de l'essouchement chez des particuliers. De la mi-décembre à la mi-février, le travail s'y fait parfois plus rare. Les entreprises de dégagement des réseaux électriques et les services municipaux offrent des tâches moins variées, mais une plus grande stabilité pendant les mois d'hiver.

Au bout de trois ans, les élagueurs acquièrent une expérience très recherchée et accèdent facilement à un poste de supervision. Et bonne nouvelle pour ceux qui persévéreront : de nouveaux équipements allègent de plus en plus l'exigence physique du métier, selon Daniel Allard. 2013-09

ÉTABLISSEMENTS OFFRANT LE PROGRAMME

27, 96, 99, 110

Voir le répertoire des établissements en page 264.

Consultez des portraits de diplômés issus de ces formations à www.jobboom.com/carrieresdavenir

Production acéricole

DEP 5256 > par Laurence Hallé

Nombre de diplômés	34
Diplômés en emploi	81,0 %
À temps plein	94,1 %
En rapport avec la formation	81,3 %
Aux études	9,5 %
Taux de chômage	0,0 %

Salaire hebdo. moyen
682 $

La Relance au secondaire en formation professionnelle – 2012, MELS et MESRST.

PLACEMENT

Au Centre de formation agricole de Saint-Anselme, dans la Chaudière-Appalaches, 14 des 15 diplômés de 2013 en production acéricole ont décroché un emploi. Cet excellent taux de placement s'explique en partie par le savoir qu'ils acquièrent durant leur formation. «Le secteur demande des connaissances pointues à cause de la technologie utilisée», dit Caroline Marchand, agente de développement au Centre.

Même tendance au Centre de formation professionnelle Le Granit, à Lac-Mégantic, où le taux de placement des 6 diplômés de juin 2013 est de 100 %. La demande est liée, entre autres, à l'expansion des entreprises acéricoles. «Il y a une vingtaine d'années, les érablières étaient petites et familiales. Aujourd'hui, le secteur est industrialisé. La plus importante érablière au Québec compte 140 000 arbres», explique Pascal Dorval, enseignant.

Les ouvriers acéricoles doivent être prêts à se déplacer, car 52 % des érablières du Québec se trouvent dans la région de la Chaudière-Appalaches. «Certaines offrent le transport, le logis et la nourriture pour attirer la relève», dit-il.

SUR LE TERRAIN

- **Postes :** ouvrier acéricole, chef d'équipe, contremaître, propriétaire d'érablière, représentant de commerce
- **Principaux employeurs :** cabanes à sucre et érablières, entreprises spécialisées dans la fabrication d'équipement acéricole

ÇA VOUS INTÉRESSE?
Plus d'info page 178

PROFIL RECHERCHÉ

L'ouvrier acéricole veille au maintien et à l'optimisation de la production des érables. En plus d'être attiré par le travail à l'extérieur, il doit faire preuve d'autonomie. «Il doit fréquemment inspecter l'érablière seul, alors il lui faut être capable de régler les problèmes, par exemple une fuite dans le réseau de tubes de collecte d'eau d'érable», affirme Pascal Dorval.

La minutie est aussi nécessaire, car la précision de l'entaillage d'un érable peut doubler sa productivité. «Le savoir-faire des employés a une réelle influence sur la rentabilité», dit-il. La polyvalence est également recherchée, puisque les ouvriers acéricoles prendront part aux différentes étapes de la production, dont la transformation de l'eau d'érable.

PERSPECTIVES

Près de la moitié des nouveaux diplômés acquièrent de petites érablières pour les agrandir ou rachètent des parts dans de grandes entreprises. D'autres reprennent l'érablière familiale. «La moyenne d'âge des propriétaires d'érablière est très élevée, alors le besoin de relève est grand», souligne Pascal Dorval.

Les producteurs acéricoles peuvent désormais compter sur de nouveaux outils technologiques, comme des systèmes de caméras ou de commande à distance, pour accroître la production et, du même coup, la rentabilité de l'érablière. La récolte a beau être de courte durée (environ deux mois), les entreprises roulent pratiquement toute l'année. 2013-09

ÉTABLISSEMENTS OFFRANT LE PROGRAMME

11, 52, 68, 110

Voir le répertoire des établissements en page 264.

Pour plus de renseignements sur les statistiques et nos critères de sélection, consultez la rubrique *Comment interpréter l'information*, p. 8.

Production animale

DEP 5338 > par Jean-Sébastien Marsan

Nombre de diplômés	185
Diplômés en emploi	92,5 %
À temps plein	71,2 %
En rapport avec la formation	83,8 %
Aux études	21,2 %
Taux de chômage	5,6 %

Salaire hebdo. moyen **580 $**

La Relance au secondaire en formation professionnelle - 2012, MELS et MESRST.

PLACEMENT

Depuis 2013, le DEP *Production animale* remplace les formations *Production laitière*, *Production de bovins de boucherie* et *Production porcine*. Ce nouveau programme forme des ouvriers agricoles capables de s'occuper d'une grande variété d'animaux d'élevage : des bœufs, des porcs, des chèvres ou même des autruches, selon les besoins des producteurs.

Au Centre de formation professionnelle de Coaticook-CRIFA, 25 élèves se sont inscrits au nouveau programme en août 2013. Une augmentation significative par rapport aux trois anciennes formations, qui n'attiraient, ensemble, qu'une quinzaine d'élèves par année. L'École professionnelle de Saint-Hyacinthe comptait, pour sa part, 24 élèves à l'automne 2013.

Les diplômés ne devraient pas manquer de travail. La relève est insuffisante pour répondre à la demande des employeurs depuis de nombreuses années. «On manque d'ouvriers agricoles, indique André Gaumond, enseignant à l'École professionnelle de Saint-Hyacinthe. Nos babillards d'emplois sont toujours pleins.» «Quand un diplômé ne se place pas, c'est parce qu'il a changé de secteur d'emploi ou poursuivi ses études au collégial», soutient Chantal Kilsdonk, enseignante à Coaticook. Dans un contexte où les fermes grossissent et augmentent leur production, cette forte demande s'explique d'elle-même.

SUR LE TERRAIN

- **Poste :** ouvrier agricole
- **Principaux employeurs :** fermes laitières, bovines et porcines, coopératives agricoles, fournisseurs de produits et d'équipements agricoles, services de contrôle laitier, centres d'insémination

ÇA VOUS INTÉRESSE?
Plus d'info page 178

PROFIL RECHERCHÉ

L'ouvrier en production animale travaille de longues heures. En production laitière, la première traite débute à 5 h et la journée peut se terminer vers 18 h. «Ça ne prend pas nécessairement beaucoup de force musculaire, mais il faut de l'endurance», souligne Chantal Kilsdonk. L'autonomie est aussi essentielle. «Le producteur n'est pas toujours à côté de l'ouvrier, indique André Gaumond. Si le roulement à billes d'une machine fait un drôle de bruit, l'ouvrier devra en aviser le producteur, ne pas attendre que ça brise et prendre des initiatives.» La polyvalence est également nécessaire pour accomplir des tâches variées. Car l'ouvrier doit aussi cultiver les champs et entretenir la machinerie et les bâtiments.

PERSPECTIVES

«Au début, l'ouvrier effectue des tâches routinières, mais avec le temps, il peut participer à la gestion du troupeau, indique Chantal Kilsdonk. Par exemple, prendre des décisions en ce qui concerne les animaux reproducteurs et le système utilisé pour la traite.» Le travail dans les fermes évolue au rythme de la technologie. On utilise maintenant des logiciels pour la gestion des troupeaux, l'alimentation des animaux, le contrôle des rendements, etc. «Ce n'est pas toujours l'ouvrier qui se sert des logiciels, mais quand le propriétaire de la ferme ne comprend pas l'informatique, il va demander l'aide des diplômés», note André Gaumond. Des ouvriers expérimentés peuvent devenir gérants, alors que d'autres choisissent de travailler pour des fournisseurs d'équipements agricoles, d'alimentation et d'insémination. 2013-09

ÉTABLISSEMENTS OFFRANT LE PROGRAMME

4, 10, 43, 52, 68, 84, 88, 110, 111, 197, 207

Voir le répertoire des établissements en page 264.

Consultez des portraits de diplômés issus de ces formations à www.jobboom.com/carrieresdavenir

Cuisine

DEP 5311 > par Mélanie Marquis

Nombre de diplômés	1 058
Diplômés en emploi	73,1 %*
À temps plein	86,8 %
En rapport avec la formation	84,2 %
Aux études	18,7 %
Taux de chômage	4,5 %

Salaire hebdo. moyen **566 $**

La Relance au secondaire en formation professionnelle – 2012, MELS et MESRST.

*Ce faible taux d'emploi peut s'expliquer par le pourcentage élevé de diplômés qui poursuivent leurs études (18,7 %).

ÇA VOUS INTÉRESSE? Plus d'info page 202

PLACEMENT

À l'École hôtelière de la Capitale, à Québec, le taux de placement des diplômés du DEP *Cuisine* oscille entre 90 et 95 % depuis quelques années. Les 170 diplômés de 2013 sont donc pratiquement tous sur le marché du travail, selon Olivier Neau, chef enseignant. D'après lui, plusieurs raisons expliquent cette forte demande. «Non seulement il y a un engouement pour le métier de cuisinier depuis quelques années, mais c'est aussi un domaine où le roulement de personnel est élevé.»

À l'École des métiers de la restauration et du tourisme de Montréal, les 37 diplômés de la promotion 2013 ont tous trouvé du travail, se réjouit Patrick Aubert, chef enseignant. Le placement des diplômés est facilité par le fait que beaucoup de cuisiniers auront bientôt l'âge de prendre leur retraite. L'École entretient aussi des liens étroits avec le milieu. «Comme tous les enseignants sont issus de l'industrie, nous avons de très bons contacts. Le placement se fait beaucoup par le bouche-à-oreille», précise-t-il.

PROFIL RECHERCHÉ

Les diplômés sont cuisiniers dans des restaurants ou des institutions (hôpitaux, centres de la petite enfance, etc.). La capacité à travailler en équipe et une discipline de fer sont nécessaires. «Ce n'est pas pour rien qu'on parle de "brigades" en cuisine. Les cuisiniers sont un peu régis comme des militaires», explique Olivier Neau.

La résistance au stress est aussi capitale. «Les conditions de travail sont parfois pénibles : chaleur intense, longues heures de travail, incluant les fins de semaine. Sans parler des salaires bas par rapport à la charge de travail», complète Patrick Aubert. Pour réussir, il faut donc de la passion et beaucoup de volonté.

Le souci du produit fini est une qualité essentielle dans ce métier, puisque c'est le genre de détail qui fidélise la clientèle.

SUR LE TERRAIN

- **Postes :** cuisinier, garde-manger, sous-chef, chef, propriétaire de restaurant, traiteur
- **Principaux employeurs :** restaurants, traiteurs, services alimentaires, hôpitaux, écoles, foyers pour personnes âgées, centres de la petite enfance, hôtels

PERSPECTIVES

Les nouveaux diplômés commencent généralement comme cuisiniers ou garde-mangers (responsables de la préparation des plats froids comme les salades). Avec du talent et de l'expérience, ils peuvent rapidement grimper les échelons. Il faut cependant compter environ une quinzaine d'années avant de devenir chef dans un restaurant gastronomique, selon Olivier Neau.

Attention : l'image que véhiculent les émissions de téléréalité culinaires peut être trompeuse. «On a l'impression qu'être cuisinier, c'est très *glamour*, très *cool*. En réalité, c'est très exigeant, notamment sur le plan physique, ajoute Olivier Neau. Ça demande beaucoup de connaissances. Cuisinier, c'est un vrai métier», conclut-il. 2013-10

ÉTABLISSEMENTS OFFRANT LE PROGRAMME

Voir les lieux de formation en annexe, page 260.

Consultez des portraits de diplômés issus de ces formations à www.jobboom.com/carrieresdavenir

Cuisine du marché

ASP 5324 > par Mélanie Marquis

Nombre de diplômés	Diplômés en emploi	À temps plein	En rapport avec la formation	Aux études	Taux de chômage
127	69,0 %*	85,7 %	97,6 %	21,1 %	3,9 %

Salaire hebdo. moyen **640 $**

La Relance au secondaire en formation professionnelle – 2012, MELS et MESRST.

*Ce faible taux d'emploi peut s'expliquer par le pourcentage élevé de diplômés qui poursuivent leurs études (21,1 %).

ÇA VOUS INTÉRESSE? Plus d'info page 202

PLACEMENT

Depuis quelques années, à l'École hôtelière de Laval, l'ASP *Cuisine du marché* affiche un taux de placement de 100 %. Les 16 diplômés de la promotion 2013 n'ont pas fait exception : tous sont sur le marché du travail, selon Sylvain Gilbert, chef enseignant.

La situation est identique du côté de l'École hôtelière des Laurentides, où les 18 diplômés de 2013 ont tous décroché un emploi, d'après l'enseignant Robert Cholette.

Pour s'inscrire à l'ASP, les élèves doivent avoir préalablement réussi le DEP *Cuisine* ou le DEP *Cuisine d'établissement*, au cours desquels un stage est effectué. «Par conséquent, il n'est pas rare que les élèves soient aux fourneaux avant même d'avoir bouclé l'ASP. Parfois, ils ont conservé un poste dans leur milieu de stage», explique Sylvain Gilbert.

Dans le milieu, on s'arrache ces diplômés. Leur formation plus pointue est recherchée. «On a du mal à fournir à la demande», confirme Robert Cholette. Une situation qui devrait se maintenir au cours des prochaines années vu l'engouement croissant des Québécois pour la bonne chère.

PROFIL RECHERCHÉ

Comme tous les cuisiniers, les diplômés en cuisine du marché doivent savoir travailler en équipe et sous pression. Mais pour cette spécialisation, «savoir détecter les goûts et posséder un certain sens artistique sont des qualités essentielles», estime Robert Cholette. Au terme de leur formation, ils seront appelés à exploiter les produits du terroir, à renouveler des mets issus d'autres traditions culinaires et à présenter les plats de façon esthétique.

La curiosité est aussi primordiale. «Je dis aux élèves : "Si vous passez devant un fourneau et que ça sent bon, posez des questions sur ce qui mijote." Il faut s'inspirer des idées des autres», ajoute Sylvain Gilbert.

SUR LE TERRAIN

- **Postes :** cuisinier, sous-chef, chef de poste, chef, propriétaire de restaurant, traiteur
- **Principaux employeurs :** restaurants, traiteurs, hôtels, clubs de golf

PERSPECTIVES

Un des défis du métier est d'être ouvert à la critique et de savoir apprendre de ses erreurs. C'est le lot de tous les cuisiniers, mais comme les diplômés de l'ASP sont formés pour l'expérimentation culinaire, ils doivent plus souvent y faire face.

Les diplômés travaillent davantage en restauration privée que dans les institutions (hôpitaux ou centres de la petite enfance, par exemple). Par conséquent, leur métier comporte parfois une dimension saisonnière. Dans les Laurentides, par exemple, le rythme de travail ralentit après l'été, période touristique de pointe, selon Robert Cholette.

Avec du talent et de l'expérience, le diplômé peut grimper les échelons et devenir sous-chef, puis responsable d'un poste (desserts, entrées, etc.), avant d'être chef. 2013-09

ÉTABLISSEMENTS OFFRANT LE PROGRAMME

3, 8, 23, 24, 27, 45, 89, 96, 100, 118, 138, 139, 144, 176, 197, 205

Voir le répertoire des établissements en page 264.

Pour plus de renseignements sur les statistiques et nos critères de sélection, consultez la rubrique *Comment interpréter l'information*, p. 8.

Conduite de procédés de traitement de l'eau

DEP 5328 > par Anne-Marie Tremblay

Nombre de diplômés
43

Diplômés en emploi
87,5 %

À temps plein
94,1 %

En rapport avec la formation
93,8 %

Aux études
8,3 %

Taux de chômage
4,5 %

Salaire hebdo. moyen
889 $

La Relance au secondaire en formation professionnelle - 2012, MELS et MESRST.

PLACEMENT

Le programme *Conduite de procédés de traitement de l'eau* est uniquement offert au Centre de formation professionnelle Paul-Gérin-Lajoie, à Vaudreuil-Dorion. La cinquantaine de diplômés de 2013 s'est partagé pas moins de 202 offres d'emploi et la cohorte de 2014 était déjà dans la mire des recruteurs en septembre dernier. «Des employeurs de Sept-Îles sont venus en avion pour annoncer leurs offres d'emploi aux futurs diplômés», raconte Jean-Paul Trudel, enseignant et chef de groupe. Un exemple qui illustre à quel point les municipalités éloignées ont du mal à dénicher des candidats. «Certaines entreprises recrutent même outre-mer pour pourvoir leurs postes», renchérit Dominique Dodier, directrice générale d'EnviroCompétences, le Comité sectoriel de main-d'œuvre de l'environnement.

Ce manque à gagner s'explique, entre autres, par l'entrée en vigueur en 2005 de l'article 44 du Règlement sur la qualité de l'eau potable. Depuis, le traitement de l'eau doit être effectué par du personnel certifié, comme les diplômés du DEP. Ce qui, combiné aux nombreux départs à la retraite et à l'ouverture de nouvelles stations de traitement de l'eau, stimule la demande, explique Jean-Paul Trudel.

SUR LE TERRAIN

- **Poste :** opérateur d'installations d'assainissement de l'eau et du traitement des déchets liquides (boues) dans les stations de filtration de l'eau potable et les stations d'épuration des eaux usées
- **Principaux employeurs :** municipalités, entreprises spécialisées dans la gestion de l'eau, la vente d'équipements ou de produits chimiques, industries des pâtes et papiers, de l'agroalimentaire, des mines et de la métallurgie

ÇA VOUS INTÉRESSE?
Plus d'info pages 185 et 194

PROFIL RECHERCHÉ

Les usines de filtration d'eau potable fonctionnent à temps plein. En cas de pépin, les diplômés doivent donc être polyvalents et débrouillards pour éviter un arrêt des opérations. «S'il y a une panne électrique et que les génératrices ne partent pas automatiquement, il faut trouver la façon de les démarrer manuellement. Il est donc essentiel de connaître le fonctionnement de l'usine de A à Z», illustre Jean-Paul Trudel. Garder la tête froide est aussi primordial.

Minutie et rigueur sont tout aussi nécessaires, ajoute Dominique Dodier. «Lors de l'analyse des échantillons d'eau, il faut respecter les procédures à la lettre. C'est une question de santé publique.»

PERSPECTIVES

Se tenir à jour est un défi en soi, selon Jean-Paul Trudel. «Il y a beaucoup d'innovations dans notre domaine, tant sur le plan des procédés qu'en matière d'instrumentation ou d'automatisation. Mais comme il n'y a pas de formation continue obligatoire, il faut trouver des façons de s'informer, en suivant les activités de Réseau Environnement, par exemple.»

Avec l'expérience, les diplômés peuvent grimper les échelons et aspirer à des postes de gestion, comme celui de surintendant. Un diplôme universitaire, en administration par exemple, est toutefois un atout pour ce type de postes. 2013-09

ÉTABLISSEMENT OFFRANT LE PROGRAMME

116

Voir le répertoire des établissements en page 264.

Consultez des portraits de diplômés issus de ces formations à www.jobboom.com/carrieresdavenir

Calorifugeage

DEP 5119 > par Anne Gaignaire

Nombre de diplômés	17
Diplômés en emploi	83,3 %
À temps plein	80,0 %
En rapport avec la formation	87,5 %
Aux études	16,7 %
Taux de chômage	0,0 %

Salaire hebdo. moyen
861 $

La Relance au secondaire en formation professionnelle - 2012, MELS et MESRST.

PLACEMENT

À peine deux semaines après avoir terminé le DEP *Calorifugeage*, les 20 diplômés du printemps 2013 de l'École des métiers de la construction de Montréal étaient en emploi. L'établissement est le seul à offrir cette formation au Québec. Le taux de placement «tourne autour de 100 % depuis longtemps», affirme Robert Auger, enseignant.

Malgré un léger ralentissement de l'activité en construction industrielle et institutionnelle, les perspectives demeurent bonnes pour ces diplômés. La Commission de la construction du Québec (CCQ) prévoit d'ailleurs une reprise en 2014 et 2015, notamment dans le secteur industriel, grâce à des projets comme la mine de diamants Renard, dans la région de la Baie-James, dont la mise en service est prévue pour la fin de 2015.

La demande de calorifugeurs devrait se maintenir au moins jusqu'en 2016, selon Emploi-Québec. Pour répondre aux besoins, l'École des métiers de la construction forme depuis 2012 une deuxième cohorte de 20 élèves chaque année.

PROFIL RECHERCHÉ

Les calorifugeurs installent des matériaux d'isolation sur divers systèmes (plomberie, chauffage, réfrigération, etc.). La minutie est essentielle. «Il faut éviter les fuites de chaleur ou de froid, et c'est souvent une question de millimètres», indique Chantal Dubeau, directrice de la formation professionnelle à la CCQ.

Une bonne capacité de raisonnement est aussi fondamentale. «Il faut réfléchir à la façon de poser les isolants alors qu'on est souvent mal placé et que les conduits présentent des coudes et d'autres obstacles», explique Robert Auger. Les femmes commencent à prendre leur place dans ce métier (4,5 % en 2012, selon la CCQ) où il faut être agile pour se glisser dans des endroits étroits. «À l'automne 2013, 6 des 21 élèves étaient des filles. C'est un record», se réjouit l'enseignant.

SUR LE TERRAIN

- **Postes :** calorifugeur, surintendant, chef d'équipe
- **Principaux employeurs :** entreprises de construction, petites, moyennes et grandes entreprises spécialisées dans la construction industrielle, commerciale et institutionnelle

PERSPECTIVES

Une fois le programme terminé, le diplômé doit accomplir 6 000 heures de travail à titre d'apprenti, sous la supervision d'un compagnon. Ensuite, la réussite de l'examen de qualification provinciale lui permet de devenir compagnon à son tour.

Le métier de calorifugeur est varié. «On travaille dans toutes sortes d'endroits et d'industries», dit Robert Auger. L'évolution des matériaux contribue aussi à rendre le travail intéressant. «Avec l'essor du développement durable, les types d'isolants et les normes changent rapidement», souligne Chantal Dubeau.

Les calorifugeurs peuvent gravir des échelons et devenir surintendants ou chefs d'équipe. Certains vont travailler dans d'autres provinces canadiennes, notamment dans le secteur des gaz de schiste. 2013-09

ÇA VOUS INTÉRESSE?
Plus d'info page 187

ÉTABLISSEMENT OFFRANT LE PROGRAMME

139

Voir le répertoire des établissements en page 264.

Consultez des portraits de diplômés issus de ces formations à www.jobboom.com/carrieresdavenir

Charpenterie-menuiserie

DEP 5319 > par Mélissa Pelletier

Nombre de diplômés	2 018
Diplômés en emploi	85,4 %
À temps plein	97,1 %
En rapport avec la formation	84,1 %
Aux études	5,9 %
Taux de chômage	7,2 %

Salaire hebdo. moyen **812 $**

La Relance au secondaire en formation professionnelle - 2012, MELS et MESRST.

PLACEMENT

L'École des métiers et occupations de l'industrie de la construction de Québec a diplômé 200 élèves en charpenterie-menuiserie en 2013. Munir Gundog, directeur adjoint de l'établissement, est optimiste quant aux possibilités d'emploi. Les élèves reçoivent fréquemment des offres, même si l'établissement ne dispose pas d'un service de placement. «Le taux de placement tourne autour de 85 %», affirme-t-il.

Au Centre de formation professionnelle (CFP) Paul-Rousseau, à Drummondville, 66 élèves ont terminé le programme en 2013. D'après l'enseignant Hugues Fontaine, ceux qui veulent trouver un emploi y parviennent facilement. «Il y a, bien sûr, des finissants sans emploi, mais c'est plutôt un choix de leur part», explique-t-il.

Si Hugues Fontaine remarque un ralentissement dans la construction résidentielle, Munir Gundog n'y voit rien de négatif. «Ça coïncide avec une belle évolution de la construction commerciale. Ça n'affectera pas les possibilités d'emploi», assure-t-il.

PROFIL RECHERCHÉ

Pour être un bon charpentier-menuisier, il faut être polyvalent et minutieux. Le travailleur touche à plusieurs aspects de la construction : fondations, charpente, isolation, insonorisation, toiture, finition, etc. «Et tout ça, dans des conditions relativement difficiles. C'est un travail exigeant : il faut transporter de lourdes charges, dans des conditions climatiques pas toujours idéales», souligne Hugues Fontaine.

Fait moins connu, le charpentier-menuisier doit maîtriser certains types de calculs et être un bon planificateur. «Il faut savoir gérer le temps et les ressources nécessaires pour mener à bien les divers projets», ajoute-t-il.

SUR LE TERRAIN

- **Postes :** charpentier-menuisier, entrepreneur général, gestionnaire de projet, chef de chantier
- **Principaux employeurs :** entreprises de construction, entreprises de rénovation, fabricants de portes et fenêtres, fabricants de maisons préfabriquées

ÇA VOUS INTÉRESSE? Plus d'info page 187

PERSPECTIVES

Après avoir effectué trois périodes d'apprentissage en milieu de travail de 2 000 heures chacune, l'apprenti est prêt à passer l'examen de qualification provinciale afin de devenir un compagnon certifié. «Par la suite, le travailleur peut tenter de devenir chef de chantier ou gestionnaire de projet», indique Richard Grant, enseignant et chef du département de charpenterie-menuiserie au CFP Pavillon-de-l'Avenir, à Rivière-du-Loup.

Ce domaine aux multiples possibilités est en proie à des préjugés tenaces. «Certains s'imaginent que les travailleurs se la coulent douce parce qu'ils ont de bonnes conditions salariales. Pourtant, on parle d'un travail très physique, de 50 à 60 heures par semaine», souligne-t-il. «D'autres pensent que ce métier n'est pas pour les filles. C'est tout à fait faux», ajoute Hugues Fontaine. Les portes du métier leur sont grandes ouvertes, pour peu qu'elles soient en excellente forme physique. 2013-09

ÉTABLISSEMENTS OFFRANT LE PROGRAMME

Voir les lieux de formation en annexe, page 260.

Pour plus de renseignements sur les statistiques et nos critères de sélection, consultez la rubrique *Comment interpréter l'information*, p. 8.

Installation et fabrication de produits verriers

DEP 5282 > par Anne Gaignaire

Nombre de diplômés	99
Diplômés en emploi	92,7 %
À temps plein	93,3 %
En rapport avec la formation	81,0 %
Aux études	3,6 %
Taux de chômage	3,8 %

Salaire hebdo. moyen
807 $

La Relance au secondaire en formation professionnelle - 2012, MELS et MESRST.

PLACEMENT

Le Centre de formation Le Chantier, à Laval, a décerné 60 DEP en installation et fabrication de produits verriers en juin 2013; ses diplômés se sont tous placés. Au Centre de formation professionnelle Samuel-De Champlain, à Québec, on forme deux cohortes de 20 élèves chaque année. «Le taux de placement tourne autour de 85 % depuis 4 ou 5 ans, affirme Alain Fillion, enseignant. Ceux qui ne travaillent pas ne cherchent pas activement d'emploi ou n'ont pas de permis de conduire, souvent exigé par l'employeur.»

Preuve que le manque de monteurs-mécaniciens vitriers est criant : la Commission de la construction du Québec permet régulièrement à des non-diplômés de pourvoir les postes restés vacants, indique Harold Ouellet, enseignant au Centre Le Chantier.

Cette forte demande est liée au petit nombre de diplômés : seuls deux établissements donnent la formation au Québec. De plus, le métier est peu connu. «On pourrait former 88 diplômés par année, mais on roule rarement à pleine capacité», déplore Bianka Michaud, conseillère en formation au Centre Le Chantier.

PROFIL RECHERCHÉ

Le monteur-mécanicien vitrier fabrique, installe et répare des vitres et des panneaux de verre. Le métier exige une grande minutie. «Il faut que le verre et le cadre soient posés bien droit. Ça se calcule au millimètre près», explique Harold Ouellet. Une certaine dextérité manuelle est aussi nécessaire, vu la fragilité du matériau. «On ne peut pas se permettre de casser les plaques de verre par maladresse», poursuit-il.

Maintenir une bonne condition physique est également essentiel. «Il faut souvent porter les plaques de verre, lourdes et volumineuses», ajoute-t-il. Mieux vaut ne pas souffrir du vertige : les monteurs-mécaniciens vitriers travaillent souvent à l'extérieur et en hauteur, et utilisent le même genre d'échafaudage que les laveurs de vitres.

SUR LE TERRAIN

- **Postes :** monteur-mécanicien vitrier, installateur (de portes et fenêtres, de verrières, etc.)
- **Principaux employeurs :** vitreries, entreprises spécialisées en installation et fabrication de vitres, entreprises de construction

PERSPECTIVES

Une fois sorti de l'école, le diplômé doit travailler 6 000 heures comme apprenti, sous la supervision d'un compagnon. Ensuite, la réussite de l'examen de qualification lui donne accès au statut de compagnon. Ceux qui ont de l'initiative peuvent évoluer dans le métier en se spécialisant, en supervisant des équipes ou en se dirigeant vers les services d'urgence (remplacer une porte vitrée dans un commerce ou une résidence après une entrée par effraction, par exemple).

L'esthétique du résultat fini est une grande source de satisfaction. «Quand on pose un escalier en verre, c'est beau», illustre Harold Ouellet. Et pour plusieurs, le travail en hauteur est stimulant, ajoute-t-il. «Accroché au 40e étage d'un immeuble, on carbure à l'adrénaline!» 2013-09

ÉTABLISSEMENTS OFFRANT LE PROGRAMME

27, 96

Voir le répertoire des établissements en page 264.

ÇA VOUS INTÉRESSE?
Plus d'info page 187

Consultez des portraits de diplômés issus de ces formations à www.jobboom.com/carrieresdavenir

Mécanique de machines fixes

DEP 5146 > par Anne Gaignaire

Nombre de diplômés	90
Diplômés en emploi	85,5 %
À temps plein	97,8 %
En rapport avec la formation	88,6 %
Aux études	9,1 %
Taux de chômage	4,1 %

Salaire hebdo. moyen
913 $

La Relance au secondaire en formation professionnelle - 2012, MELS et MESRST.

PLACEMENT

Au Centre de formation professionnelle (CFP) de Lachine, le taux de placement des diplômés du DEP *Mécanique de machines fixes* tourne autour de 100 % depuis de nombreuses années. Les 40 diplômés de mars 2013 ont profité eux aussi de cette situation favorable. L'établissement reçoit de 60 à 70 offres d'emploi par an. «La demande est particulièrement forte en région», précise Bernard Laurent, responsable du département.

Le groupe d'élèves de 2013 du CFP Jonquière n'avait pas encore terminé le programme au moment d'écrire ces lignes. Mais Martin Bédard, agent de liaison, n'était pas inquiet quant à leur entrée sur le marché du travail. Pour les 19 diplômés de 2012, le taux de placement était de 91 %. «La forte demande s'explique par la rareté de la main-d'œuvre, dit-il, mais aussi par le fait que de nombreuses entreprises sont obligées d'avoir un mécanicien de machines fixes dans leurs établissements.» C'est notamment le cas dans l'industrie lourde (minières, alumineries, etc.), les hôpitaux, les cégeps, les universités et les tours de bureaux.

PROFIL RECHERCHÉ

Les mécaniciens de machines fixes assurent le bon fonctionnement des installations de chauffage, de réfrigération, de ventilation et climatisation d'un bâtiment. Ils sont présents jour et nuit, et doivent posséder un grand sens des responsabilités ainsi que du sang-froid. «S'il y a une panne d'électricité dans un hôpital en pleine nuit, c'est à eux de relancer les équipements», illustre Bernard Laurent.

De bonnes connaissances techniques, de la rigueur et un strict respect des normes sont primordiaux. «C'est un métier dangereux, souligne Martin Bédard. Les mécaniciens travaillent avec de la vapeur sous pression, des gaz, etc.» La surveillance d'écrans (température, pression, etc.) est un volet important du métier, ce qui demande discipline et minutie.

SUR LE TERRAIN

- **Postes :** mécanicien de machines fixes, chef de centrale
- **Principaux employeurs :** usines, mines, hôpitaux, établissements gouvernementaux et scolaires, centres commerciaux, hôtels, aéroports, entreprises de pâtes et papiers

ÇA VOUS INTÉRESSE? Plus d'info page 187

PERSPECTIVES

Le métier est parfois perçu comme routinier et ennuyant. Rien n'est plus faux, selon Bernard Laurent. «Il n'y a pas deux jours qui se ressemblent. Et si le mécanicien ne fait rien, c'est qu'il a travaillé fort pour que tous les équipements fonctionnent bien.» Le mécanicien doit aujourd'hui se familiariser avec les techniques d'économie d'énergie, qui font rapidement évoluer la pratique.

En sortant de l'école, le diplômé doit obtenir des certificats de base, délivrés par Emploi-Québec. Avec l'expérience et du perfectionnement, il lui sera possible d'avoir d'autres certifications qui l'autoriseront à s'occuper d'équipements plus complexes comme des chaudières à haute pression ou des moteurs à vapeur. Puis avec les années, le mécanicien pourra devenir gestionnaire de l'ensemble des équipements d'un établissement. 2013-09

ÉTABLISSEMENTS OFFRANT LE PROGRAMME

24, 43, 140

Voir le répertoire des établissements en page 264.

Pour plus de renseignements sur les statistiques et nos critères de sélection, consultez la rubrique *Comment interpréter l'information*, p. 8.

Plomberie et chauffage

DEP 5333 > par Mélissa Pelletier

Nombre de diplômés	596
Diplômés en emploi	86,4 %
À temps plein	96,6 %
En rapport avec la formation	85,9 %
Aux études	5,2 %
Taux de chômage	6,9 %

Salaire hebdo. moyen **740 $**

La Relance au secondaire en formation professionnelle - 2012, MELS et MESRST.

PLACEMENT

Au Centre de formation professionnelle de l'Outaouais, à Gatineau, 33 élèves ont obtenu leur diplôme en plomberie et chauffage en 2013. Selon Marc-Antoine Piette, enseignant et directeur du programme, les diplômés n'ont aucune difficulté à trouver un emploi. Le taux de placement avoisine 100 %. «Nous n'avons pas de service de placement, donc nos élèves reçoivent très peu d'offres. C'est pourtant loin d'être un obstacle pour eux. Nos diplômés possèdent une base de connaissances très solide, qui est attirante pour les employeurs. On forme des tuyauteurs qui savent comment procéder et qui comprennent pourquoi ils travaillent de cette manière.»

À Montréal, 120 élèves ont terminé avec succès le programme au Centre Daniel-Johnson. «Pour les diplômés qui veulent travailler, le taux de placement est de 100 %», indique André Boivin, enseignant.

Les besoins se font également sentir en régions éloignées. Cette année, les trois élèves qui ont terminé le programme au Centre Nunavimmi Pigiursavik, à Inukjuak, ont immédiatement trouvé un emploi. «Ici, les infrastructures sont loin d'être à jour. Chaque maison est autonome, étant donné qu'il n'y a pas d'installations municipales. Ça prend constamment des experts pour effectuer les travaux», explique le directeur de l'école, Pierre Bazinet.

SUR LE TERRAIN

- **Postes :** tuyauteur, plombier, poseur d'appareils de chauffage, propriétaire d'une compagnie de plomberie et chauffage
- **Principaux employeurs :** services d'entretien municipaux, entreprises de plomberie et chauffage, chantiers de construction

ÇA VOUS INTÉRESSE? Plus d'info page 187

PROFIL RECHERCHÉ

Les tuyauteurs procèdent à l'installation, la réparation, la modification ou l'entretien des systèmes de plomberie et de chauffage des bâtiments. Pour réussir dans le métier, ils doivent faire preuve de débrouillardise et de persévérance. «Si on aime le travail manuel, ça peut être extrêmement enrichissant», souligne Marc-Antoine Piette.

«Une facilité à créer de bonnes relations peut aussi être un atout, puisque le tuyauteur progresse parfois de contrat en contrat. Si sa réputation est bonne, il pourra créer sa propre sécurité d'emploi», explique Pierre Bazinet.

PERSPECTIVES

Le tuyauteur débutera en tant qu'apprenti. Pour devenir compagnon, il devra suivre quatre périodes d'apprentissage de 2 000 heures chacune avant de passer l'examen de qualification provinciale.

Selon Marc-Antoine Piette, le domaine de la plomberie et du chauffage comporte encore ses zones d'ombre. «Dans ce métier en constante évolution, on suit beaucoup les nouvelles technologies. Malgré ce que certains peuvent penser, les tuyauteurs ne font pas que déboucher des tuyaux. Ils ont des compétences très complètes en matière de systèmes d'évacuation d'eau et de chauffage.» Les tuyauteurs qui ont la bosse des affaires peuvent même démarrer leur propre entreprise. 2013-09

ÉTABLISSEMENTS OFFRANT LE PROGRAMME

8, 22, 27, 44, 77, 96, 111, 138, 139, 195, 196, 200, 205

Voir le répertoire des établissements en page 264.

Consultez des portraits de diplômés issus de ces formations à www.jobboom.com/carrieresdavenir

Réfrigération

DEP 5315 > par Mélissa Pelletier

Nombre de diplômés	210
Diplômés en emploi	84,6 %
À temps plein	97,0 %
En rapport avec la formation	84,5 %
Aux études	6,2 %
Taux de chômage	7,6 %

Salaire hebdo. moyen
743 $

La Relance au secondaire en formation professionnelle – 2012, MELS et MESRST.

PLACEMENT

En 2013, 40 élèves ont obtenu leur diplôme en réfrigération au Centre de formation professionnelle (CFP) de Québec. Tous sont aujourd'hui sur le marché du travail. «C'est l'une des premières années où l'on atteint ces chiffres», affirme l'enseignant Didier Gaudron, qui a reçu une quarantaine d'offres d'emploi pour ces diplômés. Même son de cloche du côté de Marc Fortin, enseignant au CFP Pierre-Dupuy, à Longueuil. Les 40 élèves de la promotion 2013 ont tous trouvé un emploi.

Pourquoi ces diplômés sont-ils si recherchés? Pour Didier Gaudron, la réponse est claire : «L'intérêt pour le confort monte en flèche. La plupart des gens veulent plus de commodités, comme des systèmes de climatisation.»

Dans certaines régions, les employeurs peinent toutefois à pourvoir les postes ouverts, en raison du faible nombre de travailleurs disponibles. Et le problème ne se réglera pas simplement en diplômant davantage d'élèves. «En Gaspésie, par exemple, les employeurs souhaiteraient avoir plus de diplômés. Par contre, chaque apprenti doit travailler avec un compagnon. Si on forme plus de frigoristes aujourd'hui, certains ne pourront travailler, faute d'être accompagnés», explique Didier Gaudron.

SUR LE TERRAIN

- **Postes :** frigoriste, entrepreneur en climatisation, fabricant ou grossiste en appareils de réfrigération et de climatisation
- **Principaux employeurs :** entreprises de l'industrie de la construction, entreprises de services en réfrigération, entreprises manufacturières, usines

ÇA VOUS INTÉRESSE?
Plus d'info page 187

PROFIL RECHERCHÉ

Le frigoriste installe, entretient et répare des appareils de climatisation, des systèmes de réfrigération et des pompes à chaleur. Pour être capables de travailler autant dans des environnements industriels que commerciaux ou résidentiels, les diplômés doivent être polyvalents et débrouillards.

Il leur faut aussi faire preuve d'un bon sens de l'analyse afin de trouver des solutions efficaces pour remédier à une défaillance électrique ou à un problème dans le circuit de réfrigération. «La technologie évolue vite. On travaille avec des systèmes souvent très différents, et même parfois désuets. Les frigoristes doivent donc être inventifs dans leur recherche de solutions», dit Marc Fortin.

PERSPECTIVES

En sortant de l'école, l'apprenti devra suivre un cheminement précis avant de devenir compagnon. Après avoir terminé quatre périodes d'apprentissage de 2 000 heures chacune, il aura la possibilité de passer l'examen professionnel et pourra ensuite décider de devenir entrepreneur ou de se spécialiser dans un des créneaux du métier comme les thermopompes, les climatiseurs et les comptoirs réfrigérés, entre autres.

«Le milieu est petit. Si un frigoriste se fait remarquer, autant pour son bon ou son mauvais travail, ça se sait assez vite», explique Marc Fortin. «Il faut aussi se battre contre les préjugés. Certains sont convaincus qu'on répare des électroménagers à domicile, alors que c'est très loin de la réalité», ajoute Didier Gaudron. 2013-09

ÉTABLISSEMENTS OFFRANT LE PROGRAMME

24, 44, 67, 96, 118, 140, 205

Voir le répertoire des établissements en page 264.

Consultez des portraits de diplômés issus de ces formations à www.jobboom.com/carrieresdavenir

Électricité

DEP 5295 > par Florence Sara G. Ferraris

Nombre de diplômés	1 139
Diplômés en emploi	85,0 %
À temps plein	94,9 %
En rapport avec la formation	80,6 %
Aux études	9,0 %
Taux de chômage	5,8 %
Salaire hebdo. moyen	750 $

La Relance au secondaire en formation professionnelle – 2012, MELS et MESRST.

PLACEMENT

En juin 2013, huit élèves ont terminé le DEP *Électricité* au Centre de formation professionnelle (CFP) Paul-Rousseau, à Drummondville. Trois mois plus tard, six d'entre eux avaient obtenu un emploi, selon Martin Cordeau, enseignant.

Au collège technique Aviron Québec, 13 des 18 diplômés de février 2013 ont trouvé un emploi en 3 mois. Un portrait beaucoup plus reluisant que par le passé. «En 2008, l'année où on a commencé à offrir la formation, le taux de placement était de 58 % seulement. Aujourd'hui, il atteint 72 %», dit Marylène Gauthier, adjointe administrative et conseillère au placement. Et tout porte à croire que les perspectives continueront de s'améliorer au cours des prochaines années, selon Jean-François Savard, enseignant. «La vieille génération s'en va vers la retraite, ce qui fera de la place pour les nouveaux diplômés.»

PROFIL RECHERCHÉ

L'électricien installe, vérifie et répare les fils et les appareils électriques. Comme il est souvent seul sur la route, l'autonomie se révèle essentielle. La rapidité est aussi un atout vu le grand nombre de tâches à accomplir dans une journée.

La capacité à travailler en hauteur est importante. «Environ le tiers du travail de l'électricien s'effectue dans les airs, alors qu'il est attaché à un poteau, par exemple», dit Martin Cordeau. Un bon sens de l'organisation est aussi utile; il faut, par exemple, penser à emporter tout le matériel nécessaire avant de grimper. Finalement, l'électricien doit être en mesure d'interpréter les nombreuses normes qui régissent son travail (contenues notamment dans le Code de construction du Québec et le Code de sécurité du Québec).

SUR LE TERRAIN

- **Postes :** électricien, estimateur pour des entreprises de distribution de matériel électrique, installateur de câblage, entrepreneur
- **Principaux employeurs :** entreprises de construction résidentielle, commerciale et industrielle, commerces de fournitures électriques, entreprises de télécommunications

ÇA VOUS INTÉRESSE? Plus d'info page 192

PERSPECTIVES

Les électriciens travaillent de plus en plus avec les nouvelles technologies. Par exemple, ils doivent maintenant intégrer des systèmes de câblage Internet aux installations électriques. «Les plus vieux entrepreneurs n'ont pas nécessairement mis leurs connaissances à jour, soutient Jean-François Savard. Ça donne une longueur d'avance aux nouveaux diplômés.»

Une fois le programme terminé, les diplômés doivent travailler 8 000 heures sous la supervision d'un compagnon. Ensuite, la réussite de l'examen de qualification provinciale leur permet de devenir eux-mêmes compagnons. Avec l'expérience, ceux qui démontrent de belles aptitudes de leadership peuvent devenir contremaîtres d'une équipe. 2013-09

ÉTABLISSEMENTS OFFRANT LE PROGRAMME

2, 8, 22, 24, 45, 51, 54, 60, 61, 67, 79, 83, 87, 96, 100, 111, 113, 117, 118, 139, 140, 143, 144, 194, 196, 200, 205

Voir le répertoire des établissements en page 264.

Pour plus de renseignements sur les statistiques et nos critères de sélection, consultez la rubrique *Comment interpréter l'information*, p. 8.

Installation et entretien de systèmes de sécurité

DEP 5296 > par Florence Sara G. Ferraris

Nombre de diplômés
68

Diplômés en emploi
91,2 %

À temps plein
93,3 %

En rapport avec la formation
82,1 %

Aux études
2,9 %

Taux de chômage
6,1 %

Salaire hebdo. moyen **661 $**

La Relance au secondaire en formation professionnelle - 2012, MELS et MESRST.

PLACEMENT

L'emploi ne manque pas pour les diplômés du DEP *Installation et entretien de systèmes de sécurité.* «En règle générale, l'ensemble de nos élèves trouve un poste dans les trois semaines suivant l'obtention du diplôme», affirme Martin Nadeau, enseignant au Centre de formation Compétence Rive-Sud, à La Prairie. L'établissement forme environ 35 élèves par année. Du nombre, une trentaine sont engagés dans leur milieu de stage de fin d'études.

À l'École des métiers et occupations de l'industrie de la construction de Québec, le taux de placement atteint 90 % depuis plus de 15 ans. Quelque 45 élèves obtiennent leur diplôme chaque année. «Ceux qui veulent travailler n'ont pas de difficulté à trouver un emploi», dit Dominic Proulx, enseignant. Les autres se réorientent ou poursuivent leurs études.

PROFIL RECHERCHÉ

Le diplômé installe, répare et entretient divers systèmes de sécurité (alarme-incendie, alarme-intrusion, etc.). Comme il fait souvent du dépannage d'urgence, un bon esprit d'analyse est essentiel. «Si le système de sécurité d'un casino est en panne, le diplômé doit cerner le problème et le régler rapidement, car les enjeux sont importants», explique Martin Nadeau. La polyvalence est aussi nécessaire, car il effectue à la fois de la programmation, de l'installation électrique et du service à la clientèle.

La capacité à se débrouiller en anglais est un atout. «Certaines formations continues sont offertes uniquement dans cette langue», précise Dominic Proulx. Enfin, il est nécessaire de faire preuve de disponibilité. «Les heures supplémentaires sont courantes, par exemple lorsqu'une installation est plus longue que prévu.»

SUR LE TERRAIN

- **Postes :** technicien en installation et entretien des systèmes de sécurité, entrepreneur, superviseur, inspecteur, vendeur d'équipement
- **Principaux employeurs :** entreprises spécialisées en installation et entretien des systèmes de sécurité, distributeurs de services de sécurité, casinos, municipalités, bases militaires

ÇA VOUS INTÉRESSE? Plus d'info page 187

PERSPECTIVES

Une fois sa formation terminée, le diplômé doit travailler 6 000 heures comme apprenti, sous la supervision d'un compagnon. Ensuite, la réussite de l'examen de qualification provinciale lui donne accès au titre de compagnon.

Avec l'expérience, le technicien en installation et entretien de systèmes de sécurité peut accéder au poste de chef d'équipe. Ceux qui ont la bosse des affaires peuvent devenir travailleurs autonomes. «C'est un domaine où se lancer à son compte demande très peu de moyens, soutient Dominic Proulx. Souvent, il suffit d'avoir une voiture et un local où entreposer les outils.» L'enseignement et la vente sont d'autres avenues possibles pour les diplômés souhaitant varier leur expérience de travail. 2013-09

ÉTABLISSEMENTS OFFRANT LE PROGRAMME

24, 112, 140

Voir le répertoire des établissements en page 264.

Consultez des portraits de diplômés issus de ces formations à www.jobboom.com/carrieresdavenir

Mécanique agricole

DEP 5335 > par Josianne Haspeck

Nombre de diplômés	Diplômés en emploi	À temps plein	En rapport avec la formation	Aux études	Taux de chômage
74	77,1 %*	97,3 %	80,6 %	18,8 %	5,1 %

Salaire hebdo. moyen **657 $**

La Relance au secondaire en formation professionnelle – 2012, MELS et MESRST.

*Ce faible taux d'emploi peut s'expliquer par le pourcentage élevé de diplômés qui poursuivent leurs études (18,8 %).

ÇA VOUS INTÉRESSE?
Plus d'info page 178

PLACEMENT

Au Centre de formation agricole de Mirabel, neuf élèves ont obtenu leur diplôme en mécanique agricole en 2013 et tous ont trouvé un emploi dans le domaine, affirme Martin Taillefer, enseignant et chef de groupe du département de mécanique agricole. «Nous recevons environ cinq offres d'emploi par année, mais il n'est pas rare que les élèves soient embauchés par l'entreprise où ils ont effectué leur stage», dit-il.

Même son de cloche à l'École professionnelle de Saint-Hyacinthe, où une quinzaine d'élèves obtiennent leur diplôme chaque année. En 2013, ils ont tous trouvé un emploi. «Plusieurs sont retournés à la ferme familiale. Le nombre de diplômés ne suffit pas à répondre à la demande. Il en faudrait presque le double», souligne Steve Morneau, enseignant. Quelques jours à peine après la dernière rentrée scolaire, à l'automne 2013, il avait déjà reçu trois offres d'emploi. La méconnaissance du secteur agricole et de ses métiers, surtout chez les jeunes provenant de milieux urbains, nuit au recrutement de candidats pour ce programme.

PROFIL RECHERCHÉ

Le diplômé doit faire preuve de débrouillardise et d'autonomie. «On peut être appelé à réparer une pièce de machinerie dans un champ chez un client, explique Martin Taillefer. On n'aura pas accès au même outillage qu'au garage. Il faut se débrouiller avec ce qu'on a sous la main et travailler vite si la météo l'exige. Par exemple, la réparation d'une presse à foin doit se faire rapidement si on annonce de la pluie. Sinon, la qualité du foin en sera affectée.»

Un esprit logique est également nécessaire. «Un problème peut sembler avoir plusieurs sources, il faut savoir trouver la bonne!» souligne Steve Morneau. Le mécanicien doit souvent travailler dans des positions inconfortables; ainsi, une excellente forme physique est donc cruciale. Essentiellement manuel, ce métier requiert une bonne dextérité.

SUR LE TERRAIN

- **Postes :** mécanicien, gérant de service adjoint, gérant de service, chef d'atelier, vendeur, commis aux pièces
- **Principaux employeurs :** concessionnaires de tracteurs ou de machinerie agricole, fermes, garages, unités de service, aéroports

PERSPECTIVES

Les défis d'un mécanicien agricole sont grands en raison des progrès technologiques. Dans les machines d'aujourd'hui, il n'est plus seulement question de mécanique, mais aussi d'informatique et d'électronique. «De nos jours, les batteuses s'autoguident, même s'il y a toujours un opérateur dans la cabine en cas de pépin. Tout est géré électroniquement. C'est une technologie très développée», précise l'enseignant Steve Morneau.

Certains mythes concernant le métier ont la vie dure. «Les gens pensent qu'on travaille encore avec des tracteurs des années 1970! Ils ne comprennent pas que les équipements agricoles ont évolué autant que les automobiles», signale Martin Taillefer. 2013-09

ÉTABLISSEMENTS OFFRANT LE PROGRAMME

10, 43, 52, 68, 84, 88, 110, 111

Voir le répertoire des établissements en page 264.

Pour plus de renseignements sur les statistiques et nos critères de sélection, consultez la rubrique *Comment interpréter l'information*, p. 8.

Mécanique de moteurs diesels et de contrôles électroniques

ASP 5259 > par Josianne Haspeck

Nombre de diplômés	54
Diplômés en emploi	94,6 %
À temps plein	100,0 %
En rapport avec la formation	97,1 %
Aux études	5,4 %
Taux de chômage	0,0 %

Salaire hebdo. moyen
833 $

La Relance au secondaire en formation professionnelle - 2012, MELS et MESRST.

PLACEMENT

Au Centre de formation professionnelle Paul-Gérin-Lajoie, à Vaudreuil-Dorion, le taux de placement des 12 diplômés de l'ASP *Mécanique de moteurs diesels et de contrôles électroniques* de 2013 était de 95 %, 2 d'entre eux ayant décidé de se réorienter. L'enseignant Dominique Aumais estime recevoir une centaine d'offres d'emploi chaque année pour ses quelques élèves. «Avec l'ASP, les élèves sont au fait des technologies touchant les véhicules récents», affirme-t-il, ce qui leur confère un avantage net sur le marché du travail. Le taux de placement frôle 100 % pour les 16 diplômés de 2013 du Centre de formation professionnelle 24-Juin, à Sherbrooke. «On satisfait rarement à toutes les demandes. On reçoit environ 25 offres d'emploi par année», indique Robin Dion, enseignant au programme.

Toutefois, le fait de devoir suivre 810 heures de formation additionnelle dans le cadre de l'ASP, après avoir obtenu un DEP préalable en mécanique d'engins de chantier ou en mécanique de véhicules lourds routiers, refroidit certains candidats. «Une fois titulaires de l'un de ces deux DEP, les diplômés peuvent déjà travailler à temps plein, et pour des salaires très alléchants», indique Dominique Aumais.

PROFIL RECHERCHÉ

Les diplômés doivent faire preuve d'une excellente dextérité manuelle, en plus d'avoir un esprit curieux. «Il faut se tenir au courant des nouvelles technologies, par exemple en lisant la documentation des fabricants de moteurs hybrides en dehors de ses heures de travail pour en apprendre davantage sur ce domaine», mentionne Dominique Aumais.

La débrouillardise est également essentielle. «S'il faut démonter une pièce qui est restée coincée, comment va-t-on s'y prendre? Comment la sortir sans la briser? Faut-il chauffer la pièce ou utiliser un lubrifiant?» illustre Robin Dion. Les élèves peuvent occuper un emploi à temps partiel dans un garage ou à la ferme familiale durant leur formation afin de développer ces habiletés plus rapidement.

PERSPECTIVES

La technologie occupe une place de plus en plus grande dans le domaine de la mécanique; ainsi, la formation continue est un passage obligé pour garder ses connaissances à jour. S'il est stimulant de travailler dans un secteur de pointe, les possibilités d'avancement en motivent également plus d'un. L'expérience aidant, on peut en effet aspirer à devenir chef d'équipe, puis contremaître et même directeur de service.

Dans ce domaine, certains mythes ont la vie dure. «Nous ne sommes plus des changeurs de pièces, mais des mécaniciens qui posent des diagnostics! Nous travaillons maintenant avec de l'équipement qui nous permet de savoir exactement ce qui ne fonctionne pas, sans avoir à changer des pièces inutilement», souligne Dominique Aumais. 2013-10

SUR LE TERRAIN

- **Postes :** mécanicien, chef d'équipe, contremaître, commis au contrôle de la qualité, directeur de service
- **Principaux employeurs :** ateliers, concessionnaires, compagnies de transport de personnes, sociétés d'État, flottes de transport, compagnies manufacturières

ÇA VOUS INTÉRESSE?
Plus d'info page 204

ÉTABLISSEMENTS OFFRANT LE PROGRAMME

8, 54, 67, 90, 116

Voir le répertoire des établissements en page 264.

Consultez des portraits de diplômés issus de ces formations à www.jobboom.com/carrieresdavenir

Mécanique d'engins de chantier

DEP 5331 > par Josianne Haspeck

Nombre de diplômés	316
Diplômés en emploi	84,0 %
À temps plein	98,0 %
En rapport avec la formation	83,3 %
Aux études	11,6 %
Taux de chômage	3,2 %

Salaire hebdo. moyen
898 $

La Relance au secondaire en formation professionnelle – 2012, MELS et MESRST.

PLACEMENT

En 2013, une trentaine d'élèves ont obtenu leur diplôme en mécanique d'engins de chantier à l'École des métiers de l'équipement motorisé de Montréal. Le directeur adjoint, Daniel Delorme, estime qu'environ 75 % d'entre eux ont trouvé un emploi. «Les employeurs qui embauchent parviennent difficilement à offrir un poste à temps plein à l'année parce que l'hiver est une période creuse durant laquelle les travaux sont souvent arrêtés. Toutefois, le placement reste bon parce qu'il y a beaucoup de diplômés qui travaillent dans un domaine connexe comme la mécanique de véhicules lourds routiers», précise-t-il.

Au Carrefour Formation Mauricie, 13 élèves ont obtenu leur diplôme en mécanique d'engins de chantier en 2013 et 12 ont trouvé un travail. L'enseignant Benoît St-Onge mentionne que le concessionnaire Hewitt rend visite à ses élèves tous les ans et en recrute au moins trois, chaque fois. «Beaucoup de travailleurs prennent leur retraite dans ce domaine et le nombre de diplômés ne suffit pas à les remplacer», indique-t-il.

PROFIL RECHERCHÉ

Comme dans les autres métiers reliés à la mécanique, la dextérité est une habileté essentielle. Il faut aussi être autonome. «Ces mécaniciens vont souvent réparer les engins sur les chantiers mêmes. Il faut qu'ils soient débrouillards et créatifs parce qu'ils n'ont pas toujours sous la main la pièce dont ils ont besoin. Ils doivent trouver une solution en attendant de recevoir la pièce nécessaire», explique Daniel Delorme. Les élèves peuvent développer ces habiletés durant leurs études en entretenant la mécanique de leur motoneige ou de leur véhicule tout-terrain, ou bien en travaillant à temps partiel dans un garage, par exemple.

Benoît St-Onge ajoute qu'il faut accepter de travailler ailleurs pour profiter de certaines occasions d'emploi, notamment dans les compagnies minières et forestières.

SUR LE TERRAIN

- **Postes :** mécanicien d'engins de chantier, commis aux pièces, vendeur de pièces ou de machinerie, chef d'équipe, contremaître
- **Principaux employeurs :** fabricants d'engins de chantier, sociétés forestières, entreprises de construction, compagnies minières, municipalités

ÇA VOUS INTÉRESSE?
Plus d'info page 187

PERSPECTIVES

Pour garder leurs connaissances à jour et suivre l'évolution des technologies, les diplômés doivent miser sur la formation continue. «Il y a de plus en plus de notions d'électronique et d'informatique à maîtriser. C'est vraiment un défi en soi», reconnaît Daniel Delorme.

Plusieurs pensent que ce métier est salissant, ce qui n'est plus tout à fait vrai aujourd'hui. «Les mécaniciens enduisent leurs mains d'une crème barrière qui forme un film protecteur ou portent des gants adaptés afin d'éviter tout contact avec les produits chimiques et salissants», indique Daniel Delorme. L'expérience aidant, un mécanicien peut grimper les échelons et accéder au poste de contremaître, s'il a les qualités nécessaires. Certains se lancent aussi en affaires et fondent leur compagnie d'excavation ou de déneigement, souligne Benoît St-Onge. 2013-10

ÉTABLISSEMENTS OFFRANT LE PROGRAMME

Voir les lieux de formation en annexe, page 260.

Pour plus de renseignements sur les statistiques et nos critères de sélection, consultez la rubrique *Comment interpréter l'information*, p. 8.

Mécanique de véhicules lourds routiers

DEP 5330 > par Josianne Haspeck

Nombre de diplômés	386
Diplômés en emploi	81,8 %
À temps plein	96,2 %
En rapport avec la formation	87,7 %
Aux études	12,0 %
Taux de chômage	6,6 %

Salaire hebdo. moyen
787 $

La Relance au secondaire en formation professionnelle - 2012, MELS et MESRST.

PLACEMENT

À l'École des métiers de l'équipement motorisé de Montréal, 90 élèves ont obtenu leur diplôme en mécanique de véhicules lourds routiers en 2013.

Selon le directeur adjoint, Daniel Delorme, le taux de placement frise 100 %. «Le transport routier est en essor depuis une vingtaine d'années. On remarque une forte demande de mécaniciens», dit-il.

Enseignant au Carrefour Formation Mauricie, Benoît St-Onge indique que 46 élèves ont obtenu leur diplôme en 2013. Il assure qu'au moins 40 d'entre eux sont en emploi. «Le placement est bon depuis au moins 1995. Les mécaniciens diplômés ne suffisent pas à la demande et la situation n'est pas près de changer», affirme-t-il.

«La flotte de camions est au moins 10 fois plus importante qu'il y a 15 ans», estime Daniel Delorme. Car le transport routier a depuis longtemps pris le pas sur le transport ferroviaire. Selon lui, il faudrait le double de diplômés pour répondre à la demande dans la grande région de Montréal seulement.

SUR LE TERRAIN

- **Postes :** mécanicien de véhicules lourds ou d'équipement lourd, contremaître, chef d'équipe, représentant, conseiller technique
- **Principaux employeurs :** entreprises de construction, compagnies minières, concessionnaires de véhicules lourds routiers, fabricants de véhicules lourds, compagnies de transport, garages, ministère des Transports du Québec

ÇA VOUS INTÉRESSE?
Plus d'info page 204

PROFIL RECHERCHÉ

Les recruteurs recherchent des diplômés en forme et qui possèdent une bonne dextérité manuelle. «Lorsqu'on répare le moteur d'un camion, il faut souvent grimper en hauteur et se placer dans des positions inconfortables le temps de changer une pièce», mentionne Daniel Delorme. Avoir l'esprit d'équipe est un autre aspect important. «Il peut arriver qu'on ait à donner un coup de main à un confrère pour tenir une lourde pièce», cite en exemple Benoît St-Onge. Il faut donc savoir s'entraider.

PERSPECTIVES

L'évolution des technologies amène sa part de défis. En effet, les pièces de véhicule doivent respecter des normes environnementales plus sévères afin de limiter les émissions de gaz à effet de serre, indique Benoît St-Onge. Les diplômés doivent donc être à l'affût des nouvelles technologies et garder leurs connaissances à jour. À ce chapitre, la formation continue peut s'avérer une aide précieuse.

Selon Daniel Delorme, il est faux de croire que les femmes ne peuvent pas faire ce métier parce qu'elles n'ont pas suffisamment de force. Aujourd'hui, tous les ateliers sont équipés de matériel de levage. «Nous avons entre 5 et 10 femmes qui suivent nos cours chaque année», mentionne-t-il. 2013-10

ÉTABLISSEMENTS OFFRANT LE PROGRAMME

3, 8, 24, 45, 54, 67, 87, 99, 116, 139, 200, 206

Voir le répertoire des établissements en page 264.

Consultez des portraits de diplômés issus de ces formations à www.jobboom.com/carrieresdavenir

Techniques d'usinage

DEP 5223 > par Maxime Desroches

Nombre de diplômés	288
Diplômés en emploi	77,1 %*
À temps plein	96,1 %
En rapport avec la formation	83,1 %
Aux études	15,9 %
Taux de chômage	5,8 %

Salaire hebdo. moyen
675 $

La Relance au secondaire en formation professionnelle - 2012, MELS et MESRST.

*Ce faible taux d'emploi peut s'expliquer par le pourcentage élevé de diplômés qui poursuivent leurs études (15,9 %).

ÇA VOUS INTÉRESSE?
Plus d'info page 195

PLACEMENT

Au printemps 2013, 32 élèves ont obtenu leur DEP en techniques d'usinage au Carrefour Formation Mauricie, à Shawinigan. Selon le responsable du programme, Jean-Vianney Hotte, les diplômés devraient intégrer rapidement le marché du travail. «Depuis cinq ou six ans, les entreprises de la région manifestent des besoins importants. Le taux de placement de nos plus récentes promotions est près de 100 %», précise-t-il.

«La grande majorité de nos finissants poursuivent leur apprentissage en se dirigeant vers l'attestation de spécialisation professionnelle [ASP] *Usinage sur machines-outils à commande numérique*», explique Stéphane Gagnon, responsable du département d'usinage au Centre intégré de mécanique industrielle de la Chaudière, à Saint-Georges. Selon lui, les quelques diplômés du DEP qui se lancent sur le marché du travail trouvent immédiatement un poste de machiniste. «L'an dernier, les employeurs de la région nous ont fait parvenir 75 offres d'emploi. C'est énorme quand on considère que nos 2 formations en usinage, incluant l'ASP, totalisent 30 élèves», souligne-t-il.

PROFIL RECHERCHÉ

Le travail de machiniste convient particulièrement aux personnes minutieuses qui possèdent un souci du détail et la capacité de visualiser en trois dimensions les pièces à réaliser.

Le machiniste doit aussi être autonome et capable de réfléchir pour trouver des solutions si, par exemple, l'usinage d'une pièce présente des difficultés. Son travail s'effectue autant dans sa tête qu'avec ses mains!

«Les filles réussissent très bien dans le domaine en raison de leur grande minutie. C'est dommage qu'elles soient difficiles à recruter, car beaucoup d'entre elles possèdent toutes les qualités pour devenir de bonnes machinistes», indique Jean-Vianney Hotte.

SUR LE TERRAIN

- **Postes ;** machiniste, programmeur, agent de méthode
- **Principaux employeurs :** ateliers d'usinage, entreprises manufacturières, entreprises d'outillage

PERSPECTIVES

Les défis liés à la pratique du métier de machiniste sont diversifiés en raison de la grande variété des tâches à effectuer et des pièces à concevoir. «Difficile d'imaginer un défi plus stimulant que de se voir confier l'élaboration d'une pièce, une turbine d'avion par exemple, qui vaut plusieurs centaines de milliers de dollars!» souligne Stéphane Gagnon.

Les machinistes les plus habiles auront rapidement accès à des possibilités d'avancement intéressantes et deviendront programmeurs de machines-outils ou même chefs d'équipe. «Les industries investissent massivement dans les technologies de pointe. C'est la raison pour laquelle elles vont continuer à avoir un important besoin de diplômés capables de travailler avec ces équipements complexes», estime Stéphane Gagnon. 2013-09

ÉTABLISSEMENTS OFFRANT LE PROGRAMME

Voir les lieux de formation en annexe, page 260.

Pour plus de renseignements sur les statistiques et nos critères de sélection, consultez la rubrique *Comment interpréter l'information*, p. 8.

Usinage sur machines-outils à commande numérique

ASP 5224 > par Maxime Desroches

Nombre de diplômés	257
Diplômés en emploi	81,8 %
À temps plein	95,0 %
En rapport avec la formation	87,6 %
Aux études	6,3 %
Taux de chômage	9,3 %

Salaire hebdo. moyen
723 $

La Relance au secondaire en formation professionnelle – 2012, MELS et MESRST.

PLACEMENT

Vingt élèves ont terminé l'ASP *Usinage sur machines-outils à commande numérique* au Centre intégré de mécanique, de métallurgie et d'électricité (CIMME) de LaSalle en 2013. Au cours des trois dernières années, le taux de placement a été supérieur à 85 %. Les employeurs courtisent les futurs diplômés et offrent des séances d'information au sein de l'établissement scolaire. «Ils ont des besoins urgents à satisfaire et n'hésitent pas à se déplacer pour rencontrer nos élèves», indique le directeur du CIMME, Serge Robitaille.

Au Centre de formation Harricana d'Amos, le taux de placement est encore meilleur, se rapprochant de 100 %. Les six diplômés de la dernière promotion, en juin 2012, ont tous accédé rapidement au marché du travail. La problématique se situe plutôt dans le manque de popularité du programme auprès des jeunes, estime Carol Gauthier, responsable de l'enseignement. «Quand le secteur minier se porte bien dans la région, les élèves s'inscrivent à des programmes qui y sont reliés, ce qui diminue le nombre d'inscriptions à l'ASP», dit-il.

À noter que pour s'inscrire à cette ASP, il faut avoir obtenu son DEP en techniques d'usinage.

PROFIL RECHERCHÉ

Le métier d'opérateur de machines-outils à commande numérique est un travail de haute précision qui consiste à fabriquer des pièces d'une grande complexité, les composants d'un moteur d'avion ou de train par exemple. Il faut donc être très méticuleux afin de réaliser chaque étape de la fabrication d'une pièce dans le respect des normes. «La minutie, le souci du détail et un excellent sens de l'organisation sont des aptitudes essentielles afin de faire fonctionner les machines-outils et d'en effectuer la programmation», précise Carol Gauthier.

«Un élève possédant une bonne perception tridimensionnelle, qui aime voir les applications concrètes de son travail partout dans son environnement, sera parfaitement à son aise dans ce métier», souligne Serge Robitaille.

SUR LE TERRAIN

- **Postes :** opérateur, programmeur, contremaître
- **Principaux employeurs :** ateliers d'usinage, entreprises manufacturières, entreprises d'outillage

ÇA VOUS INTÉRESSE? Plus d'info page 195

PERSPECTIVES

Les départs massifs à la retraite dans ce domaine ouvrent de nombreuses possibilités aux diplômés. «Le manque de personnel qualifié s'avère un réel problème pour plusieurs entreprises depuis 2010», explique le directeur du CIMME.

Si les nouveaux diplômés intègrent souvent le marché du travail en tant qu'opérateurs, ceux-ci montent rapidement dans la hiérarchie. Ils accèdent en effet aux postes de programmeur de machines-outils ou de chef d'équipe après quelques années d'expérience. «C'est très stimulant, car les plus doués grimpent les échelons et se voient attribuer des tâches plus exigeantes et de plus grandes responsabilités», soutient Carol Gauthier. 2013-09

ÉTABLISSEMENTS OFFRANT LE PROGRAMME

Voir les lieux de formation en annexe, page 260.

Consultez des portraits de diplômés issus de ces formations à www.jobboom.com/carrieresdavenir

Mécanique d'ascenseur

DEP 5200 > par Emmanuelle Tassé

Nombre de diplômés	37
Diplômés en emploi	89,5 %
À temps plein	93,8 %
En rapport avec la formation	80,0 %
Aux études	5,3 %
Taux de chômage	5,6 %

Salaire hebdo. moyen
793 $

La Relance au secondaire en formation professionnelle - 2012, MELS et MESRST.

PLACEMENT

À l'École des métiers du Sud-Ouest-de-Montréal, 18 élèves ont obtenu leur diplôme en mécanique d'ascenseur en février 2013. Stéphane Bonin, directeur adjoint, voit chaque année plus de 80 % des diplômés du programme trouver du travail au Québec et dans le reste du Canada. «L'École reçoit quelques offres d'emploi annuellement, mais le bouche-à-oreille demeure l'outil de recrutement le plus efficace dans le petit milieu de la mécanique d'ascenseur», observe-t-il. L'embauche suit toutefois le rythme des grands chantiers comme ceux du Centre universitaire de santé McGill, à Montréal, ou de l'amphithéâtre de Québec. Le vieillissement des travailleurs fera également de la place aux jeunes au cours des 10 prochaines années.

«Leur formation est si complète que ces mécaniciens sont très prisés», ajoute Alain Plante, conseiller syndical à la CSD Construction, qui représente le groupe des mécaniciens d'ascenseur.

L'École des métiers du Sud-Ouest-de-Montréal est le seul établissement à offrir ce programme au Québec.

PROFIL RECHERCHÉ

La mécanique d'ascenseur exige une bonne forme physique et ne convient pas à ceux qui craignent les hauteurs. On doit être à l'aise avec les principes de la physique : électricité, électromécanique, hydraulique, pneumatique, etc. «Le sens de la précision, le respect des devis et un grand souci de la sécurité des utilisateurs permettront de construire un ascenseur sûr qui monte parfaitement droit sur 20 ou 30 étages», souligne Stéphane Bonin.

«Soir, nuit, fin de semaine, il faut être disponible au pied levé en cas de problème et être prêt à suivre les formations complémentaires fournies par les entreprises pour rester dans la course», précise également Alain Plante.

SUR LE TERRAIN

- **Postes :** mécanicien d'ascenseur, ajusteur, évaluateur, superviseur de chantier, inspecteur
- **Principaux employeurs :** entreprises spécialisées en installation, fabrication, entretien et réparation d'ascenseur, Régie du bâtiment du Québec

ÇA VOUS INTÉRESSE?
Plus d'info page 187

PERSPECTIVES

«Le plus grand défi dans ce métier est de partir d'une cage vide et de réussir à en faire un ascenseur fonctionnel. Pour un apprenti, c'est un objectif considérable», fait valoir Stéphane Bonin. Lorsqu'on s'est fait un nom dans le métier et que nos connaissances sont à jour, on peut devenir soi-même formateur pour permettre à d'autres de suivre l'évolution de la profession, ajoute Alain Plante.

La mécanique d'ascenseur n'est pas un domaine strictement masculin : l'École des métiers du Sud-Ouest-de-Montréal accueille une ou deux femmes par groupe. Elles démontrent un souci du détail très apprécié et n'ont pas besoin de gros bras pour être... à la hauteur! Un apprenti peut gagner environ 20 $ l'heure et un compagnon, aux alentours de 30 $. 2013-09

ÉTABLISSEMENT OFFRANT LE PROGRAMME

139

Voir le répertoire des établissements en page 264.

Pour plus de renseignements sur les statistiques et nos critères de sélection, consultez la rubrique *Comment interpréter l'information*, p. 8.

Mécanique industrielle de construction et d'entretien

DEP 5260 > par Emmanuelle Tassé

Nombre de diplômés	458
Diplômés en emploi	81,3 %
À temps plein	98,3 %
En rapport avec la formation	83,3 %
Aux études	10,7 %
Taux de chômage	6,0 %

Salaire hebdo. moyen
850 $

La Relance au secondaire en formation professionnelle – 2012, MELS et MESRST.

PLACEMENT

Au Centre de formation professionnelle d'Amqui, le placement des diplômés du programme *Mécanique industrielle de construction et d'entretien* se porte bien, et la plupart trouvent un emploi tant la demande est grande. «En 2013, on avait 14 finissants. En 2014, on en espère 16, mais il en faudrait encore davantage», rapporte Manon Lévesque, conseillère pédagogique. Le développement du Nord québécois stimule grandement l'embauche des diplômés. Les entreprises des secteurs agricole et éolien les recrutent également.

À LaSalle, le Centre intégré de mécanique, de métallurgie et d'électricité (CIMME) a diplômé 15 élèves en 2013. Le taux de placement tourne autour de 90 % depuis plusieurs années. Il pourrait être plus élevé, mais certains élèves décident de poursuivre leur formation. «Que les usines fassent de l'embouteillage ou assemblent des meubles, elles ont toutes besoin d'un mécanicien pour installer, réparer et entretenir les machines», souligne Nathalie Dupuis, directrice adjointe au CIMME.

PROFIL RECHERCHÉ

Le mécanicien industriel doit être méticuleux et posséder des notions d'informatique, car les systèmes (de chaînes de montage, par exemple) sont aujourd'hui programmés. «En cas de panne, lorsqu'un arrêt de production engendre des pertes pour la compagnie, le mécanicien doit aussi savoir gérer son stress! Mais il ne faut pas négliger la sécurité pour autant, et il doit prendre toutes les mesures qui s'imposent avant d'intervenir sur un équipement», ajoute Manon Lévesque.

Ce métier très physique demande également un bon sens de l'observation. «Il faut savoir interpréter les bruits : la machine est-elle mal équilibrée, va-t-elle tomber en panne ou manque-t-elle d'huile? C'est aussi un métier qui évolue : il faut s'assurer de garder ses connaissances à jour sur le plan technologique, notamment en électro-hydraulique», indique Nathalie Dupuis.

SUR LE TERRAIN

- **Postes :** mécanicien d'entretien industriel, mécanicien de chantier, mécanicien-monteur, ajusteur de machines
- **Principaux employeurs :** industries manufacturières, industries de transformation des métaux, du papier, du bois et des aliments, entreprises de construction

PERSPECTIVES

Certains pensent que la formation en mécanique industrielle est facile, mais il n'y a rien de plus faux, car ce domaine est très complexe. «Il faut assimiler des notions de soudure, de physique, de chimie, d'usinage, etc. Notre programme comporte 29 modules», fait valoir Nathalie Dupuis.

S'il souhaite poursuivre ses études, un diplômé peut obtenir un DEC en techniques d'usinage et même un baccalauréat en génie mécanique.

«Les salaires se situent entre 17 et 54 $ l'heure. Les élèves se placent facilement, mais il faut se montrer patient avant de pouvoir atteindre un certain niveau de rémunération», prévient Manon Lévesque. 2013-09

ÇA VOUS INTÉRESSE?
Plus d'info page 187

ÉTABLISSEMENTS OFFRANT LE PROGRAMME

Voir les lieux de formation en annexe, page 260.

Consultez des portraits de diplômés issus de ces formations à www.jobboom.com/carrieresdavenir

Chaudronnerie

DEP 5165 > par Carole Boulé

Nombre de diplômés	Diplômés en emploi	À temps plein	En rapport avec la formation	Aux études	Taux de chômage
18	100,0 %	100,0 %	90,9 %	0,0 %	0,0 %

Salaire hebdo. moyen
1 310 $

La Relance au secondaire en formation professionnelle - 2012, MELS et MESRST.

PLACEMENT

Le Centre de formation des métiers de l'acier, situé à Montréal, est le seul établissement à offrir le DEP *Chaudronnerie* au Québec. Ses 18 diplômés de 2013 ont tous décroché un emploi. «Le taux de placement est de 100 %. Chaque année, le nombre de diplômés répond à la demande des employeurs; ils remplacent les travailleurs partis à la retraite, car le bassin de chaudronniers se maintient entre 700 et 800 dans la province, année après année», précise Stéphane Lapointe, enseignant.

En fait, le Centre de formation travaille de concert avec la Commission de la construction du Québec afin de former le bon nombre de diplômés en fonction des besoins en main-d'œuvre pour les deux années qui suivent. «Par exemple, si la demande est plus grande dans une région en particulier, on sélectionne davantage d'élèves provenant de cette région pour répondre aux besoins», explique Éric Archambault, conseiller pédagogique.

PROFIL RECHERCHÉ

Un chaudronnier fabrique, assemble, entretient et répare des chaudières, des cuves, des réservoirs, des échangeurs de chaleur, etc. Il travaille notamment dans les usines des industries chimique et pétrolière ainsi que dans les centrales hydrauliques et nucléaires.

Une bonne dextérité manuelle et une grande débrouillardise sont des atouts. «Sur papier, les travaux planifiés vont toujours bien. Mais lorsque les pièces d'équipement arrivent au chantier, elles ne s'installent pas forcément comme prévu. Alors, il faut savoir improviser en utilisant de nouvelles techniques, en créant de nouveaux outils ou en modifiant les pièces d'équipement», souligne Stéphane Lapointe. Il faut aussi s'attendre à effectuer de longues journées de travail.

PERSPECTIVES

Une fois la formation terminée, le diplômé doit travailler 6 000 heures sous la supervision d'un compagnon à titre d'apprenti. «Après avoir réussi l'examen de qualification, il obtient son statut de compagnon et peut superviser des apprentis à son tour», dit Stéphane Lapointe. Le chaudronnier peut aussi obtenir une certification interprovinciale (Sceau rouge) qui lui permet de pratiquer son métier ailleurs au Canada, notamment dans les provinces de l'Ouest, où la demande est grande.

Plusieurs possibilités d'avancement s'offrent au chaudronnier d'expérience, entre autres en gestion, en santé et sécurité, en planification des travaux, en contrôle de la qualité et en enseignement. 2013-09

SUR LE TERRAIN

- **Poste :** chaudronnier
- **Principaux employeurs :** ateliers de chaudronnerie, ateliers d'installations industrielles et de fabrication, chantiers navals, entreprises de construction, centrales de production d'électricité

ÇA VOUS INTÉRESSE?
Plus d'info page 200

ÉTABLISSEMENT OFFRANT LE PROGRAMME

138

Voir le répertoire des établissements en page 264.

Pour plus de renseignements sur les statistiques et nos critères de sélection, consultez la rubrique *Comment interpréter l'information*, p. 8.

Ferblanterie-tôlerie

DEP 5233 > par Carole Boulé

Nombre de diplômés
109

Diplômés en emploi
87,7 %

À temps plein
96,6 %

En rapport avec la formation
80,4 %

Aux études
6,2 %

Taux de chômage
5,0 %

Salaire hebdo. moyen
777 $

La Relance au secondaire en formation professionnelle - 2012, MELS et MESRST.

PLACEMENT

Au Centre de formation professionnelle (CFP) en métallurgie et multiservices, situé à Chicoutimi, 16 élèves ont obtenu leur diplôme en ferblanterie-tôlerie en 2013. «Seuls deux diplômés n'ont pas trouvé d'emploi, et c'est parce qu'ils songeaient à se réorienter. Tous ceux qui voulaient travailler dans le domaine se sont rapidement placés», selon Danny Ratthé, enseignant.

Les neuf diplômés de 2013 du CFP Le Tremplin, à Thetford Mines, ont aussi tous trouvé un emploi à la fin de leurs études. «La demande est très forte parce qu'il y a peu de finissants au Québec pour pourvoir les postes disponibles en usine et sur les chantiers de construction. Chaque année, les employeurs viennent rencontrer nos élèves afin de les inviter à travailler pour eux. Les jeunes ont l'embarras du choix», explique Pierre Quirion, enseignant.

Ceux qui sont prêts à se déplacer pourront, notamment, profiter de la manne d'emplois sur les grands chantiers miniers du Nord, qui auront besoin de ferblantiers-tôliers au cours des prochaines années, précise Danny Ratthé.

SUR LE TERRAIN

- **Postes :** découpeur de métaux en feuilles, ferblantier, opérateur de machine à travailler les métaux légers et lourds, tôlier, traceur de charpentes métalliques
- **Principaux employeurs :** entreprises de construction, ateliers de fabrication métallique, entreprises de revêtements métalliques, de ventilation, de climatisation ou de chauffage

ÇA VOUS INTÉRESSE?
Plus d'info page 200

PROFIL RECHERCHÉ

Un ferblantier-tôlier conçoit, fabrique et installe des conduites de ventilation et de chauffage, des revêtements extérieurs et des toitures de métal. «Les employeurs recherchent des diplômés capables de lire des plans et de visualiser une pièce», indique Danny Ratthé. C'est pourquoi des habiletés mathématiques et une bonne perception spatiale sont des atouts précieux.

L'esprit d'équipe est nécessaire. «La fabrication en atelier de longues pièces métalliques et l'installation des conduites de ventilation sur un chantier se font en équipe», explique Pierre Quirion. Il faut également être travaillant pour ne pas ralentir le rythme du chantier.

PERSPECTIVES

«La majorité des élèves choisissent l'industrie de la construction, qui offre d'excellentes conditions de travail, comme des avantages sociaux et des salaires très concurrentiels», dit Danny Ratthé. Sur les chantiers, un diplômé cumule d'abord 6 000 heures de travail à titre d'apprenti sous la supervision d'un compagnon. Ensuite, la réussite de l'examen de qualification lui confère le statut de compagnon.

Ceux qui se dirigent vers d'autres emplois (dans une usine de fabrication de meubles, d'assemblage d'autobus ou de pièces de métal en feuilles, par exemple) ne sont pas soumis au système apprenti-compagnon. Ils profitent eux aussi de conditions de travail intéressantes. «Le salaire d'entrée tourne autour de 20 $ l'heure», indique Pierre Quirion. 2013-10

ÉTABLISSEMENTS OFFRANT LE PROGRAMME

24, 45, 53, 96, 139, 206

Voir le répertoire des établissements en page 264.

Consultez des portraits de diplômés issus de ces formations à www.jobboom.com/carrieresdavenir

Montage structural et architectural

DEP 5299 > par Carole Boulé

Nombre de diplômés	37
Diplômés en emploi	88,2 %
À temps plein	100,0 %
En rapport avec la formation	93,3 %
Aux études	5,9 %
Taux de chômage	6,3 %

Salaire hebdo. moyen
1 235 $

La Relance au secondaire en formation professionnelle – 2012, MELS et MESRST.

PLACEMENT

En 2013, le Centre de formation des métiers de l'acier, à Montréal, a diplômé 130 finissants en montage structural et architectural. Leur taux de placement oscille entre 96 et 98 %. «Ce taux devrait se maintenir pendant les dix prochaines années, car la moyenne d'âge des monteurs d'acier est assez élevée», dit Robert Faucher, enseignant.

Seul établissement à offrir cette formation au Québec, le Centre ajuste le nombre d'élèves en fonction des besoins de main-d'œuvre de l'industrie. «À la demande de la Commission de la construction du Québec, nous formerons 4 cohortes d'environ 22 élèves par année jusqu'en 2015», explique Éric Archambault, conseiller pédagogique.

Outre les départs à la retraite, la demande de diplômés est aussi alimentée par l'industrie de la construction du reste du Canada, notamment dans l'Ouest, où les monteurs-assembleurs manquent à l'appel, ajoute Robert Faucher.

PROFIL RECHERCHÉ

Les diplômés travaillent dans la construction, où ils montent et assemblent des structures de métal ou de béton préfabriquées pour le bâtiment ou les ouvrages de génie civil, comme les ponts et les barrages. Le travail se fait souvent en hauteur et demande de la minutie, une bonne perception spatiale et beaucoup d'autonomie. «Le contremaître ne peut pas être derrière chaque travailleur toute la journée. Lorsqu'il reçoit ses directives le matin, l'apprenti monteur-assembleur doit saisir ses tâches pour la journée et les effectuer de façon indépendante, selon ce qu'il a appris», note Robert Faucher.

En plus d'avoir toujours en tête les notions de santé et de sécurité au travail, il doit être assidu et ponctuel pour éviter de ralentir les travaux sur le chantier.

SUR LE TERRAIN

- **Postes :** monteur-assembleur, monteur d'acier de structure, monteur de charpentes métalliques, serrurier de bâtiment
- **Principaux employeurs :** ateliers de fabrication d'acier de charpente, de chaudières et de plaques, entreprises de construction de charpentes métalliques

PERSPECTIVES

En juillet 2013, afin de mieux répondre aux besoins du marché, les métiers de monteur d'acier de structure et de serrurier en bâtiment ont été fusionnés en un seul, plus polyvalent : monteur-assembleur.

Selon Robert Faucher, le principal défi du diplômé est d'obtenir sa carte de compagnon, qui lui permet de travailler sans supervision. Pour y arriver, il faut faire 6 000 heures de travail à titre d'apprenti, sous la supervision d'un compagnon. Ensuite, la réussite de l'examen de qualification professionnelle mène au statut de compagnon.

Beaucoup de jeunes monteurs veulent devenir «connecteurs» et ainsi assembler des poutres métalliques en hauteur. «L'assemblage se fait avec la grue, ce qui génère beaucoup d'adrénaline. Ceux qui le font en retirent un certain prestige», dit Robert Faucher. 2013-09

ÇA VOUS INTÉRESSE?
Plus d'info page 200

ÉTABLISSEMENT OFFRANT LE PROGRAMME

138

Voir le répertoire des établissements en page 264.

Pour plus de renseignements sur les statistiques et nos critères de sélection, consultez la rubrique *Comment interpréter l'information*, p. 8.

Soudage-montage

DEP 5195 > par Carole Boulé

Nombre de diplômés	885
Diplômés en emploi	81,0 %
À temps plein	96,5 %
En rapport avec la formation	84,7 %
Aux études	13,3 %
Taux de chômage	4,5 %

Salaire hebdo. moyen **731 $**

La Relance au secondaire en formation professionnelle - 2012, MELS et MESRST.

PLACEMENT

En 2013, les 40 diplômés du DEP *Soudage-montage* au Centre multiservice des Samares, à Joliette, ont tous réussi à trouver un emploi. «On forme assez de soudeurs-monteurs pour répondre à la demande du marché de l'emploi de notre région, mais ils sont très recherchés ailleurs au Québec et dans l'Ouest canadien», dit Marc Leblanc, enseignant.

Au Centre de formation professionnelle Sorel-Tracy, 29 personnes ont terminé le programme en 2013. «Le taux de placement s'élève à plus de 90 %. Nos diplômés trouvent un emploi rapidement parce que la main-d'œuvre est rare», note Alain Lamy, responsable du secteur des métiers de la métallurgie et directeur adjoint du service aux entreprises de l'établissement.

PROFIL RECHERCHÉ

Un soudeur-monteur doit être capable de lire des plans et d'interpréter des devis pour réaliser des projets de montage industriels et de structures métalliques. «Les employeurs vérifient ces aptitudes en entrevue d'embauche. Les candidats doivent repérer les erreurs sur un plan et trouver des solutions», dit Marc Leblanc.

Être habile de ses mains et avoir un bon sens de l'observation sont des qualités essentielles pour assembler une pièce. Les diplômés doivent aussi posséder force et endurance physique. «Il faut parfois transporter seul les morceaux à souder, en plus de déplacer la soudeuse, qui peut peser jusqu'à 70 kg», indique-t-il.

La vigilance et le respect des règles de santé et de sécurité sont importants. «Même si les équipements protègent mieux les travailleurs qu'avant, le métier demeure dangereux», ajoute Alain Lamy.

PERSPECTIVES

Une fois diplômé, le monteur-soudeur ne peut se reposer sur ses lauriers. «Chaque année, il doit prouver la qualité de ses soudures auprès du Bureau canadien de soudage», précise Marc Leblanc.

Ceux qui veulent se perfectionner peuvent suivre le programme qui mène à l'attestation de spécialisation professionnelle (ASP) *Soudage haute pression*. Ils pourront alors toucher à la fabrication, l'installation et la réparation de tuyaux contenant des liquides et vapeurs sous pression, par exemple dans l'industrie pétrolière.

Plusieurs possibilités d'avancement s'offrent au soudeur-monteur d'expérience. «Il peut accéder à des postes de supervision ou d'inspection au sein de l'entreprise», note Alain Lamy. 2013-09

SUR LE TERRAIN

- **Postes :** soudeur, soudeur-assembleur, soudeur-monteur, opérateur de machines à souder et à braser
- **Principaux employeurs :** entreprises de mécanosoudure, industries manufacturières, entreprises de construction

ÇA VOUS INTÉRESSE? Plus d'info page 200

ÉTABLISSEMENTS OFFRANT LE PROGRAMME

Voir les lieux de formation en annexe, page 260.

Consultez des portraits de diplômés issus de ces formations à www.jobboom.com/carrieresdavenir

Transport par camion

DEP 5291 > par Sarah-Geneviève Perreault

Nombre de diplômés	2 459
Diplômés en emploi	89,1 %
À temps plein	96,5 %
En rapport avec la formation	86,3 %
Aux études	3,3 %
Taux de chômage	4,9 %

Salaire hebdo. moyen **931 $**

La Relance au secondaire en formation professionnelle - 2012, MELS et MESRST.

PLACEMENT

Chaque année, près de 150 élèves quittent l'École du routier professionnel du Québec, située à Montréal, avec un diplôme en poche. «Le taux de placement de nos diplômés est de 98 %. Nous recevons des centaines d'offres d'emploi chaque année», explique Marc Lamontagne, le conseiller en planification de carrière de l'établissement. Il précise que les employeurs accordent la priorité aux diplômés du DEP, car les assureurs considèrent la formation comme de l'expérience.

À l'École nationale de camionnage et équipement lourd (ENCEL), dont les centres de formation sont établis à Québec, Terrebonne, Drummondville et Saint-Jean-sur-Richelieu, le taux de placement des 90 finissants de 2013 s'élevait à 90 %. La pénurie de main-d'œuvre pousse les employeurs à user de différentes stratégies pour attirer de nouveaux employés. «Certains payent la formation, d'autres segmentent les longs trajets afin de permettre aux employés de partir moins longtemps», explique Carl Gaulin, directeur général de l'École.

PROFIL RECHERCHÉ

Pour être un bon routier, il faut d'abord avoir la passion de la route, souligne Marc Lamontagne. La persévérance et une bonne endurance physique sont aussi essentielles. Afin de gérer efficacement son temps, de déterminer le meilleur itinéraire et d'arriver à destination dans les délais prévus, le routier doit faire preuve d'autonomie, de maturité et d'un sens de l'organisation bien développé. Finalement, l'employé devra toujours garder en tête qu'il représente la compagnie pour laquelle il travaille : il lui faudra donc donner un excellent service aux clients qu'il côtoie.

Outre le stage qui permet d'acquérir de l'expérience sur le terrain, le futur routier pourrait compléter sa formation avec des cours d'anglais. La connaissance de cette langue est un atout majeur pour ceux qui désirent faire du transport longue distance, le choix le plus payant dans l'industrie du transport.

SUR LE TERRAIN

- **Postes :** routier (camionneur), répartiteur, formateur
- **Principaux employeurs :** entreprises des secteurs du transport, du commerce de gros et de détail, et de la construction

ÇA VOUS INTÉRESSE? Plus d'info page 204

PERSPECTIVES

Le milieu du camionnage a beaucoup changé au cours des dernières années. Par exemple, il n'est plus nécessaire d'avoir de grandes connaissances en mécanique pour être routier, car l'informatisation du système de contrôle des camions facilite l'évaluation des problèmes. Également, la force physique n'est plus un critère d'embauche. Les femmes sont d'ailleurs de plus en plus présentes dans le métier. Selon Marc Lamontagne, elles représentent environ de 10 à 15 % des diplômés de son établissement.

Avec le temps, le routier peut progresser au sein de son entreprise en devenant formateur ou répartiteur (celui qui distribue les trajets et l'équipement entre les membres du personnel). 2013-09

ÉTABLISSEMENTS OFFRANT LE PROGRAMME

Voir les lieux de formation en annexe, page 260.

Pour plus de renseignements sur les statistiques et nos critères de sélection, consultez la rubrique *Comment interpréter l'information*, p. 8.

Assistance à la personne à domicile

DEP 5317 > par Lysane Sénécal Mastropaolo

Nombre de diplômés	720
Diplômés en emploi	81,4 %
À temps plein	76,3 %
En rapport avec la formation	90,2 %
Aux études	8,9 %
Taux de chômage	6,1 %

Salaire hebdo. moyen **591 $**

La Relance au secondaire en formation professionnelle - 2012, MELS et MESRST.

PLACEMENT

Au Centre de formation Compétences-2000 de Laval, le taux de placement des 38 diplômés du DEP *Assistance à la personne à domicile* a atteint 100 % en 2013, selon Lynda Bélanger, enseignante au programme et porte-parole de l'Association des auxiliaires familiales et sociales du Québec. «Nous avons manqué de finissants, dit-elle. La demande vient de partout et certains diplômés ont été engagés dans d'autres régions que Laval et Montréal.»

Les perspectives sont aussi bonnes au CFP Le Tremplin, situé à Thetford Mines. «Les employeurs nous courent après pour fixer des entrevues avec nos finissants, qui sont souvent engagés durant leur stage», affirme Nancy Burgey, enseignante et responsable du secteur santé. Selon elle, 9 des 12 diplômés de 2013 ont trouvé un emploi moins d'un mois après la fin de leurs études. Ceux qui veulent travailler se placent rapidement, mais certains choisissent de poursuivre leur formation pour ensuite être engagés en établissement de santé.

«De plus en plus d'organismes proposent des services de soins à domicile et recherchent nos diplômés», note Lynda Bélanger, pour expliquer la forte demande.

PROFIL RECHERCHÉ

L'auxiliaire familial et social offre des soins et services à domicile aux personnes en perte d'autonomie.

SUR LE TERRAIN

- **Postes :** auxiliaire familial et social, préposé d'aide à domicile
- **Principaux employeurs :** CLSC, CSSS, coopératives de soins à domicile, entreprises d'économie sociale

ÇA VOUS INTÉRESSE? Plus d'info page 201

Nancy Burgey mentionne qu'il doit s'adapter à différents milieux et à une clientèle variée. Par exemple, le diplômé n'assiste pas seulement des personnes âgées. Il peut aussi aider une jeune mère de jumeaux qui vit une situation familiale difficile. Le sens de l'observation et l'esprit d'initiative sont des atouts, puisque l'auxiliaire est seul avec la personne. «Il doit pouvoir reconnaître des symptômes et faire des recommandations s'il observe des plaies ou lésions lors d'un soin d'hygiène», illustre Lynda Bélanger.

«Parfois l'auxiliaire représente la seule visite de la semaine pour le patient. Certaines personnes vont se confier. Il faut les écouter et avoir de la compassion», poursuit Nancy Burgey.

PERSPECTIVES

«On confond souvent la profession avec celle de préposé aux bénéficiaires, mais l'auxiliaire familial et social est comme un aidant naturel. Il peut aider un patient à se lever et se coucher, tout comme l'assister dans la préparation de ses repas, l'entretien de sa maison et la tenue de son budget», précise Lynda Bélanger.

L'auxiliaire peut élargir ses activités professionnelles en suivant des formations spécialisées offertes par son employeur ou par l'entremise d'agences et ainsi être à même d'administrer des médicaments ou de traiter les plaies et altérations de la peau. Il peut aussi suivre les cours nécessaires pour obtenir le DEP *Assistance à la personne en établissement de santé* afin d'augmenter ses possibilités d'emploi. 2013-09

ÉTABLISSEMENTS OFFRANT LE PROGRAMME

Voir les lieux de formation en annexe, page 260.

Consultez des portraits de diplômés issus de ces formations à www.jobboom.com/carrieresdavenir

Assistance à la personne en établissement de santé

DEP 5316 > par Lysane Sénécal Mastropaolo

Nombre de diplômés	Diplômés en emploi	À temps plein	En rapport avec la formation	Aux études	Taux de chômage
2 464	80,0 %	71,8 %	88,5 %	9,8 %	4,9 %

Salaire hebdo. moyen
594 $

La Relance au secondaire en formation professionnelle - 2012, MELS et MESRST.

PLACEMENT

En 2013, les neuf diplômés du DEP *Assistance à la personne en établissement de santé* du Centre de formation professionnelle et générale A.-W.-Gagné, à Sept-Îles, ont tous trouvé du travail grâce à leur stage. La responsable du programme, Josée Renaud, explique cette forte demande par les départs à la retraite et le vieillissement de la population, qui augmentent les besoins dans les CHSLD. Le roulement de personnel y est aussi pour quelque chose. «C'est un métier exigeant. Après quelques années, certains préposés aux bénéficiaires décident de se réorienter, laissant la place à d'autres. Il y a toujours des besoins en personnel», indique-t-elle.

Marie-Pier Riverin-Gagnon, conseillère pédagogique du Centre de formation professionnelle Fierbourg, à Québec, observe aussi une importante demande depuis quelques années dans la Capitale-Nationale. Elle estimait à 92 % le taux de placement des 123 finissants de 2013. Une fois diplômés, ces derniers ne manqueront pas de boulot, car, depuis 2013, les résidences privées pour personnes âgées doivent engager des préposés qualifiés pour obtenir leur certification.

PROFIL RECHERCHÉ

Le préposé aux bénéficiaires prodigue des soins de base aux personnes en perte d'autonomie. Il les aide, par exemple, à se déplacer, à manger et à se laver. Une bonne forme physique est nécessaire pour effectuer le travail. «Comme les patients peuvent parfois être agressifs et ne pas coopérer, il faut aussi savoir gérer son stress et ses émotions», ajoute Marie-Pier Riverin-Gagnon. Le sens de l'observation et un bon jugement sont également essentiels. «Le préposé doit détecter les changements dans l'état de santé du patient afin de les signaler au personnel infirmier», rappelle-t-elle.

L'esprit d'équipe est une autre qualité incontournable pour ce diplômé, qui est appelé à collaborer avec les infirmières, les autres préposés et les chefs d'équipe. Enfin, il doit aussi savoir faire preuve de compassion.

SUR LE TERRAIN

- **Poste :** préposé aux bénéficiaires
- **Principaux employeurs :** CHSLD publics ou privés, centres hospitaliers, centres d'hébergement et de réadaptation physique

ÇA VOUS INTÉRESSE? Plus d'info page 201

PERSPECTIVES

Marie-Pier Riverin-Gagnon souligne que le perfectionnement professionnel est possible. «Les préposés aux bénéficiaires peuvent suivre des formations offertes par leur employeur pour travailler dans des unités plus spécialisées, comme les soins palliatifs dans les hôpitaux», illustre-t-elle. D'autres formations, aussi données dans leur milieu de travail, élargissent leur champ d'activité en leur permettant d'administrer des médicaments sous différentes formes ou de changer les sacs collecteurs.

Pour faire progresser leur carrière, certains préposés s'inscrivent au DEP *Santé, assistance et soins infirmiers* en vue d'accéder au métier d'infirmier auxiliaire. D'autres décident d'aller plus loin en suivant le programme collégial en soins infirmiers. 2013-09

ÉTABLISSEMENTS OFFRANT LE PROGRAMME

Voir les lieux de formation en annexe, page 260.

Consultez des portraits de diplômés issus de ces formations à www.jobboom.com/carrieresdavenir

Assistance technique en pharmacie

DEP 5302 > par Lysane Sénécal Mastropaolo

Nombre de diplômés	461
Diplômés en emploi	80,7 %
À temps plein	88,4 %
En rapport avec la formation	91,5 %
Aux études	10,4 %
Taux de chômage	4,8 %

Salaire hebdo. moyen **541 $**

La Relance au secondaire en formation professionnelle - 2012, MELS et MESRST.

ÇA VOUS INTÉRESSE?
Plus d'info page 201

PLACEMENT

Au Centre de formation professionnelle (CFP) Compétences Outaouais, à Gatineau, le taux de placement des diplômés du DEP *Assistance technique en pharmacie* se maintient généralement autour de 96 %, selon Geneviève Raymond, la responsable du programme. Mais en 2013, le placement a atteint un sommet, alors que les 34 diplômés ont obtenu un emploi. «Beaucoup sont recrutés lors des stages», dit la responsable.

Même scénario pour les 19 diplômés de 2013 du CFP Alma, qui ont tous décroché un poste durant leur stage. Alain Côté, responsable du programme, observe un aussi bon placement depuis bientôt 10 ans. À son avis, le vieillissement de la population, l'augmentation du nombre de pharmacies de quartier et leurs heures d'ouverture prolongées sont autant de facteurs qui expliquent la forte demande de ces diplômés.

Par ailleurs, les nouvelles tâches des pharmaciens, comme prescrire des médicaments, prolonger et ajuster certaines ordonnances, auront aussi pour effet d'augmenter la charge de travail des assistants techniques. Alain Côté s'attend donc à ce que la demande de diplômés demeure élevée au cours des prochaines années.

PROFIL RECHERCHÉ

L'assistant technique en pharmacie doit être minutieux, rigoureux et posséder une bonne dextérité manuelle pour manipuler les médicaments. «Par exemple, il faut peser le produit au milligramme près pour préparer un soluté en seringue. Une erreur peut avoir un impact direct sur la vie du patient», précise Alain Côté.

Une habileté pour les relations interpersonnelles est également primordiale, surtout en milieu communautaire. «Une bonne communication avec les clients est essentielle. Il faut aussi savoir créer un climat de confiance, par exemple dans le cas où on aurait à expliquer le fonctionnement d'un glucomètre», illustre Geneviève Raymond.

Enfin, l'assistant technique en pharmacie a absolument besoin d'une bonne mémoire pour retenir les diverses appellations que peuvent avoir les médicaments.

SUR LE TERRAIN

- **Postes :** assistant technique en pharmacie, commis de laboratoire, préposé d'officine, aide technique, chef d'équipe, contrôleur de la qualité
- **Principaux employeurs :** pharmacies, centres hospitaliers, CLSC, compagnies pharmaceutiques

PERSPECTIVES

«Les diplômés ne font pas que compter des pilules. Leurs tâches sont plus variées qu'on le croit», assure Geneviève Raymond. Outre la préparation de médicaments pris par voix orale ou intraveineuse, l'assistant technique en pharmacie est appelé à se familiariser avec les régimes d'assurance et à gérer les stocks. Avec l'expérience, il peut gravir les échelons jusqu'à devenir chef d'équipe. Dans les centres hospitaliers, l'assistant technique en pharmacie a la possibilité de pousser ses compétences plus loin en préparant, par exemple, des traitements spécialisés à l'intérieur d'environnements stériles et contrôlés. Le milieu de l'industrie pharmaceutique est aussi ouvert aux diplômés, qui sont à même d'y assurer le contrôle de la qualité des médicaments. 2013-09

ÉTABLISSEMENTS OFFRANT LE PROGRAMME

Voir les lieux de formation en annexe, page 260.

Pour plus de renseignements sur les statistiques et nos critères de sélection, consultez la rubrique *Comment interpréter l'information*, p. 8.

Santé, assistance et soins infirmiers

DEP 5325 > par Lysane Sénécal Mastropaolo

Nombre de diplômés	2 258
Diplômés en emploi	85,9 %
À temps plein	68,1 %
En rapport avec la formation	90,7 %
Aux études	6,7 %
Taux de chômage	4,4 %

Salaire hebdo. moyen
690 $

La Relance au secondaire en formation professionnelle - 2012, MELS et MESRST.

PLACEMENT

En 2013, le Centre de formation professionnelle (CFP) de Charlevoix comptait cinq diplômées* du DEP *Santé, assistance et soins infirmiers*. Quatre ont trouvé un emploi d'infirmière auxiliaire. «Le taux de placement de nos finissantes oscille entre 80 et 85 % depuis 2002», estime la conseillère pédagogique du CFP, Paola Caron. L'emploi était aussi au rendez-vous pour les 32 diplômées du CFP 24-Juin de Sherbrooke, qui ont toutes obtenu un poste en 2013. «Nos finissantes terminent parfois le programme avec deux promesses d'embauche», affirme la responsable du programme, Joëlle Cyr. Et souvent, le recrutement commence bien avant la fin de leurs études. Les départs à la retraite et les nombreux congés de maternité stimulent la demande de diplômées dans ce milieu majoritairement féminin. Également, plusieurs actes ont été délégués aux infirmières auxiliaires à la suite de la réorganisation du travail dans les hôpitaux, ce qui favorise leur embauche. «Les tâches en soins infirmiers sont de plus en plus effectuées par ces diplômées, alors que le travail administratif est confié aux infirmières formées au collégial», précise Paola Caron.

PROFIL RECHERCHÉ

En plus de démontrer de l'empathie, l'infirmière auxiliaire doit faire preuve d'écoute active, de respect de la confidentialité et de jugement professionnel. «Il faut déceler les symptômes d'un patient même dans son non-verbal afin de les signaler», souligne Joëlle Cyr. Paola Caron ajoute qu'une bonne forme physique, une facilité à gérer le stress et une capacité d'adaptation constituent d'autres atouts. «La diplômée est appelée à travailler de jour et de nuit, et dans différentes unités. Elle doit aussi être capable de soigner des clientèles plus difficiles sans porter de jugement, comme des blessés de la route en état d'ébriété.» Le désir de prêter assistance aux autres est fondamental.

SUR LE TERRAIN

- **Poste :** infirmière auxiliaire
- **Principaux employeurs :** centres hospitaliers, CHSLD, CLSC, CSSS, résidences pour personnes âgées, centres de réadaptation physique, entreprises privées de soins à domicile

ÇA VOUS INTÉRESSE?
Plus d'info page 201

PERSPECTIVES

L'infirmière auxiliaire a le défi de maintenir ses connaissances à jour en participant à des activités de formation continue. «Elle doit rester à l'affût des nouveautés dans les soins et les traitements», indique Joëlle Cyr. Pour gravir les échelons, certaines décident de poursuivre des études au collégial et à l'université. Celles qui ont trois ans d'expérience et qui s'intéressent à l'enseignement peuvent former les futures infirmières auxiliaires dans les CFP. Elles doivent pour cela s'inscrire au baccalauréat en enseignement professionnel et faire ces études en cours d'emploi en vue d'obtenir le diplôme. Pour l'instant, les diplômées n'ont qu'à remplir une demande d'admission pour devenir membres de l'Ordre des infirmières et infirmiers auxiliaires du Québec. Mais à compter de 2016, l'Ordre prévoit instaurer un examen théorique obligatoire. 2013-09

Il faut être membre de l'Ordre des infirmières et infirmiers auxiliaires du Québec pour porter le titre d'infirmière ou infirmier auxiliaire.

**Le féminin est utilisé dans cet article étant donné la très grande proportion de femmes diplômées en santé, assistance et soins infirmiers.*

ÉTABLISSEMENTS OFFRANT LE PROGRAMME

Voir les lieux de formation en annexe, page 260.

Consultez des portraits de diplômés issus de ces formations à www.jobboom.com/carrieresdavenir

Conseil en assurances et en services financiers

DEC 410.C0 > par Amélie Cournoyer

Nombre de diplômés
84

Diplômés en emploi
49,1 %*

À temps plein
92,9 %

En rapport avec la formation
92,3 %

Aux études
50,9 %

Taux de chômage
0,0 %

Salaire hebdo. moyen
677 $

La Relance au collégial en formation technique – 2012, MELS et MESRST.

*Ce faible taux d'emploi peut s'expliquer par le pourcentage élevé de diplômés qui poursuivent leurs études (50,9 %).

PLACEMENT

En mai 2013, les 12 diplômés du DEC *Conseil en assurances et en services financiers* au Cégep de Lévis-Lauzon ont tous reçu une offre d'emploi après leur dernier stage. «Durant leurs études, la majorité des étudiants travaillent à temps partiel. Les employeurs ont compris qu'ils avaient intérêt à les engager le plus tôt possible au cours de leur formation pour leur offrir un poste une fois leur diplôme obtenu», soutient Christine Lévesque, conseillère d'orientation. L'établissement a reçu en 2013 une quarantaine d'offres d'emploi pour ces finissants.

Le Cégep du Vieux Montréal a aussi enregistré un taux de placement de 100 % pour ses 10 diplômés de 2013. «Il y a beaucoup de postes à pourvoir, notamment en raison des départs à la retraite, explique Louise Phaneuf, technicienne en information au Service de placement étudiant. Comme nos cohortes sont petites, il y a un écart entre l'offre et la demande.» La multiplication des produits et services financiers stimule cette demande, mais la relève manque à l'appel.

PROFIL RECHERCHÉ

Puisque les assurances et les produits financiers se diversifient sans cesse, le conseiller financier ou le représentant en assurance doit être en mesure de vulgariser l'information pour ses clients. «Être un habile communicateur, avoir une bonne approche client et faire preuve d'empathie sont des aptitudes essentielles pour devenir un bon conseiller», poursuit Louise Phaneuf.

«Les gens ne confient pas leur argent à n'importe qui; le diplômé doit savoir établir un climat de confiance avec sa clientèle en faisant preuve de maturité et de jugement», ajoute Christine Lévesque. L'étudiant peut acquérir ces aptitudes en cumulant des expériences de vie variées par l'entremise de stages, d'emplois d'été, de bénévolat ou de voyages.

SUR LE TERRAIN

- **Postes :** agent ou courtier d'assurance, assureur, conseiller en services financiers, expert en sinistres, souscripteur, technicien en assurance
- **Principaux employeurs :** cabinets de services financiers, compagnies d'assurance, firmes de courtage, institutions financières, grandes entreprises

PERSPECTIVES

De nombreux débouchés s'offrent aux diplômés. On les trouve autant dans le secteur des services financiers que dans celui de l'assurance de dommages ou de personnes. «L'industrie leur présente des plans de carrière intéressants avec de très bons salaires, des avantages sociaux concurrentiels, des bonifications basées sur la performance et des possibilités d'avancement», note Louise Phaneuf. Certains poursuivent leurs études pour obtenir un titre professionnel. Par exemple, pour devenir planificateur financier, il faut être diplômé du baccalauréat en administration des affaires et réussir l'examen de l'Institut québécois de planification financière.

Il faut oublier l'image de l'assureur qui fait du porte-à-porte. «Le domaine est rempli de défis, confirme Christine Lévesque. On peut facilement gravir des échelons, obtenir des postes de gestion et même travailler pour son propre compte.» 2013-10

ÉTABLISSEMENTS OFFRANT LE PROGRAMME

30, 56, 86, 98, 111, 149, 162

Voir le répertoire des établissements en page 264.

ÇA VOUS INTÉRESSE? Plus d'info page 182

Consultez des portraits de diplômés issus de ces formations à www.jobboom.com/carrieresdavenir

Techniques de bureautique (Coordination du travail de bureau)

DEC 412.AA > par André Lavoie

Nombre de diplômés
183

Diplômés en emploi
81,8 %

À temps plein
92,6 %

En rapport avec la formation
94,0 %

Aux études
15,9 %

Taux de chômage
1,8 %

Salaire hebdo. moyen
686 $

La Relance au collégial en formation technique – 2012, MELS et MESRST.

PLACEMENT

En 2013, le taux de placement des diplômés du programme *Techniques de bureautique*, spécialisation en coordination du travail de bureau, serait de 100 % dans tous les établissements consultés si certains finissants ne décidaient pas de poursuivre leurs études à l'université, en relations industrielles ou en administration par exemple. «Nous avons reçu environ 3 ou 4 offres d'emploi pour chacun de nos 20 finissants cette année», souligne Claudette Duchesne, enseignante au Cégep de Lévis-Lauzon.

Les modestes cohortes comme celle du Collège Lionel-Groulx, à Sainte-Thérèse, qui comptait à peine 20 finissants en 2013, créent une pénurie de main-d'œuvre. «Ces professionnels sont recherchés et les salaires sont ajustés en conséquence», précise Micheline Deshaies, enseignante et coordonnatrice du programme. Qui plus est, la spécialisation en coordination du travail de bureau souffre toujours d'une grande méconnaissance de la part des élèves du secondaire, qui la confondent avec le diplôme d'études professionnelles en secrétariat.

PROFIL RECHERCHÉ

«Nous ne formons pas des exécutants mais des dirigeants», affirme Claudette Duchesne, qui serait heureuse d'accueillir plus d'hommes dans ses classes. Trop souvent assimilée au secrétariat, la coordination du travail de bureau exige bien plus que la connaissance de quelques logiciels ou la capacité de répondre au téléphone. «Ce sont les bras droits des gestionnaires, précise Micheline Deshaies. Nous les formons autant pour bâtir un processus de recrutement et évaluer le rendement du personnel que pour organiser des événements à caractère professionnel.» Pour cela, les diplômés doivent démontrer du tact, de la curiosité pour les nouvelles technologies, de l'autonomie et de la polyvalence, sans compter un souci du détail, un sens des responsabilités et de la discrétion.

SUR LE TERRAIN

- **Postes :** agent ou adjoint administratif, secrétaire de direction, technicien en bureautique
- **Principaux employeurs :** fonction publique (écoles, ministères, hôpitaux, CLSC), sociétés d'État, PME, municipalités, entreprises de services

ÇA VOUS INTÉRESSE?
Plus d'info page 174

PERSPECTIVES

Claudette Duchesne est catégorique : «Quand les entreprises privées accueillent une première fois un diplômé en bureautique, elles ne peuvent plus s'en passer.» Leur rareté les rend précieux, surtout auprès des gestionnaires reconnaissant la valeur d'un adjoint efficace, capable d'anticiper les difficultés. Cette position leur permet d'obtenir des salaires intéressants, mais aussi de très bonnes conditions de travail, dont plusieurs semaines de vacances, comme le précise Claudette Duchesne.

Même si les diplômés ne débutent pas tous aux côtés du président de la compagnie ou d'un haut fonctionnaire, des promotions peuvent être décrochées rapidement. Car ils parlent – et comprennent – le même langage que leurs supérieurs, qu'il s'agisse de comptabilité, de ressources humaines ou matérielles. 2013-09

ÉTABLISSEMENTS OFFRANT LE PROGRAMME

Voir les lieux de formation en annexe, page 260.

Pour plus de renseignements sur les statistiques et nos critères de sélection, consultez la rubrique *Comment interpréter l'information*, p. 8.

Techniques de comptabilité et de gestion

DEC 410.B0 > par Amélie Cournoyer

Nombre de diplômés	1 148
Diplômés en emploi	38,1 %*
À temps plein	90,2 %
En rapport avec la formation	78,9 %
Aux études	59,2 %
Taux de chômage	3,1 %

Salaire hebdo. moyen **621 $**

La Relance au collégial en formation technique – 2012, MELS et MESRST.

*Ce faible taux d'emploi peut s'expliquer par le pourcentage élevé de diplômés qui poursuivent leurs études (59,2 %).

PLACEMENT

En 2013, les 34 diplômés en techniques de comptabilité et de gestion du Cégep de Sherbrooke ont trouvé un emploi. Cet excellent placement s'observe depuis quelques années, note Françoise Pelletier, enseignante et coordonnatrice du programme. Et selon elle, deux facteurs laissent croire que cette forte demande va se maintenir. «D'abord, les départs à la retraite des techniciens comptables créent des débouchés. Puis les employeurs connaissent mieux notre programme. Ils sont de plus en plus nombreux à vouloir engager nos diplômés.»

La demande est forte aussi au Cégep de Drummondville. En 2013, l'établissement a reçu 45 offres d'emploi pour ses 8 diplômés. «Malheureusement, un seul étudiant a intégré le marché du travail, les autres ont préféré s'inscrire à l'université, indique Micheline Rioux, coordonnatrice du département de techniques administratives. On ne réussit pas à répondre à la demande avec de si petites cohortes.» Les PME comme les grandes entreprises et les institutions financières recherchent les techniciens comptables.

PROFIL RECHERCHÉ

Ce technicien intervient à toutes les étapes du cycle comptable et joue un rôle pivot dans les organisations. Il participe aux tâches liées à la comptabilité et à la gestion des ressources humaines, financières et matérielles. «Le diplômé doit maîtriser les technologies de l'information et des communications, dit Micheline Rioux. Il devient souvent la référence de son équipe quant à l'utilisation des logiciels de comptabilité et de gestion des entreprises.»

Avoir de l'intérêt pour le calcul, être méthodique et responsable sont des aptitudes nécessaires pour élaborer un budget, tenir des livres ou effectuer des contrôles budgétaires. La discrétion est également essentielle, car le technicien travaille souvent avec des données confidentielles, ajoute Françoise Pelletier.

SUR LE TERRAIN

- **Postes :** technicien en administration, en comptabilité ou en finance, teneur de livres, agent administratif ou de service à la clientèle, agent de vérification comptable
- **Principaux employeurs :** entreprises privées, bureaux de comptables, firmes de courtage, institutions financières, ministères, organismes gouvernementaux

PERSPECTIVES

Le technicien en comptabilité doit se montrer ouvert et intéressé par les enjeux du commerce international. «Si un employeur délocalise sa production en Chine ou tente de développer un marché en Inde, le diplômé doit être en mesure de le soutenir», soutient Micheline Rioux. C'est pourquoi les établissements d'enseignement incitent de plus en plus leurs étudiants à faire des stages à l'étranger et à apprendre d'autres langues que le français et l'anglais.

«Le milieu de la comptabilité est dynamique. Les candidats ambitieux peuvent gravir les échelons pour accéder à des postes de gestion et parfois même prendre les rênes d'une entreprise», dit Françoise Pelletier. 2013-09

ÇA VOUS INTÉRESSE? Plus d'info page 174

ÉTABLISSEMENTS OFFRANT LE PROGRAMME

Voir les lieux de formation en annexe, page 260.

Consultez des portraits de diplômés issus de ces formations à www.jobboom.com/carrieresdavenir

Formation collégiale

Secteur 01 : Administration, commerce et informatique

Techniques de l'informatique (Informatique de gestion et Gestion de réseaux informatiques)

ÇA VOUS INTÉRESSE? Plus d'info page 170

DEC 420.A0 > par André Lavoie

PLACEMENT

Au Cégep Saint-Jean-sur-Richelieu, les étudiants inscrits au programme *Techniques de l'informatique* peuvent choisir parmi les spécialisations *Informatique de gestion* et *Gestion de réseaux informatiques*. Dans les deux cas, le taux de placement est de 100 %, malgré les soubresauts de l'économie. «Nos 20 diplômés de 2013 en informatique de gestion ont effectivement tous trouvé un emploi», souligne Sylvain Béland, coordonnateur du département de l'enseignement de l'informatique.

Même succès au Collège Édouard-Montpetit, à Longueuil, où les neuf finissants en gestion de réseaux informatiques auraient sans doute tous décroché un emploi... si certains d'entre eux n'avaient pas décidé de poursuivre des études à l'université. «C'est une nouvelle réalité», constate Belhachemi Ouldali, coordonnateur de programme. Pour la majorité des étudiants, «le placement se fait lors du dernier stage, tandis que d'autres travaillent déjà à temps partiel en entreprise pendant leurs études», confirme-t-il.

PROFIL RECHERCHÉ

Mordus de jeux vidéo, tempéraments solitaires... ce programme n'est pas pour vous! «La profession est complètement différente», précise Sylvain Béland, qui dénonce l'étiquette «*geek*» accolée aux diplômés. Les compétences techniques sont importantes, mais les aptitudes sociales le sont tout autant. «C'est un vrai travail d'équipe», insiste-t-il.

En plus de la rigueur et de la capacité à résoudre des problèmes, les techniciens doivent comprendre qu'ils évoluent dans un environnement où les changements technologiques sont constants, précise Belhachemi Ouldali. «Il y aura toujours de nouveaux défis. Un diplômé va avancer rapidement dans une entreprise s'il apprend vite.» Et il doit faire preuve d'autonomie pour acquérir ces nouvelles compétences.

PERSPECTIVES

Les entreprises ont plus que jamais besoin de techniciens en informatique, et ce, dans toutes les spécialisations. «Nous sommes dans un marché stable et sain», souligne Sylvain Béland, qui se souvient encore des effets négatifs de la crise provoquée par l'éclatement de la bulle informatique, au début des années 2000. Avec le développement constant d'Internet et l'évolution des logiciels pour le secteur bancaire et financier, l'industrie ne montre aucun signe de ralentissement. «Sans compter tous les autres logiciels pour gérer les usines, les commerces de détail, les entreprises de transport, ou encore le marché de la tablette et du téléphone intelligent», ajoute-t-il.

Les occasions d'emploi sont nombreuses, notamment pour les filles, quasi absentes dans ce programme. Les employeurs souhaiteraient en embaucher davantage. 2013-09

SUR LE TERRAIN

- **Postes :** technicien en informatique, programmeur, développeur d'application, technicien en soutien logiciel, gestionnaire de réseau
- **Principaux employeurs :** commerces, ministères, hôpitaux, écoles, sociétés d'État, entreprises de services financiers, compagnies d'assurance, de télécommunications, de logiciels

ÉTABLISSEMENTS OFFRANT LE PROGRAMME

Voir les lieux de formation en annexe, page 260.

STATISTIQUES	Nombre de diplômés	Diplômés en emploi	À temps plein	En rapport avec la formation	Aux études	Taux de chômage	Salaire hebdo. moyen
Informatique de gestion	153	62,5 %*	95,8 %	86,8 %	33,9 %	5,4 %	796 $
Gestion de réseaux informatiques	525	45,4 %*	94,6 %	89,9 %	51,4 %	5,1 %	720 $

La Relance au collégial en formation technique – 2012, MELS et MESRST.

*Ces faible taux d'emploi peuvent s'expliquer par le pourcentage élevé de diplômés qui poursuivent leurs études (de 33,9 à 51,4 %).

Pour plus de renseignements sur les statistiques et nos critères de sélection, consultez la rubrique *Comment interpréter l'information*, p. 8.

Gestion et exploitation d'une entreprise agricole (Productions animales)

DEC 152.AA > par Jean-Sébastien Marsan

Nombre de diplômés	93
Diplômés en emploi	78,4 %*
À temps plein	89,1 %
En rapport avec la formation	91,8 %
Aux études	18,9 %
Taux de chômage	1,7 %

Salaire hebdo. moyen
590 $

La Relance au collégial en formation technique - 2012, MELS et MESRST.

*Ce faible taux d'emploi peut s'expliquer par le pourcentage élevé de diplômés qui poursuivent leurs études (18,9 %).

PLACEMENT

Au Cégep Saint-Jean-sur-Richelieu, le taux de placement des diplômés en gestion et exploitation d'une entreprise agricole atteint 100 % depuis plusieurs années dans la spécialisation *Productions animales*. Au printemps 2013, on y comptait 12 diplômés.

De son côté, le Collège Lionel-Groulx a produit seulement cinq diplômés en juin 2013, qui ont tous trouvé un emploi. «Les fermes deviennent plus grosses, elles ont besoin de gérants de production», indique Louis Hudon, coordonnateur du Département d'agriculture et d'horticulture de l'établissement.

Dans les deux cas, le manque d'inscriptions au programme empêche les établissements de répondre aux besoins des employeurs. Les étudiants qui veulent prendre la relève d'une ferme forment la majeure partie de l'effectif du programme. «Depuis plusieurs années, on a des étudiants qui souhaitent reprendre une entreprise qui n'a pas de relève familiale ou qui veulent démarrer leur propre ferme», note Jean-Benoit Parr, enseignant et coordonnateur du département et du programme au Cégep Saint-Jean-sur-Richelieu. Mais ces diplômés sont aussi recherchés par les entreprises de services-conseils et de financement agricoles.

SUR LE TERRAIN

- **Postes :** gestionnaire d'entreprise agricole, gérant de ferme ou de production, technicien agricole
- **Principaux employeurs :** fermes, coopératives agricoles, ministères fédéral et provincial de l'Agriculture, Agence canadienne d'inspection des aliments, Union des producteurs agricoles, entreprises de services agricoles

PROFIL RECHERCHÉ

Selon Louis Hudon, le diplômé doit avoir des habiletés autant pour le travail de bureau que pour les tâches manuelles. «Il lui faut planifier et coordonner les travaux de ferme en plus d'assurer la comptabilité et la gestion financière de l'entreprise. Il y a aussi du travail sur le terrain.» Le technicien agricole est en effet appelé à effectuer des travaux de soudure, de mécanique et de menuiserie.
Le diplômé doit également mettre à profit ses connaissances en agronomie, en gestion de la main-d'œuvre, en finance et en environnement. Avoir un bon esprit d'entrepreneur et de gestionnaire est essentiel pour favoriser la rentabilité et la croissance d'une entreprise agricole.

PERSPECTIVES

Un technicien agricole peut obtenir la responsabilité d'une petite équipe d'ouvriers dans une ferme. Il peut aussi devenir gestionnaire d'une entreprise agricole et prendre les rênes de l'exploitation après quelques années d'expérience. Les entreprises de services agricoles, de même que les coopératives agricoles, offrent des débouchés pour les diplômés. Ils y sont conseillers et peuvent gravir progressivement les échelons. Certains techniciens poursuivent des études universitaires dans des programmes liés à l'agriculture pour accéder à d'autres postes, par exemple agronome ou ingénieur en génie agroenvironnemental. À compter de 2015-2016, le programme sera remplacé par *Gestion et technologies d'entreprise agricole*, qui visera à rehausser les compétences en gestion des étudiants. 2013-10

ÉTABLISSEMENTS OFFRANT LE PROGRAMME

17, 49, 56, 72, 86, 93, 127, 132, 182, 213

Voir le répertoire des établissements en page 264.

ÇA VOUS INTÉRESSE?
Plus d'info page 178

Consultez des portraits de diplômés issus de ces formations à www.jobboom.com/carrieresdavenir

Paysage et commercialisation en horticulture ornementale (Aménagement paysager)

DEC 153.CA > par Laurence Hallé

Nombre de diplômés
16

Diplômés en emploi
75,0 %*

À temps plein
88,9 %

En rapport avec la formation
87,5 %

Aux études
25,0 %

Taux de chômage
0,0 %

Salaire hebdo. moyen
637 $

La Relance au collégial en formation technique - 2012, MELS et MESRST.

*Ce faible taux d'emploi peut s'expliquer par le pourcentage élevé de diplômés qui poursuivent leurs études (25,0 %).

ÇA VOUS INTÉRESSE?
Plus d'info page 178

PLACEMENT

À l'Institut de technologie agroalimentaire de Saint-Hyacinthe, les dix diplômés de 2013 du programme *Paysage et commercialisation en horticulture ornementale*, spécialisation en aménagement paysager, ont rapidement trouvé du travail. «Les employeurs se les arrachent», lance Sophie Mailloux, enseignante. À l'automne 2013, elle avait déjà une quarantaine d'offres d'emploi pour les futurs diplômés de 2014.

La demande est tout aussi forte pour les finissants du Collège Montmorency, où le taux de placement avoisine 100 % depuis 2006. «En 2012, nous avons diplômé seulement trois étudiants. Nous pourrions en diplômer une vingtaine par an et ils se placeraient tous», souligne le conseiller à la vie étudiante, Luc Thomas. «Les employeurs viennent rencontrer les étudiants une fois par an et les recrutent dès la première année pour des emplois d'été», indique la coordonnatrice du programme, Andrée Hélie. Pour plusieurs, ces petits boulots se transforment en poste une fois leur diplôme en poche.

PROFIL RECHERCHÉ

Les horticulteurs participent à la conception et la réalisation de jardins. Ils doivent aimer le travail en extérieur et avoir un esprit de synthèse développé. «Un horticulteur doit être capable d'imaginer l'aménagement de A à Z et de garder cette vision d'ensemble en tête pendant la réalisation du projet», souligne Sophie Mailloux. De bonnes aptitudes relationnelles sont également nécessaires, puisque chaque client amène son lot de demandes particulières.

La capacité d'adaptation et la créativité leur sont aussi essentielles, car différents problèmes peuvent surgir au moment de la réalisation. «S'ils avaient prévu utiliser une plante et qu'elle n'est plus disponible, ils doivent en trouver une autre», illustre Andrée Hélie.

SUR LE TERRAIN

- **Postes :** concepteur de jardins et de paysages, contremaître d'équipe, propriétaire d'entreprise de services en aménagement paysager
- **Principaux employeurs :** municipalités, entreprises de services en aménagement paysager

PERSPECTIVES

La formation en aménagement paysager gagne en popularité. «Les gens comprennent qu'il ne s'agit pas seulement de planter des fleurs. Il y a tout un travail d'amélioration de la qualité de vie et de l'environnement, surtout dans les milieux urbains», mentionne Sophie Mailloux.

Plusieurs croient le métier limité par son caractère saisonnier. Or, si les mois d'hiver sont plus tranquilles, le reste de l'année est très chargé. «Le nombre d'heures travaillées pendant une année est souvent comparable à ce qu'exige un emploi à temps plein standard», affirme Andrée Hélie. Ceux qui recherchent un horaire plus régulier peuvent opter pour un poste dans une municipalité. 2013-09

ÉTABLISSEMENTS OFFRANT LE PROGRAMME

98, 132

Voir le répertoire des établissements en page 264.

Pour plus de renseignements sur les statistiques et nos critères de sélection, consultez la rubrique *Comment interpréter l'information*, p. 8.

Techniques de santé animale

DEC 145.A0 > par Jean-Sébastien Marsan

Nombre de diplômés	230
Diplômés en emploi	83,8 %
À temps plein	92,4 %
En rapport avec la formation	87,6 %
Aux études	13,1 %
Taux de chômage	1,5 %

Salaire hebdo. moyen
501 $

La Relance au collégial en formation technique – 2012, MELS et MESRST.

PLACEMENT

Au Cégep de Saint-Hyacinthe, le taux de placement des 42 diplômés de 2013 en techniques de santé animale a atteint 100 %. Les employeurs profitent de la formule de l'alternance travail-études offerte par le programme pour recruter leur personnel avant la remise des diplômes. «Les étudiants commencent souvent à travailler à temps partiel dans l'entreprise qui les accueille en stage. Ils obtiennent par la suite un poste à temps plein, à la fin de leurs études», observe Marie-Josée Trahan, conseillère pédagogique.

Au Collège Laflèche de Trois-Rivières, 20 des 21 diplômés de 2013 ont trouvé un emploi. Le taux de placement se maintient à un niveau semblable depuis plusieurs années. Elisabeth Scott, coordonnatrice du programme, explique notamment cette forte demande par l'évolution de la médecine vétérinaire. «L'offre de services s'est élargie, dit-elle. On propose, par exemple, des soins dentaires et de physiothérapie. De plus, les cliniques grossissent et se spécialisent. Elles ont besoin de techniciens bien formés.» Comme une majorité de diplômés du programme sont des femmes, les remplacements liés aux congés de maternité sont également fréquents et stimulent l'embauche de personnel.

SUR LE TERRAIN

- **Postes :** technicien en santé animale, chef d'équipe, assistant de recherche
- **Principaux employeurs :** cliniques vétérinaires, laboratoires de recherche fondamentale, médicale ou pharmaceutique, jardins zoologiques, ministères (Ressources naturelles, Agriculture), refuges pour animaux, animaleries

ÇA VOUS INTÉRESSE?
Plus d'info page 178

PROFIL RECHERCHÉ

Le quotidien de ce technicien va au-delà des soins superficiels dispensés aux animaux. «On parle de santé animale : l'étudiant doit donc aimer la science, l'anatomie et la biologie», indique Elisabeth Scott. Il sera notamment appelé à assister le médecin vétérinaire dans des chirurgies, à procéder à des injections, à effectuer des analyses sanguines et des cultures microbiennes.

Une habileté à communiquer et une tolérance au stress sont aussi nécessaires pour accueillir les clients et leur animal malade ou blessé. Dans le milieu de la recherche médicale et pharmaceutique, les techniciens veillent sur des animaux utilisés comme cobayes. «Il faut alors de la patience, un bon sens des responsabilités et de l'autonomie, car on a la santé d'un animal entre les mains», poursuit Elisabeth Scott.

PERSPECTIVES

Les petites cliniques vétérinaires offrent peu de possibilités d'avancement. Dans les cliniques plus importantes, qui emploient parfois jusqu'à une vingtaine de techniciens, les responsabilités sont plus nombreuses et certains diplômés obtiennent un poste de chef d'équipe.

Le milieu de la recherche scientifique privée et publique (au ministère de l'Agriculture ou des Ressources naturelles, par exemple) offre de bons emplois aux diplômés, ajoute Elisabeth Scott. «Les techniciens peuvent y devenir assistants de recherche. Parfois, personne ne postule pour ces emplois et on embauche des gens qui n'ont pas été formés pour travailler avec des animaux!» 2013-10

ÉTABLISSEMENTS OFFRANT LE PROGRAMME

12, 72, 93, 104, 125, 185, 211

Voir le répertoire des établissements en page 264.

Consultez des portraits de diplômés issus de ces formations à www.jobboom.com/carrieresdavenir

Technologie des productions animales

DEC 153.A0 > par Jean-Sébastien Marsan

Nombre de diplômés
41

Diplômés en emploi
70,0 %*

À temps plein
95,5 %

En rapport avec la formation
85,7 %

Aux études
26,7 %

Taux de chômage
4,5 %

Salaire hebdo. moyen
701 $

La Relance au collégial en formation technique - 2012, MELS et MESRST.

*Ce faible taux d'emploi peut s'expliquer par le pourcentage élevé de diplômés qui poursuivent leurs études (26,7 %)

ÇA VOUS INTÉRESSE?
Plus d'info page 178

PLACEMENT

Au printemps 2013, l'Institut de technologie agroalimentaire, seul établissement à offrir le DEC *Technologie des productions animales* au Québec, a diplômé 18 étudiants à son campus de Saint-Hyacinthe et 15 à celui de La Pocatière. On estime qu'ils n'ont pas eu de mal à trouver du travail. «Au cours des trois dernières années, le taux de placement a atteint 100 % pour ceux qui se destinaient à l'emploi», atteste Sylvie Poirier, enseignante et chef d'équipe au programme à Saint-Hyacinthe. À La Pocatière, on déclare un taux de placement de 99 %. «Souvent, les étudiants ont un emploi qui les attend avant la fin de leurs études», note Pascale Lemay, chef de programme.

Selon Sylvie Poirier, les départs à la retraite des conseillers en production animale ouvrent des centaines de postes aux diplômés. «Il y a plus de techniciens qui quittent le domaine que de finissants disponibles, dit-elle. En 2012, on a reçu 216 offres d'emploi pour nos diplômés. Ce chiffre était de 116 en 2011 et de 125 en 2010. On manque d'inscriptions pour satisfaire à cette demande.»

PROFIL RECHERCHÉ

Le diplômé offre des services de soutien technique et de représentation commerciale aux producteurs agricoles. Il peut aussi être conseiller en financement agricole ou inspecteur pour l'Agence canadienne d'inspection des aliments. Dans tous les cas, il doit faire preuve d'un bon sens de l'observation et d'écoute. «Quand le technicien se déplace dans une ferme pour élaborer un plan de financement, par exemple, il doit observer le comportement des animaux pour détecter des anomalies dans le troupeau, illustre Pascale Lemay. Parfois, seuls quelques signes sur une bête donnent l'indice que le troupeau ne va pas bien.»

«Les fermiers rencontrés peuvent parfois vivre des difficultés financières. Le diplômé doit être en mesure de bien les conseiller et de les encadrer dans leur prise de décision», poursuit Sylvie Poirier.

SUR LE TERRAIN

- **Postes :** conseiller ou technicien en production animale, représentant technique et commercial, inspecteur
- **Principaux employeurs :** coopératives agricoles, Financière agricole du Québec, Agence canadienne d'inspection des aliments, fournisseurs d'engrais agricoles et d'aliments pour élevage

PERSPECTIVES

Les possibilités d'emploi et d'avancement sont nombreuses. Tout dépend de la personnalité du technicien, affirme Sylvie Poirier. «En quatre ou cinq ans, un technicien en production animale peut devenir gérant d'une équipe. Dans une coopérative agricole, le diplômé peut gravir les échelons jusqu'à devenir directeur régional et gérer les conseillers de tout un territoire.» Dans tous les cas, les diplômés ont actuellement le gros bout du bâton en raison des nombreux départs à la retraite, observe Pascale Lemay.

D'autres décident de poursuivre leurs études à l'université en agronomie, en agroéconomie ou en génie environnemental pour accéder à des postes de direction et de meilleurs salaires. Certains cours peuvent alors être crédités en vertu d'ententes spéciales entre les établissements collégiaux et universitaires. 2013-10

ÉTABLISSEMENTS OFFRANT LE PROGRAMME

17, 132

Voir le répertoire des établissements en page 264.

Pour plus de renseignements sur les statistiques et nos critères de sélection, consultez la rubrique *Comment interpréter l'information*, p. 8.

Gestion d'un établissement de restauration

DEC 430.B0 > par Mélanie Marquis

Nombre de diplômés	55
Diplômés en emploi	71,1 %*
À temps plein	96,3 %
En rapport avec la formation	88,5 %
Aux études	21,1 %
Taux de chômage	0,0 %

Salaire hebdo. moyen **685 $**

La Relance au collégial en formation technique - 2012, MELS et MESRST.

*Ce faible taux d'emploi peut s'expliquer par le pourcentage élevé de diplômés qui poursuivent leurs études (21,1 %).

ÇA VOUS INTÉRESSE?
Plus d'info page 202

PLACEMENT

Au Collège LaSalle, à Montréal, quatre des cinq diplômés de 2013 en gestion d'un établissement de restauration ont trouvé un stage ou un emploi dans leur domaine. Le cinquième a choisi d'aller étudier à l'université, explique Pierre Diamond, enseignant. Selon lui, le marché pourrait absorber beaucoup plus de diplômés. «Les restaurants sont à la recherche de gestionnaires. On pourrait facilement diplômer une soixantaine d'étudiants par année. Mais le programme est peu connu», croit-il.

Du côté de l'Institut de tourisme et d'hôtellerie du Québec (ITHQ), à Montréal, le taux de placement tourne autour de 40 ou 50 % depuis quelques années. Mais le sort des 26 diplômés de la promotion 2013 n'inquiète pas pour autant Sylvie Carrière, spécialiste des clientèles étudiantes et du recrutement à l'ITHQ. «Une bonne partie de nos diplômés choisissent de poursuivre des études universitaires. Pour ceux qui veulent travailler tout de suite, le placement atteint facilement 70 %.»

PROFIL RECHERCHÉ

Le programme forme des superviseurs d'un service alimentaire dans les milieux commerciaux ou institutionnels (restaurant, traiteur, cantine, etc.). «Il faut maîtriser toutes les facettes de la gestion», dit Pierre Diamond. Un intérêt pour la comptabilité et les chiffres est donc indiqué. L'entregent est aussi une qualité essentielle, puisqu'un client qui se sent bien accueilli reviendra et parlera de son expérience à d'autres personnes. Le bouche-à-oreille est un facteur déterminant du succès dans ce domaine, ajoute Pierre Diamond.

Pour composer avec les horaires atypiques, les longues heures de travail et le stress induit par la féroce concurrence, caractéristiques du milieu, il faut avoir des nerfs d'acier et une passion pour le domaine.

SUR LE TERRAIN

- **Postes :** gérant ou gestionnaire d'établissement de restauration, maître d'hôtel, chef de service alimentaire, propriétaire de restaurant
- **Principaux employeurs :** restaurants, supermarchés, hôtels, services alimentaires, traiteurs, institutions

PERSPECTIVES

Au terme de leur formation, les diplômés peuvent travailler pour des grandes chaînes (restaurants, hôtels, supermarchés) ou en restauration indépendante. Ceux qui ont la fibre entrepreneuriale peuvent ouvrir un restaurant. «C'est le but d'environ 90 % des étudiants au début de la formation. Mais plusieurs déchantent. Seulement 20 % terminent avec la même idée», dit Sylvie Carrière. C'est que le nombre de faillites est élevé dans le milieu de la restauration.

Avant d'accéder à un poste de gestionnaire ou d'ouvrir un établissement, le diplômé doit être prêt à faire ses classes et accepter, bien souvent, de travailler quelque temps comme serveur ou cuisinier, par exemple, explique Sylvie Carrière. 2013-10

ÉTABLISSEMENTS OFFRANT LE PROGRAMME

32, 38, 92, 98, 104, 162, 176

Voir le répertoire des établissements en page 264.

Consultez des portraits de diplômés issus de ces formations à www.jobboom.com/carrieresdavenir

Techniques de gestion hôtelière

DEC 430.A0 > par Mélanie Marquis

Nombre de diplômés
184

Diplômés en emploi
61,6 %*

À temps plein
92,8 %

En rapport avec la formation
82,8 %

Aux études
33,9 %

Taux de chômage
2,8 %

Salaire hebdo. moyen

585 $

La Relance au collégial en formation technique - 2012, MELS et MESRST.

*Ce faible taux d'emploi peut s'expliquer par le pourcentage élevé de diplômés qui poursuivent leurs études (33,9 %).

PLACEMENT

Au Cégep Limoilou, à Québec, 27 étudiants ont terminé le programme *Techniques de gestion hôtelière* en 2013. Leur taux de placement n'était pas encore connu au moment d'écrire ces lignes, mais l'enseignante Rollande Simoneau avait bon espoir que leur sort s'apparente à celui de la cohorte précédente. Six mois après avoir quitté les bancs de l'école, environ 75 % des 30 diplômés de 2012 étaient en emploi. Les autres sont retournés aux études pour parfaire leur formation.

À Montréal, l'Institut de tourisme et d'hôtellerie du Québec a diplômé 29 étudiants à ce programme en 2013. Bon an, mal an, plus de 80 % des diplômés se font offrir un emploi au terme du dernier stage de la formation, selon Sylvie Carrière, spécialiste des clientèles étudiantes et du recrutement. «Dans l'ensemble, le secteur de l'hébergement a connu une croissance soutenue au cours des 10 dernières années, ce qui signifie que le nombre d'emplois est à la hausse», explique-t-elle.

PROFIL RECHERCHÉ

Le programme forme des superviseurs pour les différentes unités d'un hôtel, comme l'accueil, la réception et les réservations, ou encore l'entretien ménager. Les employeurs recherchent de bons joueurs d'équipe, car tous les employés doivent collaborer à un objectif commun : répondre aux besoins des clients, souligne Rollande Simoneau.

L'entregent et l'empathie sont des qualités indispensables dans ce métier. «Certains clients sont difficiles ou ont des demandes qui paraissent déraisonnables. Il faut pouvoir répondre à leurs exigences en demeurant discret et en conservant son sang-froid», dit-elle. La maîtrise de l'anglais est, par ailleurs, un incontournable.

PERSPECTIVES

Contrairement à la croyance populaire, les emplois dans le domaine ne sont pas tous rémunérés au salaire minimum. «Le revenu dépend de plusieurs facteurs : le poste, le lieu, le type d'hébergement, la formation et l'expérience», précise Rollande Simoneau. Les deux tiers des employés du milieu hôtelier travaillent à temps plein, ajoute-t-elle.

Les diplômés devront cependant composer avec les horaires atypiques et les longues heures de travail. En revanche, de belles possibilités d'avancement s'offrent à eux, selon Rollande Simoneau. Avec l'expérience, ils pourront, par exemple, gérer un service dans un hôtel. 2013-10

SUR LE TERRAIN

- **Postes :** gérant des services d'entretien ménager, aubergiste, directeur adjoint d'hôtel, gérant d'hôtel, agent du service à la clientèle, réceptionniste d'hôtel, maître d'hôtel, concierge d'hôtel
- **Principaux employeurs :** auberges, hôtels, restaurants

ÇA VOUS INTÉRESSE?

Plus d'info page 202

ÉTABLISSEMENTS OFFRANT LE PROGRAMME

32, 38, 74, 104, 162, 176, 203

Voir le répertoire des établissements en page 264.

Pour plus de renseignements sur les statistiques et nos critères de sélection, consultez la rubrique *Comment interpréter l'information*, p. 8.

Technologie des procédés et de la qualité des aliments

DEC 154.A0 > par Mélanie Marquis

Nombre de diplômés	36
Diplômés en emploi	81,8 %
À temps plein	94,1 %
En rapport avec la formation	87,5 %
Aux études	18,2 %
Taux de chômage	0,0 %

Salaire hebdo. moyen
893 $

La Relance au collégial en formation technique – 2012, MELS et MESRST.

PLACEMENT

En 2013, les 13 diplômés en technologie des procédés et de la qualité des aliments du Cégep régional de Lanaudière à Joliette ont tous décroché un emploi. Le nombre d'étudiants ne suffit pas à la demande, notamment parce que les cohortes sont petites. «Le programme est mal connu», explique Claudine Banville, coordonnatrice du programme.

Le taux de placement est tout aussi réjouissant au campus de La Pocatière de l'Institut de technologie agroalimentaire. «Six des sept diplômés de 2013 ont trouvé un emploi, indique Nora Addala, chef d'équipe et enseignante. En 2013, nous avons reçu 44 offres d'emploi, ce qui représente seulement une fraction du nombre d'employeurs à la recherche de main-d'œuvre.»

«L'industrie alimentaire doit affronter des défis importants comme la mondialisation, les changements technologiques et la sécurité alimentaire», explique Claudine Banville. Les entreprises ont donc besoin de personnel qualifié pour gérer et maintenir les systèmes de contrôle de la qualité en place.

SUR LE TERRAIN

- **Postes :** technologue en assurance qualité ou en recherche et développement, inspecteur, superviseur d'usine ou de laboratoire, responsable en contrôle de la qualité
- **Principaux employeurs :** entreprises agroalimentaires, organismes gouvernementaux, restaurants, compagnies pharmaceutiques et de produits animaliers

ÇA VOUS INTÉRESSE?
Plus d'info page 178

PROFIL RECHERCHÉ

Les diplômés participent à la conception et à la fabrication des aliments, ainsi qu'au contrôle de la qualité au moyen d'analyses en laboratoire. Pour travailler dans ce domaine, il faut donc aimer les sciences, «particulièrement la chimie et la microbiologie», souligne Claudine Banville.

Lorsqu'on travaille au contrôle de la qualité, les analyses microbiologiques et chimiques doivent être précises pour garantir la sécurité des produits alimentaires, car la santé des consommateurs en dépend. «Les conséquences d'une erreur sont très lourdes», expose Nora Addala.

PERSPECTIVES

Les débouchés offerts aux diplômés ne se limitent pas à des postes en laboratoire ou dans des chaînes de fabrication. Certains travaillent sur le terrain à titre d'inspecteurs, alors que d'autres œuvrent en recherche et développement, illustre Nora Addala.

Avec l'expérience, les diplômés peuvent gravir les échelons. «Dans les grandes entreprises, on débute dans le laboratoire avant de passer à la production, puis on grimpe dans la hiérarchie. À la longue, on peut accéder au poste de superviseur de la production», affirme Claudine Banville.

Par contre, avant d'en arriver là, il faut parfois endurer des conditions de travail difficiles. Environnements bruyants, contact avec des produits chimiques et humidité font parfois partie du lot, prévient-elle. 2013-10

ÉTABLISSEMENTS OFFRANT LE PROGRAMME

17, 86, 132

Voir le répertoire des établissements en page 264.

Consultez des portraits de diplômés issus de ces formations à www.jobboom.com/carrieresdavenir

Théâtre-Production (Gestion et techniques de scène)

DEC 561.AB > par Clémence Cireau

Nombre de diplômés	44
Diplômés en emploi	75,9 %*
À temps plein	78,3 %
En rapport avec la formation	100,0 %
Aux études	20,7 %
Taux de chômage	4,3 %

Salaire hebdo. moyen
593 $

La Relance au collégial en formation technique - 2012, MELS et MESRST.

*Ce faible taux d'emploi peut s'expliquer par le pourcentage élevé de diplômés qui poursuivent leurs études (20,7 %).

ÇA VOUS INTÉRESSE?
Plus d'info page 180

PLACEMENT

Le taux de placement des diplômés du DEC *Théâtre-Production (Gestion et techniques de scène)* est difficile à mesurer, car la plupart d'entre eux sont travailleurs autonomes. Mais dans les établissements consultés, on estime que 80 % des diplômés arrivent à vivre de leurs contrats. André Simard, enseignant au Collège Lionel-Groulx, à Sainte-Thérèse, affirme qu'il reçoit environ une offre d'emploi par semaine, qu'il transmet ensuite à ses étudiants.

Selon Bernard Lavoie, coordonnateur de la section production de l'Option-Théâtre au Collège Lionel-Groulx, une trentaine ou une quarantaine d'étudiants terminent leur formation au Québec chaque année dans la spécialisation *Gestion et techniques de scène*. Le taux de placement a toujours été bon. Il considère que les perspectives seront encore plus favorables au cours des deux prochaines années, notamment parce qu'il y a de plus en plus de productions en théâtre musical au Québec.

PROFIL RECHERCHÉ

Les métiers associés à la gestion et aux techniques de la scène demandent une grande habileté physique et une précision manuelle.

André Simard souligne qu'il faut être autant à l'aise pour les travaux de construction que pour les tâches en rapport avec l'électricité. Il est également nécessaire d'avoir un bon sens de l'organisation. Le technicien doit être polyvalent, flexible et savoir travailler en équipe.

À cheval entre la technique et les arts, ce domaine demande aussi une grande curiosité et une sensibilité artistique. Pour développer ces aptitudes, Bernard Lavoie conseille de voir beaucoup de spectacles, d'essayer de rencontrer des créateurs et de lire des pièces.

SUR LE TERRAIN

- **Postes :** technicien de scène, éclairagiste, sonorisateur, régisseur, adjoint au metteur en scène, directeur technique, directeur de production, directeur d'atelier de décor
- **Principaux employeurs :** théâtres, compagnies de théâtre et de cirque, festivals, salles de spectacle, industrie du cinéma

PERSPECTIVES

L'adrénaline de la première et les applaudissements du public sont de vraies récompenses. Les horaires sont souvent irréguliers, «mais cela donne beaucoup de liberté et le travail n'est pas routinier», avoue Jérôme Vallée, enseignant au Centre d'études collégiales de Montmagny, affilié au Cégep de La Pocatière.

Bernard Lavoie ajoute que les possibilités d'avancement sont nombreuses. «On commence habituellement comme ouvrier ou artisan. Très rapidement, on devient créateur, concepteur ou chef d'atelier», précise-t-il. L'important dans le métier, c'est de pouvoir constamment s'adapter aux innovations technologiques, tout en restant débrouillard. «Le théâtre fonctionne généralement avec des moyens réduits. Souvent, il faut prendre des raccourcis utilisés depuis le Moyen Âge pour pouvoir créer des effets», explique-t-il. 2013-09

ÉTABLISSEMENTS OFFRANT LE PROGRAMME

34, 93, 125, 181

Voir le répertoire des établissements en page 264.

Pour plus de renseignements sur les statistiques et nos critères de sélection, consultez la rubrique *Comment interpréter l'information*, p. 8.

Environnement, hygiène et sécurité au travail

DEC 260.B0 > par Anne-Marie Tremblay

Nombre de diplômés	31
Diplômés en emploi	60,9 %*
À temps plein	100,0 %
En rapport avec la formation	100,0 %
Aux études	34,8 %
Taux de chômage	0,0 %

Salaire hebdo. moyen
815 $

La Relance au collégial en formation technique - 2012, MELS et MESRST.

*Ce faible taux d'emploi peut s'expliquer par le pourcentage élevé de diplômés qui poursuivent leurs études (34,8 %).

ÇA VOUS INTÉRESSE?
Plus d'info page 194

PLACEMENT

Les diplômés sortent au compte-gouttes de ce programme. Au Cégep de Sorel-Tracy, la promotion de 2013 comptait une douzaine de diplômés, alors qu'au Cégep de Saint-Laurent, à Montréal, ils étaient seulement six. «Comme les cohortes sont petites, il y a plus d'emplois que de diplômés disponibles chaque année. Mis à part ceux qui poursuivent leurs études, les diplômés se placent généralement tous, et ce, depuis au moins cinq ans», estime François Lamarre, enseignant au Cégep de Saint-Laurent. Les employeurs l'appellent même dès le mois d'août pour recruter les futurs diplômés de mai!

Pour mieux répondre à la demande, le Cégep de Sorel-Tracy aimerait doubler ses inscriptions au programme pour les porter à 40, explique Marc Olivier, enseignant et coordonnateur du programme. «Mais les étudiants sont difficiles à attirer, surtout les jeunes hors de la région, puisque le programme est peu connu.» La forte demande sur le marché du travail devrait se maintenir dans les années qui viennent. «La formation existe depuis 30 ans. Les premiers diplômés sont donc à l'aube de la retraite», soutient François Lamarre.

SUR LE TERRAIN

- **Postes :** technicien en environnement, en hygiène et en sécurité au travail, technicien préventionniste, inspecteur de la santé publique
- **Principaux employeurs :** CSSS, municipalités, firmes de consultants, grandes entreprises, usines, mines

PROFIL RECHERCHÉ

Spécialistes de la mesure, ces techniciens échantillonnent les polluants dans l'air, l'eau ou le sol, et analysent des éléments comme le bruit dans l'environnement des travailleurs. Ils vérifient ensuite si tout est conforme aux normes. Rigueur et sens de l'éthique sont donc essentiels. «Prenons pour exemple l'entreposage illégal de BPC à Pointe-Claire, qui a fait les manchettes durant l'été 2013 : un technicien aurait pu être appelé à effectuer des prélèvements de terre et les faire analyser. Avec les données, il aurait ainsi pu cartographier la contamination du sol», explique François Lamarre.

Ces techniciens doivent avoir un esprit scientifique solide, tout en étant habiles dans les relations interpersonnelles, ajoute Marc Olivier. Ils pourraient, par exemple, être chargés de l'enquête sur le retrait préventif d'une travailleuse enceinte.

PERSPECTIVES

Les techniciens doivent se débrouiller pour trouver l'information pertinente sur un nouveau contaminant, mais il leur faut aussi évaluer la crédibilité de leurs sources. «C'est un défi, car, avec Internet, on déniche toujours des informations qui viennent renforcer notre point de vue... même s'il n'est pas juste», indique François Lamarre.

Avec l'expérience, les diplômés qui travaillent dans le domaine de l'environnement peuvent accéder à des postes de gestion, comme chef d'équipe. En santé et sécurité au travail, un certificat universitaire est requis pour grimper les échelons. 2013-09

ÉTABLISSEMENTS OFFRANT LE PROGRAMME

126, 148, 210

Voir le répertoire des établissements en page 264.

Consultez des portraits de diplômés issus de ces formations à www.jobboom.com/carrieresdavenir

Techniques de génie chimique

DEC 210.C0 > par Anne-Marie Tremblay

Nombre de diplômés
15

Diplômés en emploi
36,4 %*

À temps plein
100,0 %

En rapport avec la formation
100,0 %

Aux études
54,5 %

Taux de chômage
0,0 %

Salaire hebdo. moyen
975 $

La Relance au collégial en formation technique - 2012, MELS et MESRST.

*Ce faible taux d'emploi peut s'expliquer par le pourcentage élevé de diplômés qui poursuivent leurs études (54,5 %).

ÇA VOUS INTÉRESSE?
Plus d'info page 185

PLACEMENT

Au Cégep de Lévis-Lauzon, la promotion de 2013 en techniques de génie chimique comptait seulement trois diplômés. «Il y avait trois fois plus d'offres d'emploi que de finissants, indique Christine Lévesque, conseillère en emploi. Le placement est excellent depuis au moins cinq ans.» Ce programme donne accès à des postes qui se trouvent en bonne partie à l'extérieur des grands centres, dans le domaine minier ou la métallurgie par exemple. «Les finissants qui ne réussissent pas à dénicher de boulot sont souvent ceux qui ne peuvent travailler en régions éloignées ou qui ne sont pas disponibles le soir et la fin de semaine», souligne-t-elle.

Au Cégep de Jonquière, la dizaine de diplômés de 2013 a pu consulter une vingtaine d'offres d'emploi. «C'est une légère baisse par rapport aux années précédentes, mais le petit nombre de diplômés et la diversité des postes offerts jouent en faveur de ces finissants», croit Johanne Tremblay, conseillère pédagogique au service de placement.

Ces diplômés auront du pain sur la planche au cours des prochaines années. Comme ils sont directement concernés par les procédés de fabrication de toutes sortes de produits, tels les biocarburants, ils sont bien placés pour aider les entreprises à mettre en marché des produits plus verts. Les nombreux départs à la retraite leur ouvriront aussi beaucoup de portes, estime Christine Lévesque.

SUR LE TERRAIN

- **Postes :** technicien de procédés en génie chimique, en recherche et développement, en contrôle, en travaux pratiques, opérateur de procédés
- **Principaux employeurs :** laboratoires privés, entreprises de fabrication dans les domaines minier, pharmaceutique, pétrochimique, métallurgique, agroalimentaire

PROFIL RECHERCHÉ

Les techniciens en génie chimique travaillent en étroite collaboration avec les opérateurs de machinerie, les contremaîtres et les ingénieurs, entre autres. Ce qui demande de bonnes aptitudes en communication. «En cas de problème, le technicien doit aller voir l'opérateur, lui expliquer les tests à faire pour comprendre ce qui pose problème, le superviser et lui démontrer les avantages de cette démarche. Il faut donc qu'il sache le rallier à son point de vue», illustre Marc-Yvan Côté, enseignant au Cégep de Jonquière.

Ces diplômés doivent aussi faire preuve d'une grande rigueur et de polyvalence, précise Christine Lévesque. «S'ils travaillent dans une usine de fabrication de peinture, par exemple, ils ne seront pas uniquement responsables de tester les solvants, mais aussi de calibrer la machinerie, de calculer les doses, d'entretenir l'équipement, etc.»

PERSPECTIVES

Dans ce domaine, la routine n'existe pas! «S'il y a eu un problème durant la nuit, il faut le régler le lendemain matin. Ce qui peut bousculer l'horaire de la journée», indique Marc-Yvan Côté. Avec l'expérience, ces diplômés peuvent obtenir un poste de gestion, par exemple adjoint au directeur d'usine. «Un diplôme universitaire en administration permet aussi de grimper les échelons pour devenir directeur d'un service ou d'une division», précise-t-il. 2013-09

ÉTABLISSEMENTS OFFRANT LE PROGRAMME

56, 210

Voir le répertoire des établissements en page 264.

Pour plus de renseignements sur les statistiques et nos critères de sélection, consultez la rubrique *Comment interpréter l'information*, p. 8.

Techniques de laboratoire (Biotechnologies et Chimie analytique)

ÇA VOUS INTÉRESSE?
Plus d'info pages 184 et 185

DEC 210.A0 > par Anne-Marie Tremblay

PLACEMENT

«Vous avez le choix des emplois!» Voici l'argument du Collège de Valleyfield pour attirer des étudiants en techniques de laboratoire, spécialisation en chimie analytique. Ce qui n'est pas étonnant, puisque la plus récente cohorte, soit celle de décembre 2013, comptait à peine une dizaine de finissants. «Je reçois entre 40 et 50 offres d'emploi par année pour les diplômés», estime Éric Demers, coordonnateur du programme.

Même son de cloche au Collège Ahuntsic, où 13 étudiants ont été diplômés dans cette spécialisation en 2013. Selon Serge Brouillette, enseignant, les emplois sont très diversifiés et les finissants manquent à l'appel pour répondre à la demande. Les diplômés spécialisés en biotechnologies ne sont pas en reste eux non plus. «Le taux de placement dépasse 90 % pour ceux qui désirent travailler dès la fin de leurs études, et ce, depuis une quinzaine d'années», précise Éric Athlan, responsable de la coordination au département de biologie et biotechnologies. La cohorte de 2013 ne fait pas exception à la règle : 12 des 14 diplômés étaient en emploi 4 mois après l'obtention de leur diplôme. «Comme ils touchent à un large éventail de techniques, ils peuvent travailler dans des domaines très variés, allant du secteur pharmaceutique à la transformation alimentaire», dit-il.

PROFIL RECHERCHÉ

En contrôle de la qualité, les techniciens doivent démontrer une rigueur à toute épreuve et être très minutieux. «Dans une compagnie qui embouteille l'eau, ils vérifient sa qualité en testant le pH, vérifient la quantité d'ions et s'assurent qu'elle ne contient pas de bactéries», explique Éric Athlan. Pas question de prendre des raccourcis : si le produit ne répond pas aux normes, il peut être rappelé. Ce qui coûte des milliers de dollars à l'entreprise.

Ceux qui travaillent en recherche et développement doivent être prêts à collaborer avec des ingénieurs, des chimistes, etc. «Il faut que les techniciens comprennent le rôle de chacun», indique Serge Brouillette. Une bonne communication est donc essentielle.

PERSPECTIVES

Entre le quart et le tiers des diplômés décident de poursuivre leurs études, indique Éric Athlan. «Nous avons conclu plus d'une quinzaine d'ententes avec des universités. Les étudiants peuvent se voir créditer jusqu'à l'équivalent d'un an de cours.» C'est le cas, notamment, pour le baccalauréat en biochimie de l'Université de Sherbrooke.

Pour les autres, le boulot ne manque pas de défis pour autant. «Certains travaillent dans un laboratoire de sciences judiciaires. Les preuves qu'ils analysent permettent de prouver l'innocence ou la culpabilité d'une personne», raconte Éric Demers. 2013-09

SUR LE TERRAIN

- **Postes :** technicien en chimie ou en biologie, technicien en travaux pratiques, technicien en recherche et développement, technicien en contrôle de la qualité
- **Principaux employeurs :** entreprises des industries chimique, minière, pharmaceutique, métallurgique et alimentaire, ministères

ÉTABLISSEMENTS OFFRANT LE PROGRAMME

56, 72, 105, 125, 129, 151, 169, 202, 210

Voir le répertoire des établissements en page 264.

STATISTIQUES	Nombre de diplômés	Diplômés en emploi	À temps plein	En rapport avec la formation	Aux études	Taux de chômage	Salaire hebdo. moyen
Biotechnologies	118	51,7 %*	97,8 %	88,9 %	43,8 %	4,2 %	682 $
Chimie analytique	50	75,6 %*	97,0 %	93,8 %	22,0 %	3,1 %	747 $

La Relance au collégial en formation technique – 2012, MELS et MESRST.
*Ces faible taux d'emploi peuvent s'expliquer par le pourcentage élevé de diplômés qui poursuivent leurs études (de 22,0 à 43,8 %).

Consultez des portraits de diplômés issus de ces formations à www.jobboom.com/carrieresdavenir

Technologie de la géomatique (Cartographie et Géodésie)

ÇA VOUS INTÉRESSE?
Plus d'info page 179

DEC 230.A0 > par Ariane Gruet-Pelchat

PLACEMENT

Malgré un taux de placement de presque 100 %, le programme de technologie de la géomatique peine à attirer des étudiants. En 2012-2013, seulement deux personnes ont terminé la spécialisation *Cartographie* au Cégep de l'Outaouais, et elles ont décidé de poursuivre leurs études à l'université, en dépit de la centaine d'offres d'emploi reçues par l'établissement, affirme le coordonnateur du programme, Stéphane Marcil.

Au Collège Ahuntsic, où le nombre d'inscriptions au programme a doublé depuis trois ans, les 12 diplômés de la spécialisation *Géodésie* de 2012 se sont tous placés. «La demande dans le secteur de la construction est très forte et il y a beaucoup de départs à la retraite dans les ministères», observe la responsable du programme, Lucie Bouchard. De plus, la rareté des étudiants a fait grimper les salaires, et la réforme cadastrale entreprise en 1992 a encore des effets positifs sur la demande de diplômés, note-t-elle.

PROFIL RECHERCHÉ

La géomatique consiste autant à relever des données géographiques sur le terrain qu'à les traiter ensuite sur ordinateur. «La minutie est une qualité essentielle, car il y a beaucoup de détails dont il faut tenir compte dans nos calculs, par exemple la courbure du terrain», explique Lucie Bouchard. Dans ce domaine, il faut aussi s'adapter aux constants changements de logiciels et à l'apparition de nouveaux outils informatiques.

Savoir travailler en équipe est nécessaire, notamment sur le terrain, où le technicien assiste l'arpenteur-géomètre. Il faut aussi être autonome et faire preuve de leadership, car «la plupart des étudiants qui sortent du cégep grimpent les échelons rapidement», soutient Stéphane Marcil.

PERSPECTIVES

La géomatique peut mener à un emploi dans des milieux diversifiés. «On ne se rend pas compte à quel point les cartes sont présentes dans notre quotidien», fait remarquer Stéphane Marcil. Les présentations météorologiques, la géolocalisation par satellite et les cartes électorales sont toutes réalisées avec l'aide des cartographes.

Un technicien qui souhaite devenir arpenteur-géomètre et ouvrir son propre bureau poursuivra sa formation à l'Université Laval en génie géomatique ou en sciences géomatiques, ou à l'Université de Sherbrooke en géomatique appliquée à l'environnement. 2013-10

SUR LE TERRAIN

- **Postes :** technologue en géomatique, en géodésie ou en arpentage, cartographe
- **Principaux employeurs :** Élections Canada, ministère des Ressources naturelles, municipalités, firmes d'arpenteurs-géomètres ou de construction, bureaux d'ingénieurs, Hydro-Québec

ÉTABLISSEMENTS OFFRANT LE PROGRAMME

32, 151, 202

Voir le répertoire des établissements en page 264.

STATISTIQUES	Nombre de diplômés	Diplômés en emploi	À temps plein	En rapport avec la formation	Aux études	Taux de chômage	Salaire hebdo. moyen
Cartographie	13	100,0 %	100,0 %	87,5 %	0,0 %	0,0 %	664 $
Géodésie	27	81,3 %	100,0 %	91,7 %	18,8 %	0,0 %	859 $

La Relance au collégial en formation technique – 2012, MELS et MESRST.

Pour plus de renseignements sur les statistiques et nos critères de sélection, consultez la rubrique *Comment interpréter l'information*, p. 8.

Technologie de la mécanique du bâtiment

DEC 221.C0 > par Anne Gaignaire

Nombre de diplômés	129
Diplômés en emploi	65,0 %*
À temps plein	92,4 %
En rapport avec la formation	86,9 %
Aux études	32,0 %
Taux de chômage	3,0 %

Salaire hebdo. moyen **762 $**

La Relance au collégial en formation technique - 2012, MELS et MESRST.

*Ce faible taux d'emploi peut s'expliquer par le pourcentage élevé de diplômés qui poursuivent leurs études (32,0 %).

PLACEMENT

Le Cégep de Saint-Hyacinthe reçoit une centaine d'offres d'emploi par an pour ses diplômés de *Technologie de la mécanique du bâtiment*. Et en 2013, seulement 19 étudiants ont terminé le programme. Leur taux de placement n'était pas encore connu au moment d'écrire ces lignes, mais parmi les 14 diplômés de 2012, ceux qui voulaient travailler ont tous trouvé un emploi.

Au Cégep de Trois-Rivières, qui forme une dizaine de diplômés par an, «tous trouvent du travail et ils ont l'embarras du choix», affirme Stéphane Blé, coordonnateur et professeur au département. Généralement, environ le tiers des élèves continuent d'étudier pour devenir ingénieurs.

Ces excellentes perspectives d'emploi se maintiendront dans les prochaines années. «Les techniciens en mécanique du bâtiment jouent un rôle clé dans les entreprises. La difficulté de trouver [des diplômés] peut mettre un frein à un projet d'expansion, par exemple», explique Pierre Comtois, responsable de la coordination du département au Cégep de Saint-Hyacinthe.

SUR LE TERRAIN

- **Postes :** technologue en mécanique du bâtiment, technicien de mise en service, représentant technique, estimateur, dessinateur ou concepteur en mécanique du bâtiment, préposé à l'entretien du bâtiment, technicien en automatisation du bâtiment, technicien frigoriste
- **Principaux employeurs :** firmes de génie, d'experts-conseils, de conseillers en gestion énergétique, entreprises dans le bâtiment, municipalités, services publics et parapublics

ÇA VOUS INTÉRESSE?
Plus d'info page 187

PROFIL RECHERCHÉ

Les diplômés assurent le bon fonctionnement des systèmes mécaniques (ventilation, climatisation, plomberie, chauffage ou réfrigération) et gèrent la dépense énergétique des bâtiments. Avoir le sens de l'organisation est important. «Il faut mener les projets de A à Z et être précis dans ses estimations. Une entreprise peut perdre un appel d'offres à 100 $ près», illustre Stéphane Blé. Il faut aussi aimer la technologie, désormais au cœur du métier. L'immotique [la possibilité de régler des systèmes de chauffage, d'éclairage ou de sécurité à distance grâce à l'informatique] prend de plus en plus de place, surtout avec le vieillissement de la population», précise Pierre Comtois.

PERSPECTIVES

Le travail du technicien en mécanique du bâtiment passe souvent inaperçu. «Les gens aiment que leur salle de conférences soit à la bonne température. Ils n'imaginent pas que quelqu'un est derrière tout ça», explique Stéphane Blé. Le technicien a pourtant un rôle clé pour maximiser le confort des constructions. L'évolution technologique et le changement des normes environnementales représentent de grands défis. Par exemple, des outils de modélisation 3D sont utilisés pour la conception des systèmes des bâtiments, qui contiennent de plus en plus d'équipements visant à améliorer leur efficacité énergétique. Également, les diplômés doivent désormais se familiariser avec les nouvelles sources d'énergie, comme la géothermie ou le solaire. 2013-09

ÉTABLISSEMENTS OFFRANT LE PROGRAMME

14, 32, 102, 125, 151, 185, 202, 210

Voir le répertoire des établissements en page 264.

Consultez des portraits de diplômés issus de ces formations à www.jobboom.com/carrieresdavenir

Technologie de l'architecture

DEC 221.A0 > par Anne Gaignaire

Nombre de diplômés	318
Diplômés en emploi	54,8 %*
À temps plein	96,9 %
En rapport avec la formation	92,0 %
Aux études	44,4 %
Taux de chômage	1,5 %

Salaire hebdo. moyen **627 $**

La Relance au collégial en formation technique – 2012, MELS et MESRST.

*Ce faible taux d'emploi peut s'expliquer par le pourcentage élevé de diplômés qui poursuivent leurs études (44,4 %).

PLACEMENT

Au Cégep de Saint-Laurent, à Montréal, le taux de placement des diplômés en technologie de l'architecture varie de 95 à 100 % depuis plusieurs années. L'établissement diplôme entre 40 et 50 technologues par an. «Ce n'est pas assez pour répondre à la demande», affirme Eric De Champlain, enseignant et coordonnateur du département au Cégep de Saint-Laurent.

Même constat au Cégep de Chicoutimi, où une vingtaine d'étudiants terminent le programme chaque année. «Entre septembre 2012 et septembre 2013, on a reçu 167 offres d'emploi pour eux», indique Sabrina Dumoulin, coordinatrice du département et du programme. Un tiers des étudiants continuent leurs études à l'université.

Le programme forme des travailleurs polyvalents qu'apprécient beaucoup les entreprises du milieu. «Ils touchent à tout : structure, réglementation, conception architecturale, etc.», explique Sabrina Dumoulin. «On a besoin de ces professionnels dans tous les domaines de la construction, un secteur fort au Québec», ajoute Eric De Champlain.

PROFIL RECHERCHÉ

Le technologue en architecture produit des dessins, conçoit des détails de construction, coordonne les travaux et vérifie la conformité d'un bâtiment. «Il est essentiel d'avoir une bonne perception spatiale et tridimensionnelle afin de bien imaginer les espaces et de les dessiner correctement», souligne Sabrina Dumoulin.

La rigueur est une qualité fondamentale, car le technologue doit s'assurer que les plans sont conformes aux normes de la construction. La curiosité et la créativité sont aussi des atouts importants. «Il faut être prêt à expérimenter plusieurs solutions avant de trouver la bonne, précise Eric De Champlain. Il faut faire des propositions qui tiennent compte de l'aspect technique, mais aussi esthétique.»

SUR LE TERRAIN

- **Postes :** technologue en architecture, estimateur, évaluateur, inspecteur, chargé de projet, chef d'équipe
- **Principaux employeurs :** firmes d'architecture, d'arpentage, d'ingénierie, institutions publiques (municipalités, gouvernements), entreprises de construction, de décoration, de design

PERSPECTIVES

«Plusieurs pensent que le métier se limite à dessiner des plans. En fait, il faut rechercher, réfléchir et explorer», signale Eric De Champlain. Les aptitudes en dessin à la main sont de moins en moins requises : le dessin en trois dimensions assisté par ordinateur le remplace graduellement.

Les technologues en architecture travaillent dans le concret et voient le résultat de leur travail. De plus, le métier se renouvelle constamment, au gré des progrès technologiques. «Il y a toujours de nouveaux matériaux, de nouvelles manières de concevoir les bâtiments, notamment pour tenir compte des préoccupations environnementales», souligne Sabrina Dumoulin. 2013-09

ÉTABLISSEMENTS OFFRANT LE PROGRAMME

14, 56, 74, 98, 102, 147, 148, 149, 185, 209

Voir le répertoire des établissements en page 264.

ÇA VOUS INTÉRESSE? Plus d'info page 187

Pour plus de renseignements sur les statistiques et nos critères de sélection, consultez la rubrique *Comment interpréter l'information*, p. 8.

Technologie du génie civil

DEC 221.B0 > par Anne Gaignaire

Nombre de diplômés	431
Diplômés en emploi	48,7 %*
À temps plein	97,8 %
En rapport avec la formation	97,8 %
Aux études	50,0 %
Taux de chômage	2,0 %

Salaire hebdo. moyen
907 $

La Relance au collégial en formation technique – 2012, MELS et MESRST.

*Ce faible taux d'emploi peut s'expliquer par le pourcentage élevé de diplômés qui poursuivent leurs études (50,0 %).

ÇA VOUS INTÉRESSE?
Plus d'info page 198

PLACEMENT

Les établissements de formation n'ont aucun mal à placer leurs diplômés de *Technologie du génie civil*. Au Cégep de Sherbrooke, les 30 diplômés de mai 2013 qui cherchaient un emploi en ont tous trouvé un. «On aurait même pu en placer plus : dès septembre, des entreprises nous ont contactés, car elles avaient besoin de main-d'œuvre», explique Pauline Rivard, professeure et coordonnatrice du département, qui reçoit cinq ou six offres d'emploi par semaine pour ces diplômés.

Au Cégep de l'Outaouais, les six diplômés de juin 2013 qui souhaitaient entrer sur le marché du travail ont tous déniché un emploi. «Depuis 2008, environ la moitié des diplômés poursuivent leurs études à l'université», constate Hélène Duval, coordonnatrice du programme et du département. Le faible nombre de diplômés qui intègrent le marché du travail est une des raisons qui expliquent la facilité avec laquelle ils trouvent un emploi. «Parfois, ils savent dès la fin de leur stage qu'un poste les attend après leurs études», indique-t-elle.

PROFIL RECHERCHÉ

Le technologue en génie civil est «les bras et les yeux de l'ingénieur», dit Pauline Rivard. Il effectue notamment des travaux d'arpentage et des analyses de sols et de matériaux, et participe à la conception et à l'organisation des travaux de chantier. Son travail se fait donc essentiellement dehors, sur les chantiers. Comme c'est un domaine très normalisé, le technologue doit être méthodique et méticuleux, car il lui faut s'assurer que les travaux respectent la réglementation en vigueur.

De solides aptitudes pour la communication orale et écrite sont aussi nécessaires. «Le technologue collabore avec de nombreux corps de métiers, dont les ingénieurs et les architectes, et doit remettre des rapports comme des avis techniques ou des suivis de chantier», indique Hélène Duval.

SUR LE TERRAIN

- **Postes :** technologue-technicien en génie civil, estimateur, inspecteur, gestionnaire de chantier, chef d'équipe
- **Principaux employeurs :** firmes de génie-conseil, entreprises de construction, laboratoires, ministère des Transports, municipalités, sociétés de fabrication de matériaux (béton, structures, etc.)

PERSPECTIVES

Le technologue en génie civil travaille dans le concret, pas seulement sur des plans. «Il voit de près les résultats de son travail, c'est stimulant», témoigne Pauline Rivard. La relation avec l'ingénieur est souvent à la base de son activité professionnelle. «Le mythe veut que les deux ne s'aiment pas. Au contraire, l'un ne peut se passer de l'autre», précise Hélène Duval.

Les préoccupations environnementales contribuent à faire évoluer le métier. «Par exemple, les critères LEED exigent que les matériaux soient triés sur le chantier afin de conserver ce qui peut être recyclé. Il faut adapter les habitudes et l'organisation d'un chantier», note Hélène Duval. 2013-09

ÉTABLISSEMENTS OFFRANT LE PROGRAMME

6, 14, 32, 55, 63, 72, 86, 98, 102, 147, 151, 169, 202, 209

Voir le répertoire des établissements en page 264.

Consultez des portraits de diplômés issus de ces formations à www.jobboom.com/carrieresdavenir

Techniques d'aménagement et d'urbanisme

DEC 222.A0 > par Geneviève Gignac

Nombre de diplômés	28
Diplômés en emploi	68,2 %*
À temps plein	93,8 %
En rapport avec la formation	93,3 %
Aux études	22,7 %
Taux de chômage	0,0 %

Salaire hebdo. moyen
692 $

La Relance au collégial en formation technique - 2012, MELS et MESRST.

*Ce faible taux d'emploi peut s'expliquer par le pourcentage élevé de diplômés qui poursuivent leurs études (22,7 %).

PLACEMENT

Au Collège de Rosemont, à Montréal, le taux de placement des 18 diplômés en techniques d'aménagement et d'urbanisme de 2013 atteint presque 100 %. «La plupart travaillent au sein de municipalités ou d'organismes publics», constate l'urbaniste Rémi Nadeau, professeur et responsable du programme et de la coordination départementale. Il explique la demande par les nombreux départs à la retraite, le développement résidentiel et les projets majeurs comme la construction de centres commerciaux.

Les six diplômés de 2012 du Cégep de Matane sont également tous en emploi. Comme il n'y avait pas assez d'inscriptions pour former une cohorte en 2010, aucun étudiant n'a été diplômé en 2013. Une situation qui se reproduira dans trois ans, faute d'inscriptions suffisantes en 2013. «Le programme et la profession sont mal connus. Pourtant, les emplois abondent», regrette Nicolas Rail, enseignant et coordonnateur du département d'urbanisme. «Je reçois des offres d'emploi chaque semaine, mais les diplômés sont déjà placés», dit-il.

PROFIL RECHERCHÉ

Le technicien en aménagement et en urbanisme exécute diverses tâches liées à l'aménagement du territoire (délivrance de permis, réalisation d'études d'impact, élaboration de consultations publiques, inspection de bâtiments). «Il faut être polyvalent», dit Nicolas Rail.

Être un bon communicateur est aussi important. Par exemple, si un citoyen installe une clôture non conforme au règlement, c'est au technicien de l'en informer et de trouver un terrain d'entente, explique Rémi Nadeau. La capacité à travailler en groupe est essentielle, puisque le technicien est souvent intégré à une équipe composée d'un urbaniste, d'un architecte, d'un ingénieur ou d'un arpenteur. Avoir de l'intérêt pour l'environnement naturel et bâti est indiqué.

SUR LE TERRAIN

- **Postes :** inspecteur municipal en bâtiment et en environnement, technicien en urbanisme, technicien en aménagement du territoire
- **Principaux employeurs :** municipalités, municipalités régionales de comté (MRC), organismes de développement du territoire, organismes publics et parapublics, firmes privées

PERSPECTIVES

«L'urbanisation présente d'immenses défis», souligne Rémi Nadeau. Dans les petites localités, le technicien est appelé à développer le territoire, tandis que dans les grands centres, sa mission est de réaménager la ville. «Son rôle consiste de plus en plus à diminuer l'impact écologique d'un aménagement», ajoute-t-il.

Au quotidien, le technicien est dans l'action. «Chaque journée est différente : il y a de nouveaux citoyens, de nouvelles lois, de nouveaux sites à inspecter», dit Nicolas Rail. Après 10 ou 15 ans, certains aspirent à devenir chefs de service ou responsables du service d'aménagement. Le manque de travailleurs accélérera sans doute l'ascension professionnelle. Le diplômé peut poursuivre des études universitaires en urbanisme. 2013-09

ÇA VOUS INTÉRESSE?
Plus d'info page 194

ÉTABLISSEMENTS OFFRANT LE PROGRAMME

13, 157, 210

Voir le répertoire des établissements en page 264.

Consultez des portraits de diplômés issus de ces formations à www.jobboom.com/carrieresdavenir

LES GUIDES
DE SURVIE
jobboom
La recherche
d'emploi
Décoder les
offres d'emploi
Trouver
le boulot idéal
Les erreurs
à éviter
CV
Le
curriculum
vitæ
Un CV efficace
en toutes
circonstances
Des modèles
à suivre
L'ABC de la lettre
de présentation
Les deux premiers
numéros de la
série, disponibles
dès maintenant
Seulement
0,99 $
chacun

Technologie de l'électronique industrielle

DEC 243.C0 > par Florence Sara G. Ferraris

Nombre de diplômés	320
Diplômés en emploi	71,3 %*
À temps plein	97,4 %
En rapport avec la formation	86,2 %
Aux études	26,5 %
Taux de chômage	3,0 %

Salaire hebdo. moyen **879 $**

La Relance au collégial en formation technique - 2012, MELS et MESRST.

*Ce faible taux d'emploi peut s'expliquer par le pourcentage élevé de diplômés qui poursuivent leurs études (26,5 %).

ÇA VOUS INTÉRESSE?
Plus d'info page 195

PLACEMENT

Pas de doute : il y a de l'emploi pour les diplômés de *Technologie de l'électronique industrielle*. Le Cégep Limoilou forme une vingtaine de technologues par année. «Notre taux de placement varie entre 90 et 100 %», dit Bruno Ménard, enseignant et coordonnateur du programme. Selon lui, cette bonne performance s'explique par la forte demande sur le plan industriel. «Aujourd'hui, la productivité passe par l'automatisation», précise-t-il. Les technologues en électronique industrielle participent à l'implantation de ce processus dans les usines.

Au Cégep de Sherbrooke, 18 étudiants ont terminé le programme au printemps 2013. «Si je me souviens bien, aucune cohorte n'a jamais eu de véritables difficultés de placement», affirme François Lisée, enseignant depuis 30 ans. Selon lui, les seuls diplômés qui ne sont pas en emploi dans le domaine sont ceux qui choisissent de se réorienter ou de poursuivre leurs études à l'université en génie.

PROFIL RECHERCHÉ

Le technologue en électronique industrielle installe, entretient et répare des systèmes électriques complexes dans des usines. Il doit donc être particulièrement minutieux. «Un travail mal exécuté peut causer un incendie et provoquer la mort», dit François Lisée. Il ajoute qu'il est important de suivre les codes. «C'est un milieu très normalisé. Le technologue doit donc être en mesure de comprendre et d'interpréter les règles qui encadrent son travail.»

La polyvalence est une qualité nécessaire. «Il s'agit d'un domaine en constante évolution, précise Bruno Ménard. Les machines changent souvent. Il faut savoir s'adapter.» Une bonne connaissance de l'anglais est aussi un atout, les formations et la documentation étant de plus en plus rédigées dans cette langue.

SUR LE TERRAIN

- **Postes :** technologue en électronique industrielle, dessinateur, distributeur d'équipement de régulation, grossiste d'équipement électrique, contremaître
- **Principaux employeurs :** alumineries, firmes de génie-conseil, centres hospitaliers, usines de traitement des eaux, papetières, entreprises agroalimentaires

PERSPECTIVES

Le technologue en électronique industrielle peut travailler dans de nombreux domaines d'activité. «Les étudiants pensent souvent, à tort, qu'ils doivent travailler en industrie, lance Bruno Ménard. Ils peuvent aussi exercer leur métier dans une firme de génie-conseil, ou encore faire de l'estimation.»

Le métier offre de belles perspectives d'avancement. «Dans le privé, les possibilités sont presque infinies. Certains de nos finissants sont aujourd'hui présidents de compagnie», affirme François Lisée. En général, la progression est graduelle. «Il y en a qui suivent une formation supplémentaire, en gestion par exemple, pour grimper les échelons», dit-il. 2013-09

ÉTABLISSEMENTS OFFRANT LE PROGRAMME

Voir les lieux de formation en annexe, page 260.

Consultez des portraits de diplômés issus de ces formations à www.jobboom.com/carrieresdavenir

Techniques de construction aéronautique

DEC 280.B0 > par Clémence Cireau

Nombre de diplômés	37
Diplômés en emploi	41,9 %*
À temps plein	100,0 %
En rapport avec la formation	84,6 %
Aux études	58,1 %
Taux de chômage	0,0 %

Salaire hebdo. moyen
1 067 $

La Relance au collégial en formation technique - 2012, MELS et MESRST.

*Ce faible taux d'emploi peut s'expliquer par le pourcentage élevé de diplômés qui poursuivent leurs études (58,1 %).

ÇA VOUS INTÉRESSE?
Plus d'info page 172

PLACEMENT

En 2012, 38 des 44 diplômés du programme *Techniques de construction aéronautique* de l'École nationale d'aérotechnique (ÉNA), un campus du Collège Édouard-Montpetit, ont trouvé un emploi dans leur domaine. Certains employeurs sont même venus les chercher directement à l'école, avant qu'ils aient terminé leur formation, raconte Catherine Beaudry, conseillère en stages et placement. Elle est persuadée que la tendance sera la même pour les diplômés de 2013.

Deux facteurs viennent appuyer la demande de main-d'œuvre : la croissance soutenue de l'industrie, comme en témoigne le lancement de la CSeries de Bombardier, et le départ à la retraite de 30 % des travailleurs du secteur aérospatial au cours des 15 prochaines années. L'excellent placement des étudiants s'explique aussi par leur grande polyvalence, constate Catherine Beaudry. Enfin, environ 60 % d'entre eux poursuivent leurs études à l'université. «Cela diminue le nombre de candidats disponibles à l'emploi», explique-t-elle. Elle dit d'ailleurs recevoir plus d'une centaine d'offres d'emploi par année. «Ce qui devient un avantage pour les finissants! Dans ces conditions, les employeurs ont tendance à acquiescer aux demandes des diplômés lors de la négociation des contrats.»

SUR LE TERRAIN

- **Postes :** agent de méthode, inspecteur et contrôleur de la qualité, concepteur-dessinateur de composants, de structures, de systèmes et d'outillage sur ordinateur, rédacteur technique
- **Principaux employeurs :** entreprises aérospatiales, industries de fabrication de composants mécaniques d'aéronefs, compagnies de fabrication de pièces en sous-traitance

PROFIL RECHERCHÉ

Le secteur de l'aérospatiale est à la fine pointe de la technologie. «Il ne faut pas avoir peur de relever des défis», affirme Emmanuel Chalifoux, enseignant à l'ÉNA. Le milieu industriel exige une forte capacité de travail en équipe, de planification et du dynamisme. Il conseille aux étudiants de participer aux compétitions comme *Science on tourne!*, un concours scientifique intercollégial, ou d'intégrer des clubs comme le groupe Avion Cargo de l'ÉNA, qui conçoit, usine et fabrique un prototype d'avion téléguidé. Il ajoute que les étudiants qui cumulent des expériences de travail en mécanique, notamment dans des garages ou des boutiques de vélos, se démarquent souvent du lot.

PERSPECTIVES

Les possibilités d'avancement et de formation sont nombreuses au sein des entreprises, explique Emmanuel Chalifoux. Les diplômés peuvent aussi aspirer à exercer leur métier à l'international. Et il n'est pas exclu de travailler en région. «Tout le monde pense que ce sont seulement les géants de l'industrie dans les environs de Montréal qui embauchent, mais énormément de sous-traitants ont besoin de main-d'œuvre qualifiée», souligne-t-il. On les trouve notamment dans les Laurentides, en Montérégie, en Estrie ou dans la région de Québec. 2013-09

ÉTABLISSEMENT OFFRANT LE PROGRAMME

130

Voir le répertoire des établissements en page 264.

Pour plus de renseignements sur les statistiques et nos critères de sélection, consultez la rubrique *Comment interpréter l'information*, p. 8.

Techniques de génie mécanique

DEC 241.A0 > par Maxime Desroches

Nombre de diplômés	340
Diplômés en emploi	38,2 %*
À temps plein	94,1 %
En rapport avec la formation	89,5 %
Aux études	59,1 %
Taux de chômage	2,0 %

Salaire hebdo. moyen
788 $

La Relance au collégial en formation technique - 2012, MELS et MESRST.

*Ce faible taux d'emploi peut s'expliquer par le pourcentage élevé de diplômés qui poursuivent leurs études (59,1 %).

PLACEMENT

Au Cégep de Rimouski, la promotion de juin 2012, la dernière recensée par l'établissement, comptait 13 diplômés en techniques de génie mécanique. Ils ont tous trouvé un emploi à la fin de leurs études. «Certains d'entre eux ont été embauchés à temps partiel avant même d'obtenir leur diplôme», explique Lyanna Bernier, coordonnatrice à l'aide pédagogique.

En 2013, le Cégep de Thetford a diplômé six étudiants en techniques de génie mécanique, parmi lesquels quatre ont immédiatement intégré le marché du travail. Les deux autres ont décidé de poursuivre leurs études. «Le taux de placement est généralement de 100 %. C'est un secteur qui a toujours été extrêmement stable, mais qui connaît une effervescence depuis trois ans», indique Jean Desbiens, professeur et coordonnateur du département de génie mécanique.

Malgré une demande grandissante et en dépit de nombreux efforts de promotion, le programme est peu populaire auprès des jeunes et peine à attirer les candidats, selon Lyanna Bernier et Jean Desbiens.

PROFIL RECHERCHÉ

Le technicien est amené à travailler fréquemment avec des logiciels lorsqu'il dessine ou fait de la conception de pièces. Il doit donc être très à l'aise en informatique. Il lui faut aussi être créatif et capable de trouver des solutions quand des problèmes se présentent, dans le processus de fabrication par exemple.

L'aptitude à émettre de nouvelles idées et le souci du détail sont également essentiels. «Les filles ont souvent l'imagination et le sens de l'organisation nécessaires pour exceller dans ce domaine», indique Lyanna Bernier. Pourtant, celles-ci sont rares parmi les étudiants.

SUR LE TERRAIN

- **Postes :** concepteur-dessinateur, designer mécanique, chef d'équipe
- **Principaux employeurs :** manufactures, entreprises de confection, ateliers d'usinage, moyennes et grandes entreprises, multinationales

ÇA VOUS INTÉRESSE?
Plus d'info page 198

PERSPECTIVES

Les métiers liés au génie mécanique sont très stimulants, car les produits que l'on doit concevoir et fabriquer changent souvent et rapidement. «C'est un domaine dans lequel les travailleurs jouissent aussi d'une grande latitude. Les entreprises les encouragent fortement à innover et à proposer de nouvelles façons de faire afin de rendre le travail plus efficace», indique Jean Desbiens.

«Les employeurs, surtout les grandes entreprises, offrent à leurs employés l'occasion de travailler avec des équipements de plus en plus sophistiqués. Pour un mordu de l'informatique, c'est passionnant», note Lyanna Bernier.

Formés aux toutes dernières technologies, les nouveaux diplômés ont d'ailleurs de belles possibilités d'avancement devant eux. Leur bagage de connaissances leur permet de grimper les échelons en peu de temps et d'accéder à des postes importants, comme celui de chef d'équipe. 2013-10

ÉTABLISSEMENTS OFFRANT LE PROGRAMME

Voir les lieux de formation en annexe, page 260.

Techniques de la documentation

DEC 393.A0 > par Ariane Gruet-Pelchat

Nombre de diplômés	117
Diplômés en emploi	83,8 %
À temps plein	78,6 %
En rapport avec la formation	92,7 %
Aux études	3,8 %
Taux de chômage	8,2 %

Salaire hebdo. moyen **642 $**

La Relance au collégial en formation technique – 2012, MELS et MESRST.

PLACEMENT

Dans la région des Laurentides, où la population est croissante et plusieurs bibliothèques sont en construction, les services municipaux sont de gros employeurs. Sur les 230 offres d'emploi envoyées en 2012 aux 23 diplômés en techniques de la documentation du Collège Lionel-Groulx, 158 provenaient du secteur public (bibliothèques, ministères, organismes gouvernementaux, universités), indique la responsable du programme, Danièle Daoust.

Au Cégep Garneau, à Québec, 91 % des 37 diplômés de 2012 ont trouvé du travail dans leur domaine. Dans cette région, c'est en gestion des documents administratifs que les besoins sont les plus importants. «Les employeurs ne s'y retrouvent plus dans la masse grandissante de documents disponibles et ils ont besoin de quelqu'un pour organiser toute cette information», explique la responsable du programme, Mélanie De Buhan.

Par ailleurs, le développement du livre numérique fait aussi augmenter le volume d'emprunts et maintient la demande de techniciens en documentation. «À la bibliothèque de Boisbriand, par exemple, les personnes âgées qui partent en Floride pour l'hiver constituent les plus grands usagers du service de prêt de livres numériques, car ils peuvent maintenant emprunter à distance», explique Danièle Daoust.

SUR LE TERRAIN

- **Postes :** technicien en documentation, en gestion de l'information ou en numérisation de documents, agent d'accueil et à la référence
- **Principaux employeurs :** Bibliothèque et Archives nationales du Québec, bibliothèques scolaires et municipales, organismes publics, grandes entreprises

ÇA VOUS INTÉRESSE?
Plus d'info page 180

PROFIL RECHERCHÉ

En plus de la rigueur et du sens de l'organisation, qui sont indispensables à tout technicien en documentation, la facilité à communiquer est particulièrement importante. Dans les bibliothèques, c'est souvent le technicien qui expliquera aux usagers le fonctionnement des bases de données et des nouvelles technologies. Il doit cultiver le goût de la recherche ainsi que l'habileté en informatique. Celui qui travaille en entreprise devra aussi faire preuve d'entregent et de persévérance.

PERSPECTIVES

Les défis pour les techniciens en documentation évoluent au gré de la technologie et de la progression des supports, le numérique par exemple. Il faut s'adapter, mais aussi garder constamment ses connaissances à jour.

Dans le secteur public, l'expérience aidant, les techniciens peuvent accéder à des postes de direction. «Le technicien peut ainsi être en charge d'un service ou d'une petite bibliothèque», explique Danièle Daoust.

En entreprise, les milieux d'emploi sont variés (cabinets d'avocats, d'architectes ou de comptables). Pour gérer les documents administratifs de grandes entreprises, il faut faire des études universitaires en archivistique ou en gestion de l'information numérique. Une maîtrise en bibliothéconomie et sciences de l'information permet d'accéder au poste de bibliothécaire. 2013-10

ÉTABLISSEMENTS OFFRANT LE PROGRAMME

31, 93, 102, 156, 181, 202

Voir le répertoire des établissements en page 264.

Consultez des portraits de diplômés issus de ces formations à www.jobboom.com/carrieresdavenir

Techniques de la logistique du transport

DEC 410.A0 > par Sarah-Geneviève Perreault

Nombre de diplômés
43

Diplômés en emploi
77,4 %*

À temps plein
87,5 %

En rapport avec la formation
81,0 %

Aux études
22,6 %

Taux de chômage
0,0 %

Salaire hebdo. moyen
813 $

La Relance au collégial en formation technique – 2012, MELS et MESRST.

*Ce faible taux d'emploi peut s'expliquer par le pourcentage élevé de diplômés qui poursuivent leurs études (22,6 %).

ÇA VOUS INTÉRESSE?
Plus d'info page 204

PLACEMENT

Au Collège Lionel-Groulx de Sainte-Thérèse, les 8 diplômés en techniques de la logistique du transport de 2013 ont facilement trouvé un emploi. «Il n'y a pas beaucoup de diplômés, car cette technique est peu connue. Pourtant, il y a une pénurie de main-d'œuvre et les employeurs ont besoin de gens qualifiés», explique Johanne Morin, professeure et coordonnatrice du programme.

Au Cégep André-Laurendeau, seul établissement à donner cette formation sur l'île de Montréal, le taux de placement était aussi de 100 % en 2013. «Plus d'une centaine d'offres d'emploi ont été faites aux 15 diplômés du programme», précise Lysanne Paul, coresponsable du programme et enseignante.

Les deux établissements proposent un programme en alternance travail-études, permettant ainsi aux étudiants de se familiariser avec les tâches à accomplir, et aux employeurs de répondre temporairement à leurs besoins de main-d'œuvre. Les employeurs vont souvent jusqu'à offrir un emploi à leurs stagiaires dès leur sortie de l'école. Après avoir obtenu leur DEC, certains diplômés décident de poursuivre leurs études à l'université. «Environ 25 % des diplômés font ce choix, en optant pour le génie des opérations et de la logistique par exemple», ajoute Lysanne Paul.

SUR LE TERRAIN

- **Postes :** technicien en transport, courtier en douanes, technicien réception-expédition
- **Principaux employeurs :** entreprises de transport, entreprises d'exportation-importation, entreprises manufacturières

PROFIL RECHERCHÉ

Le technicien aura comme tâche principale de faire bouger des marchandises ou des individus, c'est-à-dire d'organiser les déplacements, de faire circuler l'information et de gérer les approvisionnements. «C'est comme une agence de voyages pour marchandises», résume Johanne Morin. Il faut donc faire preuve de débrouillardise, de rigueur et avoir un sens de l'organisation très développé.

La connaissance de l'anglais est aussi nécessaire. Les enseignants encouragent même les élèves à apprendre une troisième langue, comme l'espagnol ou le mandarin.

PERSPECTIVES

Certains croient à tort que cette formation permet de devenir camionneur. Il est certain que le technicien travaillera en collaboration avec l'industrie du transport, mais il ne s'occupera jamais de transporter lui-même les marchandises. «Le défi le plus important est de réussir à s'adapter à la réalité de la mondialisation, c'est-à-dire de travailler en collaboration avec des entreprises situées dans d'autres pays et qui ont des façons de faire différentes», explique Lysanne Paul.

Les perspectives d'avancement sont nombreuses dans ce secteur. On peut notamment coordonner une équipe qui s'occupe des opérations en devenant gestionnaire logistique. «Au cours des prochaines années, le départ à la retraite des *baby-boomers* permettra l'ouverture d'encore plus de postes pour les diplômés», conclut Johanne Morin. 2013-09

ÉTABLISSEMENTS OFFRANT LE PROGRAMME

18, 31, 48, 93, 102, 127, 147

Voir le répertoire des établissements en page 264.

Pour plus de renseignements sur les statistiques et nos critères de sélection, consultez la rubrique *Comment interpréter l'information*, p. 8.

Archives médicales

DEC 411.A0 > par Maxime Beauregard-Martin

Nombre de diplômés	118
Diplômés en emploi	86,7 %
À temps plein	95,9 %
En rapport avec la formation	85,7 %
Aux études	10,8 %
Taux de chômage	2,7 %

Salaire hebdo. moyen
613 $

La Relance au collégial en formation technique – 2012, MELS et MESRST.

PLACEMENT

En 2013, 36 étudiants ont obtenu leur diplôme en archives médicales au Collège Ahuntsic, à Montréal, où le taux de placement avoisine 95 % depuis plusieurs années. Selon la coordonnatrice du programme, Lysann Hounzell, le vieillissement des archivistes médicaux crée de l'emploi pour ces diplômés. «Et avec tous les départs à la retraite prévus au cours des prochaines années, la tendance devrait se maintenir», estime-t-elle.

Les perspectives d'emploi sont aussi favorables pour les 12 diplômés de 2013 du Cégep régional de Lanaudière à L'Assomption. Selon Pierrette Nadeau, enseignante au programme, leur taux de placement devrait atteindre environ 90 %. «L'implantation obligatoire de registres de santé spécialisés dans les hôpitaux favorise l'embauche de nos diplômés», explique-t-elle. «Certains croyaient que l'informatisation du dossier de santé allait marquer la fin de la profession d'archiviste médical, mais le contraire s'est produit, ajoute Lysann Hounzell. Le ministère de la Santé et des Services sociaux nous demande de lui fournir davantage de statistiques et d'informations sur les ressources hospitalières.» Ce qui a pour effet d'augmenter la demande de diplômés.

PROFIL RECHERCHÉ

«Les archivistes sont des experts des dossiers médicaux», résume Lysann Hounzell. Ils s'assurent que tous les documents d'un dossier sont adéquatement remplis, en plus d'analyser et de codifier toutes les informations contenues. «Cela demande concentration et minutie, puisque les données produites servent à dresser le portrait de santé de la population», soutient Pascale Lamarre, responsable du programme au Cégep de la Gaspésie et des Îles. Un bon sens de l'organisation, une maîtrise de la terminologie médicale et un intérêt pour l'informatique sont aussi nécessaires.

Les archivistes doivent également savoir se référer aux textes de loi quand vient le temps de gérer les demandes d'accès à l'information. «Il faut bien sûr s'assurer de protéger la confidentialité du dossier de chaque patient», complète Lysann Hounzell.

SUR LE TERRAIN

- **Postes :** archiviste médical, analyste de données, spécialiste en base de données
- **Principaux employeurs :** centres hospitaliers, CLSC, instituts de recherche, compagnies d'assurance médicale, entreprises d'informatique spécialisées dans le domaine médical

PERSPECTIVES

L'archiviste médical bénéficie d'horaires flexibles. Les heures supplémentaires et le travail de fin de semaine sont rares dans la profession, une situation enviable dans le domaine de la santé. Il est souvent possible de condenser la semaine de travail en quatre jours. «L'informatisation des hôpitaux permet même à certains archivistes de travailler de la maison», soulève Pierrette Nadeau.

Pour aspirer à un poste de chef de service ou de gestionnaire en milieu hospitalier, l'archiviste doit généralement suivre une formation universitaire en gestion. «Plusieurs hôpitaux permettent à leurs employés de suivre les cours nécessaires parallèlement à leur emploi en adaptant leurs horaires», soutient Lysann Hounzell. 2013-09

ÉTABLISSEMENTS OFFRANT LE PROGRAMME

81, 86, 104, 151, 164

Voir le répertoire des établissements en page 264.

ÇA VOUS INTÉRESSE? Plus d'info page 201

Consultez des portraits de diplômés issus de ces formations à www.jobboom.com/carrieresdavenir

Techniques de denturologie

DEC 110.B0 > par Frédérique Charest

Nombre de diplômés
18

Diplômés en emploi
91,7 %

À temps plein
90,9 %

En rapport avec la formation
100,0 %

Aux études
8,3 %

Taux de chômage
0,0 %

Salaire hebdo. moyen
558 $

La Relance au collégial en formation technique – 2012, MELS et MESRST.

PLACEMENT

Au Québec, les perspectives d'emploi sont excellentes pour les futurs denturologistes. Au Collège Édouard-Montpetit de Longueuil, seul établissement de la province à offrir le programme *Techniques de denturologie*, il y a eu 28 finissants en 2013. Le taux de placement a été excellent, tout juste sous la barre des 100 %.

«L'âge moyen des denturologistes au Québec est de 54 ans. Comme ils sont nombreux à vouloir diminuer leur charge de travail ou à prendre leur retraite, le besoin de relève devrait croître pendant les 15 ou 20 prochaines années», explique Christian Boisvert, coordonnateur du programme.

Les besoins sont particulièrement évidents hors des grands centres urbains. «À l'extérieur de Montréal, surtout dans les régions éloignées, il y a un manque de denturologistes. Les personnes qui pratiquent dans ces endroits nous disent qu'elles sont débordées et qu'elles ne suffisent plus à répondre à la demande», affirme Robert Cabana, président de l'Ordre des denturologistes du Québec.

PROFIL RECHERCHÉ

Le denturologiste fabrique des prothèses dentaires amovibles qu'il installe dans la bouche de ses patients. «La fabrication comprend une foule d'étapes, toutes importantes. Le denturologiste doit donc être perfectionniste et minutieux. Il ne peut pas escamoter les détails ou accepter un travail médiocre», explique Robert Cabana. De plus, il doit savoir communiquer efficacement afin d'expliquer les objectifs des traitements à ses patients et d'établir un lien de confiance avec eux. Par ailleurs, le denturologiste devra s'occuper de certaines tâches administratives s'il possède son propre cabinet. «Il y a un bureau à gérer et des employés à embaucher. Ça prend le sens de l'entrepreneuriat et des responsabilités», affirme Christian Boisvert.

PERSPECTIVES

Le diplômé amorce habituellement sa carrière en travaillant durant quelques années pour un denturologiste établi. «Comme la plupart des diplômés aspirent à travailler à leur compte et que bien des denturologistes souhaitent partir à la retraite, ils sont de plus en plus nombreux à racheter les cabinets de ceux qui les ont embauchés», explique Robert Cabana.

Les professionnels devront se familiariser avec les nouvelles techniques et les nouveaux matériaux tout au long de leur carrière. Depuis 2012, ils peuvent suivre une attestation d'études collégiales (AEC) axée sur l'implantologie, une technique qui permet de visser dans l'os du patient un point d'ancrage pour la prothèse et qui occupe une place grandissante au sein de la pratique. 2013-10

Il faut être membre de l'Ordre des denturologistes du Québec pour porter le titre de denturologiste.

SUR LE TERRAIN

- **Poste :** denturologiste
- **Principaux employeurs :** cabinets de denturologie, cliniques dentaires multidisciplinaires

ÇA VOUS INTÉRESSE?
Plus d'info page 201

ÉTABLISSEMENT OFFRANT LE PROGRAMME

130

Voir le répertoire des établissements en page 264.

Pour plus de renseignements sur les statistiques et nos critères de sélection, consultez la rubrique *Comment interpréter l'information*, p. 8.

Techniques d'électrophysiologie médicale

DEC 140.A0 > par Jean-François Venne

Nombre de diplômés	28
Diplômés en emploi	95,0 %
À temps plein	88,9 %
En rapport avec la formation	93,8 %
Aux études	5,0 %
Taux de chômage	0,0 %

Salaire hebdo. moyen
744 $

La Relance au collégial en formation technique – 2012, MELS et MESRST.

PLACEMENT

En 2013, 26 finissants ont obtenu leur DEC en techniques d'électrophysiologie médicale au Collège Ahuntsic. Comme ceux des deux années précédentes, ils ont connu un taux de placement de plus de 90 %. «Avec le vieillissement de la population, les centres hospitaliers ont de plus en plus besoin de technologues en électrophysiologie médicale, au moment même où les départs à la retraite se multiplient», explique Isabelle Champagne, responsable de la coordination des stages. L'établissement arrive généralement à répondre aux besoins de Montréal, mais pas à ceux des autres régions.

C'est justement cette situation qui a poussé le Cégep de Lévis-Lauzon à mettre sur pied son programme, qui a accueilli ses 40 premiers inscrits à l'automne 2013. «La formation se donnait seulement à Montréal, et plusieurs jeunes y faisaient leur stage et ne revenaient plus en région», explique Jacques Belleau, directeur adjoint des études.

PROFIL RECHERCHÉ

Le technologue en électrophysiologie médicale fait des examens à l'aide d'appareils comme l'électroencéphalographe et le cardiographe afin d'assister le médecin dans son diagnostic. Il doit savoir mettre les patients à l'aise et les rassurer. «Les personnes sont souvent nerveuses pendant les examens. Or, cela peut fausser les résultats d'un électrocardiogramme ou d'un encéphalogramme», explique la coordonnatrice du programme au Cégep de Lévis-Lauzon, Julie Dumont. L'empathie est d'autant plus nécessaire que certains examens sont désagréables, précise Isabelle Champagne. «Dans un électromyogramme des pieds et des mains, par exemple, on envoie des dizaines de petits chocs électriques sur les nerfs», illustre-t-elle. La dextérité est aussi une qualité essentielle. «Nous mesurons de minuscules potentiels électriques [microvolts], dit-elle. Pour y arriver, il faut placer les électrodes au millimètre près, sur diverses parties du corps des patients.»

PERSPECTIVES

Les technologues doivent accumuler 30 heures de formation continue par période de 3 ans, dont un minimum de 5 heures chaque année. Ils ont maintenant 13 actes réservés, comme effectuer un électrocardiogramme à l'effort ou une échographie cardiaque.

Après quelques années, le technologue peut devenir gestionnaire en étant nommé chef d'équipe ou superviseur dans un centre hospitalier. «Parfois, l'expérience suffit, mais une formation universitaire en gestion peut aussi être un atout pour décrocher des postes», souligne Julie Dumont. 2013-09

Il faut être membre de l'Ordre des technologues en imagerie médicale, en radio-oncologie et en électrophysiologie médicale du Québec pour porter le titre de technologue en électrophysiologie médicale.

SUR LE TERRAIN

- **Postes :** technologue en électrophysiologie médicale, chef d'équipe, superviseur, représentant
- **Principaux employeurs :** centres hospitaliers, laboratoires de recherche, CLSC, cliniques médicales privées, fabricants d'équipements médicaux

ÇA VOUS INTÉRESSE?
Plus d'info page 201

ÉTABLISSEMENTS OFFRANT LE PROGRAMME

56, 103, 151

Voir le répertoire des établissements en page 264.

Consultez des portraits de diplômés issus de ces formations à www.jobboom.com/carrieresdavenir

Techniques de prothèses dentaires

DEC 110.A0 > par Frédérique Charest

Nombre de diplômés
23

Diplômés en emploi
88,2 %

À temps plein
87,5 %

En rapport avec la formation
85,7 %

Aux études
5,9 %

Taux de chômage
6,3 %

Salaire hebdo. moyen
594 $

La Relance au collégial en formation technique - 2012, MELS et MESRST.

PLACEMENT

Le Collège Édouard-Montpetit, à Longueuil, est le seul établissement au Québec à offrir le programme *Techniques de prothèses dentaires*. En 2013, 25 étudiants ont obtenu leur diplôme. «Le taux de placement est très bon : 90 % de nos diplômés ont trouvé un emploi. Les autres se sont orientés vers d'autres domaines ou attendent avant de se placer. C'est une tendance qui se maintient depuis nombre d'années», explique Guillaume Tanguay, coordonnateur du programme.

«Beaucoup de laboratoires sont à la recherche de techniciens. Si bien qu'une quarantaine d'offres d'emploi sont affichées en permanence sur notre site Internet», dit Raymond Haché, président et directeur général de l'Ordre des techniciens et techniciennes dentaires du Québec. Outre le fait que les départs à la retraite occasionnent un renouvellement de la main-d'œuvre, la diversification des types de prothèses et d'appareils dentaires a fortement augmenté les besoins en diplômés.

PROFIL RECHERCHÉ

Le technicien dentaire est un expert de la conception et de la fabrication de prothèses et d'appareils dentaires. À l'aide de petits outils et instruments, il crée des pièces destinées à remplacer le plus fidèlement possible la dentition manquante du patient. «Il doit donc être très minutieux. Il lui faut également aimer travailler de ses mains avec différents matériaux comme les alliages, les matières acryliques, les plastiques et les métaux. C'est l'art au service de la santé!» affirme Guillaume Tanguay.

Le technicien dentaire doit aussi faire preuve d'une grande soif d'apprentissage. «Tenir ses connaissances à jour est essentiel vu l'évolution technologique constante. Par exemple, la conception et la fabrication de prothèses assistées par ordinateur devient la norme», explique Raymond Haché.

SUR LE TERRAIN

- **Postes :** technicien dentaire, chef de service, propriétaire de laboratoire dentaire
- **Principaux employeurs :** laboratoires dentaires privés

PERSPECTIVES

Les possibilités d'avancement professionnel sont grandes pour le technicien dentaire. «Tout dépend de ses ambitions. Dans un laboratoire, il peut, par exemple, devenir chef du service de la conception assistée par ordinateur ou responsable de la production de prothèses amovibles», dit Guillaume Tanguay.

Après deux ans d'expérience en laboratoire, le technicien dentaire obtient le droit de démarrer sa propre entreprise. «Il peut avoir son laboratoire dans son sous-sol. Il lui suffit de s'équiper d'instruments, d'obtenir un permis et de trouver quelques dentistes pour lui fournir du travail. Cela peut lui donner un excellent salaire annuel», affirme Guillaume Tanguay. 2013-10

Il faut être membre de l'Ordre des techniciens et techniciennes dentaires du Québec pour porter le titre de technicien dentaire.

ÇA VOUS INTÉRESSE?
Plus d'info page 201

ÉTABLISSEMENT OFFRANT LE PROGRAMME

130

Voir le répertoire des établissements en page 264.

Pour plus de renseignements sur les statistiques et nos critères de sélection, consultez la rubrique *Comment interpréter l'information*, p. 8.

Techniques de réadaptation physique

DEC 144.A0 > par Maxime Beauregard-Martin

Nombre de diplômés	183
Diplômés en emploi	73,8 %*
À temps plein	65,7 %
En rapport avec la formation	87,0 %
Aux études	24,1 %
Taux de chômage	2,8 %

Salaire hebdo. moyen **690 $**

La Relance au collégial en formation technique – 2012, MELS et MESRST.

*Ce faible taux d'emploi peut s'expliquer par le pourcentage élevé de diplômés qui poursuivent leurs études (24,1 %).

ÇA VOUS INTÉRESSE? Plus d'info page 201

PLACEMENT

Le Cégep de Chicoutimi affiche depuis 6 ans un taux de placement de 95 % pour ses diplômés en réadaptation physique. Au printemps 2013, 20 étudiants y ont obtenu leur diplôme. «Les efforts déployés par le gouvernement au cours des dernières années pour assurer le soutien à domicile des personnes âgées ont stimulé la demande de thérapeutes en réadaptation physique [TRP]», note la coordonnatrice du programme, Maryse Gagnon. À son avis, les futurs diplômés ne devraient pas manquer de travail, en raison du vieillissement de la génération des *baby-boomers*, qui commencent à avoir besoin de traitements.

La première cohorte du Cégep de Matane sera diplômée en 2014. Le coordonnateur du programme, Roch Nadeau, se montre déjà optimiste quant à l'avenir des 11 finissants. «Il y a un bon équilibre entre le nombre de diplômés et la demande sur le marché du travail, constate-t-il. On s'attend à ce que la totalité des diplômés des trois prochaines promotions dénichent un emploi.» Les personnes âgées ne sont pas les seules à avoir besoin des services des TRP; de jeunes sportifs les consultent dans les cliniques de physiothérapie pour soigner des blessures liées à la pratique d'activités physiques, par exemple.

SUR LE TERRAIN

- **Postes :** thérapeute en réadaptation physique, entraîneur personnel, représentant en matériel spécialisé en réadaptation
- **Principaux employeurs :** cliniques de physiothérapie, CLSC (services de maintien à domicile des personnes âgées), centres de conditionnement physique, cliniques médicales privées, établissements hospitaliers

PROFIL RECHERCHÉ

Séances de massage, exercices de renforcement musculaire, électrothérapie : le TRP utilise diverses techniques pour permettre aux patients de retrouver leur autonomie de mouvement. Une bonne écoute est primordiale pour choisir et adapter les traitements. Puisque le TRP travaille avec le public, l'entregent et l'empathie sont des qualités essentielles. Il doit aussi faire preuve de discernement lorsqu'il entre physiquement en contact avec ses patients. «Il faut être à l'aise dans son approche, tout en restant professionnel», rappelle Roch Nadeau. Comme il assure le déplacement des bénéficiaires dans le cadre de certains traitements, le TRP doit aussi être en excellente condition physique.

PERSPECTIVES

Les TRP ont le devoir de maintenir leurs connaissances à jour. «Ils doivent suivre 45 heures de formation aux 3 ans pour demeurer membres de l'Ordre professionnel de la physiothérapie du Québec», souligne Roch Nadeau. Par ailleurs, leurs champs d'intervention tendent à se diversifier. «On en voit collaborer avec les ergothérapeutes dans leur milieu de travail et superviser des exercices en réhabilitation fonctionnelle», indique-t-il. Certains choisissent d'être représentants en matériel spécialisé en réadaptation, alors que d'autres poursuivent leurs études à l'université en physiothérapie ou en ergothérapie. 2013-10

Il faut être membre de l'Ordre professionnel de la physiothérapie du Québec pour porter le titre de thérapeute en réadaptation physique.

ÉTABLISSEMENTS OFFRANT LE PROGRAMME

16, 31, 55, 72, 98, 103, 150, 169, 209

Voir le répertoire des établissements en page 264.

Consultez des portraits de diplômés issus de ces formations à www.jobboom.com/carrieresdavenir

Techniques de thanatologie

DEC 171.A0 > par Maxime Beauregard-Martin

Nombre de diplômés	25
Diplômés en emploi	89,5 %
À temps plein	87,5 %
En rapport avec la formation	100,0 %
Aux études	5,3 %
Taux de chômage	0,0 %

Salaire hebdo. moyen
735 $

La Relance au collégial en formation technique – 2012, MELS et MESRST.

PLACEMENT

Seul établissement au Québec à offrir le DEC *Techniques de thanatologie*, le Collège de Rosemont, à Montréal, affiche un taux de placement supérieur à 90 % depuis plus d'une dizaine d'années. En 2013, 18 étudiants y ont obtenu leur diplôme. «Nos finissants trouvent généralement un emploi dans les quatre ou cinq mois qui suivent l'obtention de leur diplôme», affirme Sophie Benoit, responsable du programme. Les perspectives sont encore meilleures à l'extérieur des grands centres, où on manque de thanatologues. «Dans certaines régions, comme en Gaspésie, on parle même de pénurie», précise-t-elle.

Sophie Benoit note que la féminisation du domaine funéraire accentue la demande de thanatologues. Une tendance qui devrait se maintenir. «Il y aura de plus en plus de remplacements à faire pour des congés de maternité au cours des prochaines années.» De plus, les entreprises funéraires qui désirent être certifiées par le Bureau de normalisation du Québec doivent obligatoirement engager des diplômés du programme pour pourvoir les postes de conseillers aux familles. Une situation qui stimule l'embauche des thanatologues.

PROFIL RECHERCHÉ

En plus d'accompagner les familles endeuillées et d'organiser les rites funéraires, le thanatologue se charge de la thanatopraxie (embaumement). «Il doit faire preuve d'empathie et d'écoute envers les proches du défunt, mais aussi démontrer une minutie semblable à celle de l'artiste lorsqu'il prépare une dépouille pour son exposition», indique Valérie Garneau, présidente de la Corporation des thanatologues du Québec. Il doit aussi s'adapter facilement à des horaires qui varient selon l'achalandage de la maison funéraire. «Nous invitons nos étudiants à travailler dans un centre funéraire, en tant que préposés à l'accueil par exemple, complète Sophie Benoit. Cela leur permet de développer la maturité et le savoir-être nécessaires à la profession.»

SUR LE TERRAIN

- **Postes :** thanatologue, thanatopracteur, conseiller aux familles, directeur de funérailles
- **Principaux employeurs :** salons funéraires, coopératives funéraires, cimetières, entreprises de transport de dépouilles

PERSPECTIVES

Le thanatologue doit s'adapter aux préférences des clients, qui délaissent les rites traditionnels. «L'embaumement diminue, indique Valérie Garneau. Plus de 60 % des Québécois optent pour la crémation», une pratique dont se chargent également les thanatologues. Avec l'expérience, ils peuvent devenir directeurs de funérailles. Et à ce titre, on leur demande parfois de célébrer les cérémonies non confessionnelles. Les considérations environnementales prennent également de plus en plus de place dans le métier. «Nous devrons bientôt proposer des solutions pour limiter l'empreinte écologique des funérailles, soulève Sophie Benoit. En offrant des cercueils qui laissent moins de traces dans l'environnement ou en utilisant des produits plus écologiques pour les thanatopraxies.» 2013-09

ÉTABLISSEMENT OFFRANT LE PROGRAMME

157

Voir le répertoire des établissements en page 264.

ÇA VOUS INTÉRESSE? Plus d'info page 201

Pour plus de renseignements sur les statistiques et nos critères de sélection, consultez la rubrique *Comment interpréter l'information*, p. 8.

Techniques d'hygiène dentaire

DEC 111.A0 > par Frédérique Charest

Nombre de diplômés	Diplômés en emploi	À temps plein	En rapport avec la formation	Aux études	Taux de chômage
278	91,5 %	67,9 %	98,4 %	2,0 %	4,7 %

Salaire hebdo. moyen
832 $

La Relance au collégial en formation technique - 2012, MELS et MESRST.

PLACEMENT

Au Collège de Maisonneuve, à Montréal, 55 étudiantes* ont terminé le programme *Techniques d'hygiène dentaire* au printemps 2013. Au moment d'écrire ces lignes, le taux de placement de cette cohorte n'était pas connu. Mais comme il avoisine 100 % depuis quelques années, le Collège a bon espoir que l'ensemble des diplômées trouve un emploi. «Il fut un temps où les dentistes faisaient souvent eux-mêmes le nettoyage des dents. Mais cela a changé, et ils veulent de plus en plus travailler avec des hygiénistes dentaires», explique Nadie Gobeil, responsable du département.

Les perspectives d'emploi sont tout aussi bonnes pour la quarantaine de finissantes du Cégep de Saint-Hyacinthe. «Toute la cohorte de 2012 s'est placée. C'est une tendance qui devrait se maintenir au courant des prochaines années», estime Jean-François Lortie, coordonnateur du département. Selon lui, les nombreux congés de maternité favorisent l'ouverture de postes temporaires et à temps partiel au sein de cette profession largement féminine.

PROFIL RECHERCHÉ

L'hygiéniste dentaire a pour mission d'améliorer la santé bucco-dentaire de ses patients. Pour y arriver, elle prend des radiographies et fait le nettoyage des dents, ce qui nécessite une grande précision. «Une bouche, c'est un petit environnement de travail! L'hygiéniste dentaire doit tasser la langue, tirer sur la joue et passer ses instruments sous la gencive. Elle doit donc être très habile de ses mains pour ne pas déranger ni blesser le patient», explique Jean-François Lortie. De plus, l'hygiéniste dentaire doit faire preuve d'autonomie. «Elle a un temps limité pour exécuter son travail. Comme les dentistes et les patients n'aiment pas les retards, elle doit avoir la capacité de s'organiser pour répondre aux besoins de chacun», mentionne Nadie Gobeil.

PERSPECTIVES

La plupart des hygiénistes dentaires travaillent dans des cliniques dentaires privées. Les possibilités d'avancement hiérarchique y demeurent plutôt limitées. «Quand on étudie pour être hygiéniste dentaire, on peut difficilement accéder à d'autres titres», affirme Jean-François Lortie. Ce qui ne signifie pas pour autant un manque de défis. Bien des hygiénistes dentaires décident de se spécialiser pour affronter des cas plus complexes. «Selon ses aspirations, une hygiéniste dentaire peut suivre des cours et se perfectionner dans un domaine plus précis, comme en parodontie ou en orthodontie. Ça ne donne pas nécessairement un meilleur salaire, mais ça peut être un avancement sur le plan personnel», explique Nadie Gobeil. 2013-09

Il faut être membre de l'Ordre des hygiénistes dentaires du Québec pour porter le titre d'hygiéniste dentaire.

**Le féminin est utilisé dans cet article étant donné la très grande proportion de femmes diplômées en hygiène dentaire.*

SUR LE TERRAIN

- **Poste :** hygiéniste dentaire
- **Principaux employeurs :** cliniques dentaires privées, cliniques d'orthodontie et de parodontie, CSSS, centres hospitaliers

ÇA VOUS INTÉRESSE?
Plus d'info page 201

ÉTABLISSEMENTS OFFRANT LE PROGRAMME

31, 86, 102, 125, 130, 156, 181, 202, 209

Voir le répertoire des établissements en page 264.

Consultez des portraits de diplômés issus de ces formations à www.jobboom.com/carrieresdavenir

Techniques d'inhalothérapie

DEC 141.A0 > par Jean-François Venne

Nombre de diplômés	184
Diplômés en emploi	93,0 %
À temps plein	81,1 %
En rapport avec la formation	93,0 %
Aux études	7,0 %
Taux de chômage	0,0 %

Salaire hebdo. moyen
779 $

La Relance au collégial en formation technique – 2012, MELS et MESRST.

PLACEMENT

Chaque année, le Collège de Valleyfield accueille une trentaine de nouveaux inscrits en inhalothérapie. Le taux de placement dépasse 95 %, mais certains diplômés doivent combiner deux emplois à temps partiel pour obtenir une charge de travail complète. «Dans les cinq prochaines années, on prévoit des départs massifs à la retraite, puisque les inhalothérapeutes formés au début de ce programme, dans les années 1970, atteindront leurs 35 années de service», précise Annie Quenneville, coordonnatrice du programme.

Le Cégep de Chicoutimi, de son côté, a diplômé 29 finissants en 2013, qui ont tous trouvé du travail. En plus des retraites, des changements à la pratique augmentent le besoin d'inhalothérapeutes, souligne Claire Larouche, enseignante et coordonnatrice des stages. «Il y a dix ans, par exemple, on n'allait pas en obstétrique [prise en charge de la grossesse et de l'accouchement]. Maintenant, on est souvent là en cas de besoin de réanimation du bébé», illustre-t-elle.

PROFIL RECHERCHÉ

L'inhalothérapeute est un spécialiste des maladies respiratoires. «Il doit savoir travailler en équipe et gérer le stress, mentionne Claire Larouche. Dans un bloc opératoire, par exemple, il y a un rythme à suivre et la pression peut devenir forte.» Mais selon elle, le jeu en vaut la chandelle. «Quand vous réussissez à réanimer quelqu'un ou à aider un bébé qui n'arrive pas à respirer, c'est très gratifiant.»

Il faut aussi être très responsable et minutieux, car une erreur peut avoir un effet dramatique sur le patient. «Des erreurs, comme glisser un tube dans l'œsophage plutôt que dans les voies respiratoires, ou mal évaluer la médication, peuvent être fatales», prévient Annie Quenneville. Il faut être en bonne forme physique, ajoute-t-elle. «On passe huit heures debout, en se déplaçant fréquemment d'un département à l'autre.»

SUR LE TERRAIN

- **Postes :** inhalothérapeute, coordonnateur technique, chef du département d'inhalothérapie
- **Principaux employeurs :** centres hospitaliers, CLSC, cliniques médicales privées

ÇA VOUS INTÉRESSE? Plus d'info page 201

PERSPECTIVES

Le travail de l'inhalothérapeute reste mal connu, selon Annie Quenneville. «Nous ne nous limitons pas à manipuler des appareils, nous devons évaluer cliniquement le patient, comprendre ce qu'il a et prendre des décisions sur le traitement en fonction d'un protocole précis», confie-t-elle.

La pratique s'ouvre aussi à de nouveaux champs, notamment l'étude du sommeil avec les gens souffrant d'apnée du sommeil, la physiologie respiratoire ou la prise en charge des nouveau-nés. Tout cela soulève des questions sur la formation, qui est d'ailleurs en révision au ministère de l'Éducation, du Loisir et du Sport du Québec. 2013-09

Il faut être membre de l'Ordre professionnel des inhalothérapeutes du Québec pour porter le titre d'inhalothérapeute.

ÉTABLISSEMENTS OFFRANT LE PROGRAMME

30, 72, 103, 129, 157, 185, 202, 209

Voir le répertoire des établissements en page 264.

Consultez des portraits de diplômés issus de ces formations à www.jobboom.com/carrieresdavenir

Techniques d'orthèses visuelles

DEC 160.A0 > par Frédérique Charest

Nombre de diplômés
105

Diplômés en emploi
89,1 %

À temps plein
96,4 %

En rapport avec la formation
98,1 %

Aux études
7,8 %

Taux de chômage
1,7 %

Salaire hebdo. moyen
713 $

La Relance au collégial en formation technique – 2012, MELS et MESRST.

PLACEMENT

Au Cégep Garneau, à Québec, les 17 diplômés en techniques d'orthèses visuelles du printemps 2013 ont tous réussi à trouver un emploi. La demande est si élevée que la majorité des étudiants dénichent un poste avant l'obtention du diplôme. «Environ 80 % de nos étudiants travaillent comme conseillers pendant leurs études. Une fois leur diplôme en poche, ils obtiennent un poste d'opticien», explique Karine Lacourse, coordonnatrice du département.

Même son de cloche au Collège Édouard-Montpetit. «Ça fait très longtemps que le taux de placement est de 100 %, et on s'attend à ce qu'il en soit ainsi encore plusieurs années», dit Sylvain Légaré, coordonnateur du programme. Selon lui, le besoin de main-d'œuvre s'est fortement accentué au cours des dernières années, notamment à cause du vieillissement de la population. «De plus en plus de gens ont besoin de lunettes et de lentilles cornéennes, il faut donc davantage de professionnels de la vision pour les servir», dit-il.

PROFIL RECHERCHÉ

Une fois l'ordonnance de l'optométriste en main, l'opticien prépare les lentilles et ajuste les montures, des tâches qui demandent de la précision. «Des lunettes, c'est assez fragile. Et comme il y a des petites pièces, il faut avoir de la dextérité et être minutieux pour effectuer les réparations ou pour faire le taillage des verres et le montage des lunettes», explique Karine Lacourse.

L'opticien doit démontrer de l'entregent, puisqu'un bon service à la clientèle est essentiel. «Le client qui arrive d'une visite chez l'ophtalmologiste ou l'optométriste a non seulement une ordonnance, mais aussi un certain nombre de questions. Il faut donc être capable de bien expliquer et de bien vulgariser», insiste Sylvain Légaré.

PERSPECTIVES

Comme les technologies de l'optique évoluent sans cesse, l'opticien a la responsabilité de maintenir ses compétences à jour. «Il peut parfaire ses connaissances en suivant les programmes de formation continue de l'Ordre des opticiens d'ordonnances du Québec ou d'un établissement d'enseignement», mentionne Sylvain Légaré.

Selon ses ambitions, l'opticien peut, entre autres, occuper un poste dans une lunetterie, dans un cabinet d'optométrie ou au sein d'une entreprise de lentilles et de montures. Il peut aussi devenir gérant d'une succursale ou même démarrer sa propre entreprise. «Il y a des ouvertures sur le marché; peut-être pas au centre-ville de Montréal, mais il existe au Québec des régions où il n'y a pratiquement pas d'opticiens», affirme Sylvain Légaré. 2013-10

Il faut être membre de l'Ordre des opticiens d'ordonnances du Québec pour porter le titre d'opticien d'ordonnances.

SUR LE TERRAIN

- **Postes :** opticien d'ordonnances, gérant d'une lunetterie, représentant
- **Principaux employeurs :** lunetteries, bureaux d'optométristes, cliniques d'ophtalmologie, entreprises d'optique

ÇA VOUS INTÉRESSE?
Plus d'info page 201

ÉTABLISSEMENTS OFFRANT LE PROGRAMME

31, 86, 130

Voir le répertoire des établissements en page 264.

Pour plus de renseignements sur les statistiques et nos critères de sélection, consultez la rubrique *Comment interpréter l'information*, p. 8.

Technologie d'analyses biomédicales

DEC 140.B0 > par Jean-François Venne

Nombre de diplômés	269
Diplômés en emploi	87,6 %
À temps plein	93,9 %
En rapport avec la formation	96,8 %
Aux études	10,8 %
Taux de chômage	1,2 %

Salaire hebdo. moyen **731 $**

La Relance au collégial en formation technique – 2012, MELS et MESRST.

PLACEMENT

En 2013, le Cégep Saint-Jean-sur-Richelieu comptait 33 finissants en technologie d'analyses biomédicales; 93 % d'entre eux se sont placés. L'établissement fonctionne à la limite de sa capacité d'accueil. «Les admissions sont passées de 40 étudiants en 2006 à 54 en 2013, explique Mireille Limoges, coordonnatrice du programme. Au-delà de ce nombre, nous risquons de manquer de place dans les labos et d'être incapables de trouver un stage pour chacun.»

Le taux de placement des 33 finissants du Cégep de Sainte-Foy était de 96 % en 2013. «La demande est très forte depuis plusieurs années, et nous avons même vu des taux de placement de 100 % pour certaines cohortes», indique Nicole Roy, coordonnatrice de programme et des stages. Les départs à la retraite, mais aussi les congés de maternité, expliquent cette demande. «Il n'est pas rare que des diplômées embauchées au début de la vingtaine se retrouvent en congé de maternité quelques années plus tard, souvent pendant un an», lance-t-elle.

PROFIL RECHERCHÉ

La rigueur est essentielle pour exercer ce métier. Nicole Roy donne l'exemple de la numération des globules blancs. «À partir d'un prélèvement sanguin coincé entre deux lamelles graduées, il faut calculer le nombre de globules blancs, explique-t-elle. Une erreur a des conséquences importantes. Par exemple, si on dit qu'une femme enceinte a trop peu de ces globules, elle n'aura pas droit à une épidurale [au moment de l'accouchement], car on craindra une hémorragie.»

«Il faut être capable d'analyser un résultat dans un environnement stressant», ajoute Mireille Limoges. Lorsqu'une personne a besoin d'une transfusion sanguine d'urgence à la suite d'un accident, les technologistes doivent analyser rapidement, mais sans faire d'erreurs, la compatibilité du sang que l'on veut donner avec celui du patient.

SUR LE TERRAIN

- **Postes :** technologiste médical en biologie médicale, coordonnateur de laboratoire, chef de département
- **Principaux employeurs :** centres hospitaliers, cliniques médicales privées, CLSC, laboratoires d'analyses médicales privés ou gouvernementaux, centres de recherche pharmaceutiques ou universitaires

ÇA VOUS INTÉRESSE? Plus d'info page 201

PERSPECTIVES

Le travail des technologistes pourrait être affecté par une nouvelle répartition des tâches au cours des prochaines années. «Le gouvernement souhaite réserver les analyses plus lourdes et plus longues, comme la microbiologie et l'histopathologie [étude des tissus humains malades], à des centres régionaux», souligne Mireille Limoges. Le travail serait donc fort différent selon le type d'hôpital où le technologiste serait employé.

Les étudiants doivent oublier les séries télévisées à la *NCIS*, qui faussent grandement leur perception des tâches à accomplir. «C'est très marquant, rigole Nicole Roy. Mais aucun technologiste au Québec ne travaille à résoudre des crimes en quelques heures!» 2013-09

Il faut être membre de l'Ordre professionnel des technologistes médicaux du Québec pour porter le titre de technologiste médical exerçant en biologie médicale.

ÉTABLISSEMENTS OFFRANT LE PROGRAMME

14, 30, 72, 92, 105, 125, 127, 157, 169, 202, 209

Voir le répertoire des établissements en page 264.

Consultez des portraits de diplômés issus de ces formations à www.jobboom.com/carrieresdavenir

Technologie de médecine nucléaire

DEC 142.B0 > par Jean-François Venne

Nombre de diplômés	31
Diplômés en emploi	95,2 %
À temps plein	90,5 %
En rapport avec la formation	100,0 %
Aux études	0,0 %
Taux de chômage	0,0 %

Salaire hebdo. moyen **700 $**

La Relance au collégial en formation technique - 2012, MELS et MESRST.

PLACEMENT

En 2013, un peu plus de 40 finissants ont obtenu un diplôme en technologie de médecine nucléaire au Collège Ahuntsic, seul établissement à offrir ce programme. Environ 90 % d'entre eux ont trouvé du travail, mais c'était la première fois depuis 2001 que le taux de placement chutait sous 100 %. «Il faut tenir compte du fait que le nombre de finissants en 2013 est plus élevé que lors des années précédentes, car pendant quelques années nous avons doublé le nombre d'admissions», explique Chantal Asselin, responsable de la coordination départementale et des stages. La pénurie temporaire d'isotopes nucléaires en 2009-2010, un ingrédient essentiel aux examens en médecine nucléaire, a fait mal, certains médecins traitants se tournant vers d'autres méthodes d'examen, comme la résonance magnétique. Toutefois, la technologie de la tomographie par émission de positrons (TEP), une méthode d'imagerie médicale en pleine expansion au Québec qui permet de mesurer l'étendue d'un cancer, entraîne une hausse de la demande de main-d'œuvre. Le Collège Ahuntsic prévoit d'ailleurs que la TEP sera à la source de la majorité des nouveaux postes à pourvoir entre 2013 et 2018.

PROFIL RECHERCHÉ

Ce programme n'est pas de tout repos, prévient le Dr François Lamoureux, président de l'Association des médecins spécialistes en médecine nucléaire du Québec. Pour devenir un technologue «spécialiste de l'atome», il faut des connaissances en informatique, en physique, en chimie, en mathématiques, en radiation, en anatomie humaine et en pathologie. Il faut aussi continuer d'apprendre, une fois diplômé. «De nouveaux traceurs radioactifs permettant d'examiner le corps, et de nouveaux équipements arrivent chaque année sur le marché», dit-il. Chantal Asselin ajoute qu'il faut une bonne dose d'autonomie. «Les patrons sont souvent postés à distance et analysent les données sur ordinateur, explique-t-elle. Le technologue doit donc décider seul du moment où l'examen est terminé et s'il peut administrer un médicament en particulier à un patient.»

SUR LE TERRAIN

- **Postes :** technologue en médecine nucléaire, chef d'équipe, représentant, responsable de la radioprotection
- **Principaux employeurs :** centres hospitaliers, fabricants d'appareils médicaux, laboratoires et entreprises pharmaceutiques

ÇA VOUS INTÉRESSE? Plus d'info page 201

PERSPECTIVES

En centre hospitalier, il arrive souvent que les technologues soient de garde la fin de semaine ou les jours fériés. «Environ 30 % des examens sont des cas d'urgence, comme des embolies pulmonaires ou des infarctus», avance le Dr Lamoureux.

Selon Chantal Asselin, ces technologues travaillent dans des domaines de plus en plus divers et pointus, en raison de l'amélioration de certaines technologies. «Nous couplons maintenant nos caméras avec d'autres techniques d'imagerie médicale, comme la tomodensitométrie. Les résultats sont ainsi beaucoup plus précis», conclut-elle. 2013-09

Il faut être membre de l'Ordre des technologues en imagerie médicale, en radio-oncologie et en électrophysiologie médicale du Québec pour porter le titre de technologue en médecine nucléaire.

ÉTABLISSEMENT OFFRANT LE PROGRAMME

151

Voir le répertoire des établissements en page 264.

Pour plus de renseignements sur les statistiques et nos critères de sélection, consultez la rubrique *Comment interpréter l'information*, p. 8.

Technologie de radiodiagnostic

DEC 142.A0 > par Jean-François Venne

Nombre de diplômés	252
Diplômés en emploi	92,2 %
À temps plein	90,9 %
En rapport avec la formation	96,9 %
Aux études	5,2 %
Taux de chômage	1,4 %

Salaire hebdo. moyen **720 $**

La Relance au collégial en formation technique – 2012, MELS et MESRST.

PLACEMENT

Au printemps 2013, 27 des 28 finissants en technologie de radiodiagnostic du Collège Dawson, à Montréal, ont trouvé un emploi dans les 6 semaines suivant l'obtention de leur diplôme. Un résultat enviable, mais un ralentissement par rapport aux années précédentes, alors que les étudiants obtenaient généralement tous une promesse d'embauche dès la mi-janvier, avant même de terminer leurs études. «Pour éviter d'enregistrer un déficit monstre, le Centre universitaire de santé McGill a dû supprimer des postes et geler les embauches en 2013, ce qui a ralenti un peu le placement», explique le coordinateur du programme, Tony Montiel.

Au Cégep de Rimouski, où une trentaine d'étudiants reçoivent leur diplôme annuellement, le placement est de 100 % depuis une bonne dizaine d'années. «Il faut remplacer les personnes parties à la retraite, en plus d'affronter l'augmentation des examens liée au vieillissement de la population», explique Karine Bouchard-Picard, coordonnatrice du département. Les examens en résonance magnétique, par exemple, sont de plus en plus demandés.

PROFIL RECHERCHÉ

Ces technologues doivent savoir gérer le stress, surtout lorsqu'ils travaillent aux urgences, dans les salles d'opération ou aux soins intensifs. La débrouillardise leur est également nécessaire pour pouvoir composer avec plusieurs contraintes. «Il arrive que l'on ne puisse presque pas déplacer un patient accidenté, explique Karine Bouchard-Picard. Il faut alors trouver une position pour réussir à produire une bonne image diagnostique.»

Les technologues travaillent en équipe avec des médecins, des infirmiers et d'autres spécialistes des soins de santé. Il leur faut communiquer avec eux de manière claire et précise. «Ils doivent aussi savoir transmettre leurs instructions aux patients et les écouter quand ils parlent de leurs problèmes», ajoute Tony Montiel.

SUR LE TERRAIN

- **Postes :** technologue en radiodiagnostic, technologue en imagerie médicale, chef technologue, coordonnateur technique
- **Principaux employeurs :** centres hospitaliers, CLSC, cliniques médicales, centres de recherche

ÇA VOUS INTÉRESSE? Plus d'info page 201

PERSPECTIVES

Il est possible de se spécialiser dans plusieurs branches différentes, comme la résonance magnétique, l'ultrasonographie, l'angiographie ou la tomodensitométrie. Après quelques années, le technologue peut aussi occuper un poste de responsable de l'imagerie médicale, de gestionnaire du système des archives d'imagerie médicale ou devenir le coordonnateur technique qui s'assure de la qualité du travail dans le département, explique Tony Montiel.

De son côté, Karine Bouchard-Picard bat en brèche le vieux mythe voulant que ces technologues courent plus de risques de développer un cancer en raison de l'exposition aux radiations. «On reçoit en fait très peu de radiations, dit-elle. Les normes de protection encadrant notre travail sont très efficaces.» 2013-09

Il faut être membre de l'Ordre des technologues en imagerie médicale, en radio-oncologie et en électrophysiologie médicale du Québec pour porter le titre de technologue en radiodiagnostic.

ÉTABLISSEMENTS OFFRANT LE PROGRAMME

14, 30, 104, 130, 151, 169

Voir le répertoire des établissements en page 264.

Consultez des portraits de diplômés issus de ces formations à www.jobboom.com/carrieresdavenir

Technologie de radio-oncologie

DEC 142.C0 > par Jean-François Venne

Nombre de diplômés	50
Diplômés en emploi	92,6 %
À temps plein	95,8 %
En rapport avec la formation	100,0 %
Aux études	3,7 %
Taux de chômage	0,0 %

Salaire hebdo. moyen
706 $

La Relance au collégial en formation technique – 2012, MELS et MESRST.

PLACEMENT

Au Cégep de Sainte-Foy, 22 étudiants ont terminé avec succès le programme *Technologie de radio-oncologie* en 2013. «Ils ont tous trouvé un emploi», confirme Josée Gagnon, coordonnatrice du programme. Dans ce métier relativement nouveau, pas d'exode massif vers la retraite. C'est plutôt l'augmentation des besoins dans les départements d'oncologie, provoquée par la croissance du nombre de patients atteints du cancer, qui entraîne à la hausse la demande de technologues.

Chaque année, le Collège Dawson, à Montréal, forme de 10 à 20 nouveaux technologues en radio-oncologie. Les diplômés du programme, mené conjointement avec l'Université McGill, profitent d'un taux de placement de 99 %. La plupart pourvoient des postes au Québec, notamment dans les deux hôpitaux anglophones de Montréal où ils font leur stage (l'Hôpital général juif et l'Hôpital général de Montréal). D'autres passent l'examen de pratique américain et optent pour des lieux de travail plus exotiques, comme les Bahamas, l'Australie ou l'Amérique du Sud.

PROFIL RECHERCHÉ

«Les mathématiques et la physique sont importantes dans notre domaine», dit Jocelyne Napias-Pfeiffer, coordonnatrice du programme au Collège Dawson. Les technologues sont appelés à calculer les traitements et à faire de la dosimétrie (détermination des doses absorbées par un organisme à la suite de l'exposition à un traitement).

Les technologues côtoient les patients quotidiennement pendant plusieurs semaines. «Il faut faire preuve d'empathie et être capable d'envoyer à des spécialistes ceux qui montrent des signes de détresse psychologique», avance Josée Gagnon. Ils doivent aussi garder leur concentration. «Le patient doit être positionné au millimètre près afin de recevoir la radiation au bon endroit», ajoute-t-elle.

PERSPECTIVES

En quelques années, le technologue peut accéder à un emploi de coordonnateur de département. «Ceux qui décident de se munir d'un diplôme universitaire en administration peuvent aussi devenir chefs technologues», ajoute Josée Gagnon. D'autres seront professeurs au cégep ou formateurs pour des compagnies privées qui vendent les appareils de radio-oncologie. Ce dernier poste est «souvent apprécié en raison des conditions de travail et des possibilités de voyage, puisqu'il faut former les clients de la compagnie là où ils se trouvent», soutient-elle. 2013-09

Il faut être membre de l'Ordre des technologues en imagerie médicale, en radio-oncologie et en électrophysiologie médicale du Québec pour porter le titre de technologue en radio-oncologie.

SUR LE TERRAIN

- **Postes :** technologue en radio-oncologie, coordonnateur technique, chef de service
- **Principaux employeurs :** départements de radio-oncologie des centres hospitaliers, fabricants d'équipements médicaux

ÇA VOUS INTÉRESSE?
Plus d'info page 201

ÉTABLISSEMENTS OFFRANT LE PROGRAMME

30, 151, 169

Voir le répertoire des établissements en page 264.

Pour plus de renseignements sur les statistiques et nos critères de sélection, consultez la rubrique *Comment interpréter l'information*, p. 8.

Techniques d'éducation à l'enfance

DEC 322.A0 > par Benoîte Labrosse

Nombre de diplômés	743
Diplômés en emploi	75,3 %*
À temps plein	82,0 %
En rapport avec la formation	94,0 %
Aux études	21,3 %
Taux de chômage	0,5 %

Salaire hebdo. moyen
573 $

La Relance au collégial en formation technique – 2012, MELS et MESRST.

*Ce faible taux d'emploi peut s'expliquer par le pourcentage élevé de diplômés qui poursuivent leurs études (21,3 %).

ÇA VOUS INTÉRESSE?
Plus d'info page 191

PLACEMENT

Les 27 diplômées* de 2013 en techniques d'éducation à l'enfance du Cégep de Saint-Hyacinthe ont toutes décroché un emploi. Même constat pour les 25 diplômées du Collège Shawinigan. «Il y a un manque d'éducatrices, car outre les importants besoins, de plus en plus de finissantes poursuivent à l'université ou font une autre technique pour se spécialiser», indique Nadine St-Pierre, coordonnatrice du département à Saint-Hyacinthe.

L'apparition du réseau des centres de la petite enfance (CPE), en 1997, est le point de départ de l'augmentation constante de la demande d'éducatrices. «Le ministère de la Famille vient d'annoncer 15 000 places supplémentaires d'ici 2016», souligne Nathalie Frappier, coordonnatrice du département au Collège Shawinigan. Par ailleurs, le gouvernement souhaite faire passer le ratio d'éducatrices formées de deux sur trois, à trois sur trois, mais on n'y parvient pas, faute de diplômées.

PROFIL RECHERCHÉ

«Le plus grand défi de l'éducatrice est de répondre aux besoins de chacun des enfants, même s'ils sont en groupe, résume Nathalie Frappier. On doit être assez ouverte d'esprit pour respecter la personnalité de chacun, ce qui inclut sa famille et ses valeurs.» La polyvalence et la débrouillardise sont nécessaires, car il faut être capable d'adapter ses interventions aux enfants et aux situations, qui sont imprévisibles.

«Une bonne santé physique et psychologique est essentielle, ajoute Nadine St-Pierre. Il faut savoir jouer avec les enfants, mais également être solide afin de pouvoir gérer les situations plus difficiles.» L'habileté à communiquer aussi bien avec les parents qu'avec ses collègues de travail est indispensable.

SUR LE TERRAIN

- **Postes :** éducatrice à l'enfance, technicienne ou responsable en service de garde, agente de soutien technique et professionnel, agente de conformité
- **Principaux employeurs :** centres de la petite enfance, services de garde en milieu scolaire ou familial, garderies privées, haltes-garderies

PERSPECTIVES

«On suggère fortement aux étudiantes de travailler dans le domaine durant l'été, indique Nadine St-Pierre. Elles pourront aussi effectuer leur stage dans le même milieu et plus tard être embauchées à forfait pour remplacer les éducatrices parties en congé de maternité ou en retrait préventif.»

L'expérience aidant, les éducatrices peuvent devenir agentes de soutien technique et professionnel dans les bureaux coordonnateurs et les CPE. «Elles travaillent aussi comme agentes de conformité, qui sont responsables des inspections et du soutien des services de garde en milieu familial», indique Nathalie Frappier.

Les rares diplômés masculins sont très recherchés. «Les enfants adorent leur façon plus physique de travailler, et les modèles masculins sont rares dans certains milieux familiaux», précise Nadine St-Pierre. 2013-10

**Le féminin est utilisé dans cet article étant donné la très grande proportion de femmes diplômées en techniques d'éducation à l'enfance.*

ÉTABLISSEMENTS OFFRANT LE PROGRAMME

Voir les lieux de formation en annexe, page 260.

Techniques d'éducation spécialisée

DEC 351.A0 > par Benoîte Labrosse

Nombre de diplômés	1 309
Diplômés en emploi	76,8 %*
À temps plein	67,5 %
En rapport avec la formation	89,5 %
Aux études	16,1 %
Taux de chômage	4,0 %

Salaire hebdo. moyen
684 $

La Relance au collégial en formation technique - 2012, MELS et MESRST.

*Ce faible taux d'emploi peut s'expliquer par le pourcentage élevé de diplômés qui poursuivent leurs études (16,1 %).

ÇA VOUS INTÉRESSE?
Plus d'info page 191

PLACEMENT

Parmi les 84 diplômés de 2012 en techniques d'éducation spécialisée du Cégep de Saint-Jérôme, 86 % sont employés dans leur domaine, et les perspectives sont tout aussi bonnes pour leurs 94 collègues de 2013. «Certains choisissent de poursuivre leurs études à l'université pour se spécialiser [en vue de travailler avec] une clientèle donnée», précise la coordonnatrice du département, Monique Jean.

«On voit de plus en plus de jeunes qui ont reçu des diagnostics de difficultés de comportement et d'apprentissage, ce qui crée un besoin de diplômés», indique Patrick Castonguay, responsable de la coordination du département au Cégep de Baie-Comeau. En 2012, les 18 diplômés en éducation spécialisée de cet établissement se sont tous placés, et il devrait en être de même pour les 17 finissants de 2013.

Dans les centres de la petite enfance, les éducateurs spécialisés accompagnent les enfants qui ont des difficultés pendant que l'éducatrice à l'enfance s'occupe du reste du groupe. Ces techniciens interviennent aussi auprès des personnes âgées dans les centres d'hébergement, où les besoins augmentent sans cesse.

PROFIL RECHERCHÉ

Les habiletés interpersonnelles et une grande stabilité émotionnelle sont essentielles dans ce domaine. «On accompagne les gens dans leurs difficultés et on les guide pour qu'ils trouvent leurs propres solutions, mais on ne peut pas sauver tout le monde...», avertit toutefois Monique Jean. Il faut aussi être polyvalent, puisque la clientèle peut présenter toute une variété de limitations physiques ou intellectuelles, des problèmes de santé mentale ou de toxicomanie. La capacité d'adaptation est également indispensable afin de pouvoir ajuster ses stratégies d'intervention à chaque clientèle particulière.

SUR LE TERRAIN

- **Postes :** éducateur spécialisé, intervenant, coordonnateur de département
- **Principaux employeurs :** commissions scolaires, centres jeunesse, centres de la petite enfance, centres d'hébergement pour personnes âgées, organismes communautaires

PERSPECTIVES

Décrocher un emploi permanent peut prendre de deux à trois ans. En début de carrière, le technicien travaille souvent sur appel, puis remplace des collègues parties en congé de maternité. Néanmoins, les éducateurs masculins, plus rares, semblent obtenir une permanence plus rapidement. «Ils sont très recherchés auprès des clientèles masculines, avec qui le lien de confiance peut être un peu plus facile à tisser», indique Patrick Castonguay. Avec l'expérience, les diplômés peuvent accéder à un poste de coordonnateur d'unité ou de département.

Il faudra suivre de près les développements reliés à la Loi modifiant le Code des professions dans le domaine de la santé mentale et des relations humaines, communément appelée loi 21, entrée en vigueur en septembre 2012. Elle balise les limites des interventions de chacun des spécialistes. «On ne connaît pas encore concrètement les changements que cela apportera à leurs fonctions», admet Monique Jean. 2013-10

ÉTABLISSEMENTS OFFRANT LE PROGRAMME

Voir les lieux de formation en annexe, page 260.

Pour plus de renseignements sur les statistiques et nos critères de sélection, consultez la rubrique *Comment interpréter l'information*, p. 8.

Techniques d'intervention en délinquance

DEC 310.B0 > par Benoîte Labrosse

Nombre de diplômés	214
Diplômés en emploi	70,5 %*
À temps plein	86,3 %
En rapport avec la formation	83,0 %
Aux études	25,5 %
Taux de chômage	0,0 %

Salaire hebdo. moyen
721 $

La Relance au collégial en formation technique - 2012, MELS et MESRST.

*Ce faible taux d'emploi peut s'expliquer par le pourcentage élevé de diplômés qui poursuivent leurs études (25,5 %).

PLACEMENT

En 2013, le Cégep de la Gaspésie et des Îles a diplômé 14 étudiants en techniques d'intervention en délinquance. De ce nombre, 13 ont trouvé un emploi. «On manque de diplômés», note Koreen Hayes, coordonnatrice du département. Même constat au Collège Ahuntsic, où le taux de placement est de 93 %. «Les diplômés sont très demandés et ils pourraient tous se placer sans difficulté, mais une portion d'entre eux se dirige vers l'université ou d'autres programmes collégiaux», souligne Alain Trudeau, coordonnateur des stages au Collège.

Avec les départs à la retraite dans le domaine, les perspectives favorables devraient se maintenir au cours des prochaines années, hormis au sein du Service correctionnel du Canada, qui ferme des établissements au Québec. À l'opposé, les écoles embauchent de plus en plus de diplômés, car «les politiques d'encadrement des élèves en difficulté [font en sorte qu'il faut engager du] personnel», précise Alain Trudeau. Il s'agit surtout d'établissements d'enseignement secondaire, puisque la formation des diplômés est axée sur l'intervention auprès des adolescents et des adultes.

SUR LE TERRAIN

- **Postes :** éducateur, agent correctionnel, intervenant
- **Principaux employeurs :** centres jeunesse, services correctionnels du Québec et du Canada, établissements scolaires, maisons de jeunes, ressources communautaires

PROFIL RECHERCHÉ

«L'intervenant doit avoir la capacité d'entrer en relation avec la personne et de lui faire prendre conscience des difficultés qu'elle vit», affirme Alain Trudeau. En plus de faire preuve d'un bon jugement, d'empathie, d'ouverture d'esprit et d'une grande capacité d'écoute, l'intervenant en délinquance doit être en bonne santé, aussi bien mentale que physique, car c'est un métier exigeant.

«Ce n'est pas vrai qu'il faut avoir été délinquant soi-même ou avoir eu des problèmes de toxicomanie pour être un bon aidant; c'est un mythe», souligne Koreen Hayes. Selon elle, il faut avant tout «croire que les gens peuvent changer et se réintégrer socialement».

PERSPECTIVES

Les occasions de décrocher des contrats sont nombreuses, car dans ce domaine, les femmes enceintes bénéficient généralement d'un retrait préventif. Par ailleurs, selon Alain Trudeau, «les conventions collectives permettent de prendre beaucoup de congés ou de travailler à temps partiel au retour d'un congé de maternité» dans plusieurs milieux de travail, ce qui crée donc des besoins.

En faisant augmenter le recours à la détention, les changements législatifs proposés par le gouvernement fédéral conservateur pourraient avoir un impact sur la profession, «mais pour le moment, celui-ci est encore très difficile à évaluer», indique Alain Trudeau. 2013-10

ÉTABLISSEMENTS OFFRANT LE PROGRAMME

6, 31, 81, 151, 156, 181

Voir le répertoire des établissements en page 264.

ÇA VOUS INTÉRESSE? Plus d'info page 201

Consultez des portraits de diplômés issus de ces formations à www.jobboom.com/carrieresdavenir

Techniques juridiques

DEC 310.C0 > par Benoîte Labrosse

Nombre de diplômés	276
Diplômés en emploi	60,0 %*
À temps plein	94,2 %
En rapport avec la formation	85,1 %
Aux études	37,6 %
Taux de chômage	3,9 %

Salaire hebdo. moyen
654 $

La Relance au collégial en formation technique - 2012, MELS et MESRST.

*Ce faible taux d'emploi peut s'expliquer par le pourcentage élevé de diplômés qui poursuivent leurs études (37,6 %).

PLACEMENT

Le taux de placement des diplômés en techniques juridiques du Collège O'Sullivan atteignait 91 % en 2012. Il devrait se maintenir au même niveau pour les 77 finissants de 2013. «Il existe tellement de milieux dans lesquels ils peuvent travailler qu'il n'y a aucune saturation», assure la coordonnatrice du programme, Carole Vaillancourt. Un avis partagé par Mylène Lepage, coordonnatrice du programme au Cégep Garneau, à Québec, dont les 63 finissants de 2013 ont de belles perspectives devant eux. «Le placement est excellent et la demande est plus forte que l'offre», note-t-elle.

Pour répondre à cette demande, le Collège de Valleyfield a commencé à proposer le programme en 2011. Les débouchés seront nombreux pour les 22 étudiants de la première cohorte, qui obtiendront leur diplôme au printemps 2014. «Le Directeur des poursuites criminelles et pénales du Québec voit maintenant la pertinence d'engager des techniciens juridiques pour soutenir les procureurs, qui sont souvent débordés», explique Me Sylvie Leclair, la coordonnatrice du département.

PROFIL RECHERCHÉ

Ponctualité, rigueur, souci du détail et français irréprochable sont les vertus cardinales du technicien juridique. «Le sens des mots est très important en droit, indique Me Leclair. Une erreur peut avoir des conséquences fâcheuses.» Le bilinguisme est aussi essentiel à Montréal, ajoute Carole Vaillancourt.

Comme ce travail comporte beaucoup de recherche, l'intérêt pour le droit et les défis intellectuels est indispensable. Un technicien doit aussi être débrouillard, autonome et discret, car le respect du secret professionnel est impératif.

Les diplômés devront également soigner leur apparence. «Le fait d'être un peu trop tatoué, d'avoir des perçages ou les cheveux roses peut poser problème! souligne Sylvie Leclair. Il y a certaines règles de décorum à respecter à la cour.»

PERSPECTIVES

Les diplômés sont souvent embauchés dans leur milieu de stage ou d'emploi d'été. Ceux qui optent pour le privé peuvent aspirer à de meilleurs salaires et à de plus grandes responsabilités que dans le public. «On peut, par exemple, prendre en charge un secteur ou des dossiers, sous la supervision d'un notaire ou d'un avocat», souligne Sylvie Leclair.

Il existe aussi des débouchés moins connus mais prometteurs, comme les contentieux des grandes entreprises, où les diplômés «vont travailler sur des baux commerciaux et en droit commercial», indique Carole Vaillancourt.

Ceux qui ont choisi le métier d'huissier devront se tenir au courant de la refonte du Code de procédure civile du Québec, qui fait l'objet d'un avant-projet de loi. «Mais il est encore trop tôt pour savoir s'ils vont gagner ou perdre des attributions», dit Me Leclair. 2013-10

SUR LE TERRAIN

- **Postes :** huissier de justice, technicien juridique, greffier
- **Principaux employeurs :** ministère de la Justice, cabinets d'avocats, études de notaires, grandes entreprises

ÉTABLISSEMENTS OFFRANT LE PROGRAMME

31, 37, 50, 74, 86, 103, 129, 151, 164

Voir le répertoire des établissements en page 264.

Pour plus de renseignements sur les statistiques et nos critères de sélection, consultez la rubrique *Comment interpréter l'information*, p. 8.

Actuariat

Baccalauréat > par Catherine Mainville-M.

Nombre de diplômés	Diplômés en emploi	À temps plein	En rapport avec la formation	Aux études	Taux de chômage
181	87,0 %	98,9 %	88,2 %	10,2 %	1,1 %

Salaire hebdo. moyen **1 131 $**

La Relance à l'université - 2013, MELS et MESRST.

PLACEMENT

Quand l'économie va, tout va pour les actuaires. À l'Université Laval, où environ 90 étudiants ont obtenu un baccalauréat en actuariat au printemps 2013, un récent sondage a révélé que 90 % d'entre eux ne sont pas en recherche d'emploi. «Cela veut donc dire qu'ils sont déjà embauchés ou qu'ils ont décidé de poursuivre des études supérieures», indique Isabelle Larouche, directrice des études de 1er cycle à l'École d'actuariat. Selon cette dernière, près de 50 % des finissants de 2013 ont même décroché un emploi dans leur milieu de stage.

L'Université du Québec à Montréal, qui a remis 65 baccalauréats en actuariat en 2012-2013, remarque que le nombre de stages et d'offres d'emploi augmente de façon importante depuis deux ans. Une bonne nouvelle pour l'établissement, car le placement des diplômés a connu une baisse à la suite de la crise d'il y a quelques années. «Nous dépendons toujours des cycles économiques, mais comme le marché semble bien se porter, je m'attends à ce que le nombre d'offres d'emploi continue de grimper au cours des années à venir», dit Frédéric Michaud, directeur du programme de 1er cycle en actuariat.

SUR LE TERRAIN

- **Postes :** actuaire, consultant en actuariat, analyste en actuariat, analyste financier
- **Principaux employeurs :** cabinets d'actuaires-conseils, compagnies d'assurance, ministères, organismes publics, institutions financières

ÇA VOUS INTÉRESSE? Plus d'info page 174

PROFIL RECHERCHÉ

L'actuaire est un expert en évaluation et en gestion de risques à caractère financier. «Son travail consiste à appliquer les mathématiques à diverses problématiques et à des enjeux de société, tels que les coûts du système de santé, les régimes de retraite, etc.», explique Isabelle Larouche. Un intérêt marqué pour les probabilités et les statistiques est donc un impératif. Des aptitudes en informatique et en finance ainsi qu'une maîtrise de l'anglais sont aussi indispensables.

Très exigeante, la profession demande beaucoup de discipline, précise Frédéric Michaud. Et si ses tâches sont essentiellement solitaires, l'actuaire peut avoir à collaborer avec des comptables, des informaticiens et des analystes financiers.

PERSPECTIVES

Afin d'obtenir son titre officiel, l'actuaire doit réussir les examens professionnels de la Society of Actuaries et de la Casualty Actuarial Society. «Ces examens sont nécessaires pour obtenir le titre de "Fellow" de l'Institut canadien des actuaires, soit le titre le plus élevé de la profession», explique Frédéric Michaud. Ce titre permet d'accéder à des postes d'importance. Dans le secteur des assurances, notamment, les postes clés de président et de vice-président sont occupés par des actuaires.

Si l'actuaire travaille principalement au sein de compagnies d'assurance et de cabinets de consultation, on le trouve de plus en plus dans les institutions financières, où il effectue, entre autres, de la gestion de risques ou d'investissements. 2013-10

ÉTABLISSEMENTS OFFRANT LE PROGRAMME

41, 190, 191, 192

Voir le répertoire des établissements en page 264.

Consultez des portraits de diplômés issus de ces formations à www.jobboom.com/carrieresdavenir

Administration des affaires

ÇA VOUS INTÉRESSE? Plus d'info page 174

Baccalauréat et maîtrise > par Guillaume Jousset

PLACEMENT

À l'Université du Québec à Trois-Rivières, les 238 finissants du baccalauréat en administration des affaires (BAA) de 2013 devraient se placer à plus de 82 %, estime Anne-Sophie Charlot, responsable du programme de 1er cycle en administration. «Les étudiants du BAA développent un grand nombre de compétences utiles pour le marketing autant que pour le service à la clientèle. Et il y a des occasions d'emploi dans tous les secteurs», précise-t-elle. La polyvalence des titulaires d'un BAA est particulièrement recherchée par les nombreuses PME de la région. Du côté de la maîtrise en administration des affaires (MBA), on s'attend à ce que tous les 40 finissants trouvent de l'emploi.

À HEC Montréal, on prévoit un taux de placement de près de 93 % pour les 940 finissants de 2013 au BAA, un pourcentage comparable à celui des trois années précédentes. «Il y a beaucoup de départs à la retraite dans le secteur de la gestion», explique Pierre Francq, directeur du Service de gestion de carrière. Une centaine d'étudiants du BAA poursuivront au MBA pour se spécialiser, par exemple en gestion des ressources humaines ou en finance. Quant aux 200 finissants du MBA de 2013, ils devraient se placer à près de 90 %.

PROFIL RECHERCHÉ

Les gestionnaires doivent présenter de grandes qualités interpersonnelles, quel que soit le domaine dans lequel ils exercent. «Il faut savoir écouter ses clients, être clair dans ses arguments quand on prodigue un conseil et savoir vendre ses idées», affirme Pierre Francq. Un certain leadership leur est également nécessaire, car ils sont appelés à diriger des équipes et à prendre des décisions.

La mobilité et la maîtrise de plusieurs langues constituent des atouts indéniables pour ces administrateurs. «Ils peuvent profiter de la mondialisation du marché grâce à leur formation. Ils sont opérationnels partout», se réjouit Anne-Sophie Charlot. «Avoir des expériences à l'étranger démontre une certaine maturité et une capacité d'adaptation qui sont très appréciées des employeurs», confirme Pierre Francq.

PERSPECTIVES

Les diplômés du BAA ne doivent pas s'attendre à obtenir un poste de direction en début de carrière, prévient Pierre Francq. «Ils doivent faire leurs preuves pour gravir les échelons», affirme-t-il. Après trois à cinq années d'expérience, ils décrochent généralement un emploi de cadre intermédiaire. «Ceux qui choisissent de travailler pour une PME sont susceptibles d'accéder plus rapidement à des postes de direction, surtout si cette entreprise est en croissance», assure Anne-Sophie Charlot.

Les diplômés du MBA peuvent briguer des fonctions plus importantes en début de carrière, comme celles d'analyste principal. «Le MBA permet d'accéder plus rapidement à des postes d'encadrement», précise Pierre Francq. C'est aussi le diplôme idéal pour ceux qui souhaitent lancer leur entreprise. 2013-10

SUR LE TERRAIN

- **Postes :** analyste marketing, coordonnateur de production, spécialiste en investissement, représentant, responsable du marketing
- **Principaux employeurs :** PME et grandes entreprises, ministères, organismes gouvernementaux

ÉTABLISSEMENTS OFFRANT LE PROGRAMME

7, 19, 40, 41, 58, 75, 76, 94, 106, 188, 190, 192, 193, 204, 214, 215, 216

Voir le répertoire des établissements en page 264.

STATISTIQUES	Nombre de diplômés	Diplômés en emploi	À temps plein	En rapport avec la formation	Aux études	Taux de chômage	Salaire hebdo. moyen
Administration des affaires - baccalauréat	2 403	80,4 %	96,9 %	83,5 %	13,9 %	4,3 %	896 $
Administration des affaires - maîtrise	1 389	90,2 %	97,7 %	83,8 %	3,2 %	4,7 %	1 440 $

La Relance à l'université - 2013, MELS et MESRST.

Pour plus de renseignements sur les statistiques et nos critères de sélection, consultez la rubrique *Comment interpréter l'information*, p. 8.

Comptabilité/Sciences comptables

Baccalauréat > par Guillaume Jousset

Nombre de diplômés	1 328
Diplômés en emploi	86,6 %
À temps plein	96,8 %
En rapport avec la formation	88,4 %
Aux études	8,3 %
Taux de chômage	3,3 %

Salaire hebdo. moyen **866 $**

La Relance à l'université - 2013, MELS et MESRST.

PLACEMENT

À l'Université du Québec à Chicoutimi (UQAC), le taux de placement des diplômés du baccalauréat en comptabilité est excellent. Sur les 40 finissants de 2013, 38 avaient déjà trouvé un emploi quelques mois après l'obtention de leur diplôme. «Le bagage multidisciplinaire des comptables, qui allie des connaissances en comptabilité, en finance et en expertise juridique, leur offre beaucoup de possibilités d'emploi», affirme Daniel Tremblay, directeur du Module des sciences comptables.

En 2013, les 92 diplômés de l'Université du Québec en Outaouais se sont tous placés. «La demande de comptables est forte, notamment à cause des départs à la retraite de nombreux *baby-boomers*», explique Gilles Poirier, directeur du Module des sciences comptables. Selon lui, ceux qui obtiennent un titre comptable trouvent plus rapidement du travail, un avis que partage Daniel Tremblay. À l'UQAC, 38 des 40 diplômés ont d'ailleurs entamé le processus menant à l'obtention d'un titre. Rappelons qu'avec la fusion des trois titres comptables, les étudiants qui commenceront le programme en 2014 auront uniquement accès au titre unifié de comptable professionnel agréé (CPA).

PROFIL RECHERCHÉ

L'intégrité est essentielle pour un comptable. «L'indépendance de leur opinion ne doit pas être mise en doute, car leurs relations professionnelles sont basées sur la confiance», estime Gilles Poirier. Un comptable doit aussi être capable de faire parler les chiffres, d'interpréter les résultats financiers et de vulgariser ses analyses. «Lorsqu'il rédige des états financiers ou formule un avis, il faut que ce soit clair et précis, d'autant plus que le langage comptable n'est pas toujours familier à ceux à qui il s'adresse», ajoute-t-il.

Enfin, les comptables doivent être tournés vers la résolution de problèmes. «Ils sont embauchés pour trouver des solutions, par exemple pour aider une entreprise en difficulté ou conseiller une compagnie qui souhaite s'agrandir», affirme Daniel Tremblay.

SUR LE TERRAIN

- **Postes :** comptable, contrôleur, vérificateur
- **Principaux employeurs :** cabinets comptables, institutions financières, PME, ministères, organismes gouvernementaux

ÇA VOUS INTÉRESSE?
Plus d'info page 174

PERSPECTIVES

Le parcours professionnel des comptables est assez classique, selon Gilles Poirier. «Ils vont commencer comme stagiaires dans un cabinet comptable, avec l'espoir justifié de devenir associés après une quinzaine d'années d'expérience», explique-t-il. Ceux qui travaillent au sein de grands cabinets se spécialiseront rapidement, notamment en audit, en conseil ou en fiscalité.

La formation des comptables leur permet aussi d'évoluer au sein d'une entreprise jusqu'à des postes de gestion. «Ils peuvent y occuper des fonctions importantes, telles que vice-président aux finances», confirme Daniel Tremblay. Les comptables qui ont l'esprit d'entrepreneuriat auront également la possibilité de fonder leur propre cabinet. 2013-10

Il faut être membre de l'Ordre des comptables professionnels agréés du Québec pour porter le titre de comptable professionnel agréé.

ÉTABLISSEMENTS OFFRANT LE PROGRAMME

Voir les lieux de formation en annexe, page 260.

Consultez des portraits de diplômés issus de ces formations à www.jobboom.com/carrieresdavenir

Génie des technologies de l'information

Baccalauréat > par Marie Lyan

Nombre de diplômés	392*
Diplômés en emploi	78,2 %**
À temps plein	98,9 %
En rapport avec la formation	82,9 %
Aux études	17,5 %
Taux de chômage	4,7 %

Salaire hebdo. moyen

1 088 $

La Relance à l'université - 2013, MELS et MESRST.

*Données tirées de la catégorie «Génie électrique, électronique et des communications».

**Ce faible taux d'emploi peut s'expliquer par le pourcentage élevé de diplômés qui poursuivent leurs études (17,5 %).

ÇA VOUS INTÉRESSE?

Plus d'info pages 170 et 198

PLACEMENT

Le baccalauréat en génie des technologies de l'information (TI) est offert uniquement à l'École de technologie supérieure (ÉTS), à Montréal. Depuis la création de ce programme en 2004, le taux de placement des diplômés demeure excellent. «Le génie des TI est un secteur en effervescence. On ne pourra jamais satisfaire à la demande des entreprises québécoises, qui recherchent des professionnels capables de développer des systèmes de commerce électronique, de traitement d'information, de bases de données multimédias», estime Pierre Gingras, coordonnateur du Département de génie logiciel et des TI.

L'établissement estime qu'environ 40 étudiants ont terminé leurs études en génie des TI au printemps et à l'automne 2013. Et ceux-ci ont eu l'embarras du choix : l'ÉTS a reçu 424 offres d'emploi pour les 117 finissants en génie logiciel et génie des TI, deux disciplines complémentaires offertes par l'établissement universitaire. «Parmi ces étudiants, 96 avaient déjà trouvé un emploi avant même la fin de leurs études. Les 21 autres ont donc reçu environ 20 offres d'emploi chacun», précise Pierre Gingras.

SUR LE TERRAIN

- **Postes :** ingénieur en TI, programmeur, analyste, spécialiste-intégrateur, concepteur de système informatique, gestionnaire de projet en TI
- **Principaux employeurs :** firmes de consultants en informatique, entreprises de télécommunication ou manufacturières, ministères, organismes gouvernementaux, institutions bancaires

PROFIL RECHERCHÉ

Puisque les technologies de l'information évoluent à grande vitesse, l'ingénieur en TI doit faire preuve d'une bonne capacité d'adaptation et se tenir régulièrement au courant des nouveautés et des tendances. «Il doit être audacieux et créatif afin d'aborder les problèmes concrètement en proposant des solutions efficaces et efficientes aux clients», précise Pierre Gingras. En étant appelé à conseiller les entreprises pour leur permettre de prendre les meilleures décisions concernant leurs systèmes d'information, l'ingénieur en TI doit aussi démontrer qu'il possède de la flexibilité et une ouverture d'esprit. «L'ingénieur devra être rigoureux, respecter les règles de sécurité et les normes en vigueur lors de la conception, de l'exécution et du suivi des projets afin de mesurer leur impact sur la société», ajoute-t-il.

PERSPECTIVES

Grâce au développement des nouvelles technologies dans toutes les sphères d'activité, les ingénieurs en TI peuvent exercer dans une foule de domaines. «Ils peuvent travailler aussi bien dans des alumineries pour améliorer les processus informatisés que dans des entreprises de création multimédia pour concevoir des expériences scénographiques», détaille Pierre Gingras. Les ingénieurs en TI sont également de plus en plus présents dans les secteurs de l'environnement, des institutions financières, de l'aide humanitaire et de la santé. Après quelques années d'expérience, les ingénieurs sont à même d'occuper des postes de gestion et d'encadrer des équipes. 2013-10

Il faut être membre de l'Ordre des ingénieurs du Québec pour porter le titre d'ingénieur.

ÉTABLISSEMENT OFFRANT LE PROGRAMME

187

Voir le répertoire des établissements en page 264.

Pour plus de renseignements sur les statistiques et nos critères de sélection, consultez la rubrique *Comment interpréter l'information*, p. 8.

Génie informatique

Baccalauréat > par Marie Lyan

Nombre de diplômés	121
Diplômés en emploi	85,9 %
À temps plein	96,7 %
En rapport avec la formation	83,1 %
Aux études	8,5 %
Taux de chômage	6,2 %

Salaire hebdo. moyen
1 148 $

La Relance à l'université - 2013, MELS et MESRST.

PLACEMENT

«Nous décernons chaque année 10 diplômes de baccalauréat en génie électrique, concentration en génie informatique», affirme Adel Omar Dahmane, directeur du Département de génie électrique et génie informatique à l'Université du Québec à Trois-Rivières. Pour chacun de ses étudiants, l'établissement reçoit en moyenne quatre offres de stages. Les futurs ingénieurs en informatique ont donc l'embarras du choix. «Nous accueillons 50 % d'étudiants internationaux et 50 % d'étudiants québécois. Les finissants qui souhaitent rester dans la province sont généralement engagés à temps partiel avant même qu'ils ne finissent leurs études», affirme-t-il.

À Polytechnique Montréal, 49 étudiants ont obtenu leur diplôme en génie informatique entre l'automne 2012 et l'été 2013. Allan Doyle, directeur du Service des stages et du placement, constate que le génie informatique fait partie, avec le génie logiciel, des deux spécialités de l'ingénierie les plus recherchées par les employeurs. L'établissement a reçu, de l'automne 2012 à l'été 2013, 685 offres d'emploi pour la centaine de diplômés de ces deux disciplines.

PROFIL RECHERCHÉ

Véritables architectes de grands projets, les ingénieurs en génie informatique doivent avoir une vision d'ensemble des tâches à accomplir. «Ils travaillent souvent sur des projets très stimulants où ils doivent apprendre à faire de la programmation en fonction de différents paramètres, tout en s'assurant que le produit final réponde aux besoins du client», rapporte Allan Doyle. Ils leur faut donc faire preuve d'une bonne écoute et être débrouillards. Contrairement à ce que l'on pourrait croire, les ingénieurs en génie informatique ne travaillent pas seuls derrière leur ordinateur. «Il s'agit d'un métier qui demande beaucoup de qualités humaines. C'est un vrai travail d'équipe», affirme Adel Omar Dahmane.

SUR LE TERRAIN

- **Postes :** ingénieur en informatique, gestionnaire de projet, spécialiste des systèmes, développeur Web
- **Principaux employeurs :** entreprises manufacturières, institutions bancaires, financières et d'assurance, ministères, organismes gouvernementaux

ÇA VOUS INTÉRESSE?
Plus d'info pages 170 et 198

PERSPECTIVES

L'avantage du génie informatique, c'est qu'il peut s'exercer au sein de tous les domaines qui utilisent de la programmation! «On trouve des diplômés dans les secteurs de la fonderie, de l'automobile, des télécommunications, mais aussi dans les organismes publics ou parapublics», énumère Adel Omar Dahmane. Par exemple, une diplômée de Polytechnique Montréal travaille aux États-Unis sur le développement de la nouvelle version du logiciel Microsoft Word. Au bout de quelques années, les ingénieurs en génie informatique pourront être appelés à occuper des postes de gestion. «Certains employeurs n'hésitent pas à leur payer des études de MBA afin qu'ils deviennent chefs de projet ou de département», conclut-il. 2013-10

Il faut être membre de l'Ordre des ingénieurs du Québec pour porter le titre d'ingénieur.

ÉTABLISSEMENTS OFFRANT LE PROGRAMME

41, 76, 106, 189, 190, 193, 204, 214, 216

Voir le répertoire des établissements en page 264.

Consultez des portraits de diplômés issus de ces formations à www.jobboom.com/carrieresdavenir

Génie logiciel

Baccalauréat > par Marie Lyan

Nombre de diplômés	392*
Diplômés en emploi	78,2 %**
À temps plein	98,9 %
En rapport avec la formation	82,9 %
Aux études	17,5 %
Taux de chômage	4,7 %

Salaire hebdo. moyen

1 088 $

La Relance à l'université - 2013, MELS et MESRST.

*Données tirées de la catégorie «Génie électrique, électronique et des communications».

**Ce faible taux d'emploi peut s'expliquer par le pourcentage élevé de diplômés qui poursuivent leurs études (17,5 %).

ÇA VOUS INTÉRESSE?

Plus d'info pages 170 et 198

PLACEMENT

À Montréal, 77 étudiants ont terminé leurs études en génie logiciel à l'École de technologie supérieure (ÉTS) au printemps et à l'automne 2013, selon les données provisoires de l'établissement. Les perspectives d'emploi sont toujours excellentes, puisque, bon an mal an, l'établissement reçoit en moyenne trois fois plus d'offres de stages qu'il n'a d'étudiants disponibles.

Il en est de même pour les offres d'emploi : l'ÉTS en a reçu 424 pour les 117 finissants en génie logiciel et en génie des technologies de l'information (TI). «Parmi ces étudiants, 96 avaient déjà trouvé un emploi avant même la fin de leurs études. Pour les autres, on avait 20 offres par étudiant», précise Pierre Gingras, coordonnateur du Département de génie logiciel et des TI.

Allan Doyle, directeur du Service des stages et du placement à Polytechnique Montréal, parle même de «folie furieuse». Alors que le taux de placement était de 100 % pour les 47 diplômés de 2012, il devrait en être de même pour les 50 finissants de 2013. L'établissement a reçu, de l'automne 2012 à l'été 2013, près de 685 offres d'emploi pour la centaine de diplômés en génie logiciel et en génie informatique, deux disciplines complémentaires.

«Malgré les très bonnes perspectives d'emploi, le programme n'attire pas plus de 40 à 50 nouveaux étudiants par année», regrette Allan Doyle.

SUR LE TERRAIN

- **Postes :** ingénieur logiciel, programmeur de logiciels, consultant, gestionnaire de projet
- **Principaux employeurs :** entreprises de télécommunication, de multimédia ou de développement de logiciels, ministères, organismes gouvernementaux, institutions bancaires, compagnies d'assurance, hôpitaux

PROFIL RECHERCHÉ

Toujours à la recherche de la perfection, les ingénieurs logiciels doivent être très minutieux et rigoureux. Car les projets dont ils ont la responsabilité, comme des logiciels gérant les systèmes de direction à bord des avions, peuvent avoir un impact important sur la vie des gens. «Le travail de l'ingénieur est de résoudre des problèmes complexes au sein de n'importe quel milieu : il faut donc qu'il se montre créatif tout en faisant preuve d'une grande précision», affirme Isabelle Roy, conseillère au Service du recrutement à Polytechnique Montréal. Avec l'arrivée de l'infonuagique, «les ingénieurs logiciels devront être capables de travailler à améliorer des environnements sans que leurs clients s'en rendent compte, tout en demeurant vigilants 24 heures sur 24 afin de résoudre les bris de sécurité», ajoute Pierre Gingras.

PERSPECTIVES

Si les banques, les compagnies d'assurance et les hôpitaux continueront à donner beaucoup de travail aux ingénieurs logiciels dans les prochaines années, des places seront également vacantes au sein des filières créatives, comme le multimédia. «On n'a jamais vu autant de perspectives», constate Pierre Gingras, qui rappelle que les ingénieurs peuvent aussi choisir de démarrer leur propre entreprise. 2013-10

Il faut être membre de l'Ordre des ingénieurs du Québec pour porter le titre d'ingénieur.

ÉTABLISSEMENTS OFFRANT LE PROGRAMME

41, 187, 189, 190, 192, 193, 216

Voir le répertoire des établissements en page 264.

Pour plus de renseignements sur les statistiques et nos critères de sélection, consultez la rubrique *Comment interpréter l'information*, p. 8.

Gestion des ressources humaines et Relations industrielles

ÇA VOUS INTÉRESSE? Plus d'info page 174

Baccalauréats > par Guillaume Jousset

PLACEMENT

À l'Université du Québec à Montréal, la centaine de finissants du baccalauréat en gestion des ressources humaines de 2013 s'est placée à 97 %. «Ce taux se maintient depuis de nombreuses années», mentionne Noël Mallette, directeur des programmes de 1er cycle. Selon lui, les entreprises apprécient la grande polyvalence de ces diplômés, car ils peuvent aussi bien travailler au sein d'un service des ressources humaines qu'en formation, en développement organisationnel ou comme gestionnaires aux opérations ou en marketing.

À l'Université du Québec en Outaouais, 250 étudiants sont actuellement inscrits au baccalauréat en relations industrielles et ressources humaines. Tous devraient facilement trouver du travail après l'obtention de leur diplôme. «La demande est constante pour nos finissants», précise Lucie Côté, directrice du Module des relations industrielles. Elle n'entrevoit pas de baisse dans le recrutement, bien au contraire. «Les besoins seront d'ailleurs croissants pour certains champs de leur pratique, comme la médiation, la santé et sécurité ou le bien-être au travail. Les entreprises ont de plus en plus besoin de professionnels des ressources humaines spécialisés dans ces secteurs d'activité», dit-elle.

PROFIL RECHERCHÉ

Selon leurs fonctions, les gestionnaires des ressources humaines sont amenés à développer des qualités différentes. «Les personnes responsables de la formation doivent faire preuve d'une capacité d'analyse accrue pour proposer des formations en adéquation avec les besoins des salariés et de l'entreprise. On attend plutôt de l'empathie de la part des gestionnaires chargés du programme d'aide aux employés, qui ont pour responsabilité de recueillir les plaintes des salariés», affirme Noël Mallette. Toutefois, tous doivent montrer de l'aisance dans leurs relations interpersonnelles. «Qu'il s'agisse de santé au travail ou de négociations pour renouveler une convention collective, les conseillers ont à transiger et à communiquer avec des acteurs très variés au sein de l'entreprise, tels que la direction, les employés ou les syndicats, et ils doivent les comprendre», explique Lucie Côté.

PERSPECTIVES

À court terme, le diplômé sera probablement conseiller adjoint en ressources humaines. «C'est souvent le premier emploi qui oriente la carrière vers une spécialisation, comme la formation ou la négociation salariale», assure Noël Mallette. De trois à cinq ans d'expérience sont nécessaires à l'obtention d'un poste de chef d'équipe ou de superviseur.

Après une dizaine d'années environ, le conseiller peut accéder à des postes de direction ou devenir consultant. «L'évolution est généralement plus rapide dans le privé», précise Lucie Côté. 2013-10

Il faut être membre de l'Ordre des conseillers en ressources humaines agréés pour porter les titres de conseiller en ressources humaines agréé ou de conseiller en relations industrielles agréé.

SUR LE TERRAIN

- **Postes :** agent du personnel, conseiller en ressources humaines, en relations industrielles ou en dotation, directeur des ressources humaines
- **Principaux employeurs :** ministères, organismes gouvernementaux, syndicats, PME, cabinets de consultants en ressources humaines

ÉTABLISSEMENTS OFFRANT LES PROGRAMMES

Voir les lieux de formation en annexe, page 260.

STATISTIQUES	Nombre de diplômés	Diplômés en emploi	À temps plein	En rapport avec la formation	Aux études	Taux de chômage	Salaire hebdo. moyen
Gestion du personnel** – baccalauréat	272	77,8 %*	96,8 %	76,2 %	14,8 %	6,0 %	910 $
Relations industrielles** – baccalauréat	380	85,9 %	97,4 %	81,6 %	9,7 %	2,0 %	906 $

La Relance à l'université – 2013, MELS et MESRST. *Ce faible taux d'emploi peut s'expliquer par le pourcentage élevé de diplômés qui poursuivent leurs études (14,8 %). ** Comme ces deux formations mènent souvent à des emplois semblables, nous les avons traitées en parallèle.

Consultez des portraits de diplômés issus de ces formations à www.jobboom.com/carrieresdavenir

Informatique/ Sciences de l'informatique

Baccalauréat > par Marie Lyan

Nombre de diplômés
512

Diplômés en emploi
85,8 %

À temps plein
97,8 %

En rapport avec la formation
92,9 %

Aux études
10,1 %

Taux de chômage
3,2 %

Salaire hebdo. moyen
1 085 $

La Relance à l'université - 2013, MELS et MESRST.

PLACEMENT

En 2013, les 23 finissants du baccalauréat en informatique de l'Université du Québec à Trois-Rivières n'ont eu aucun mal à trouver du travail. «Nous sommes dans une situation de plein emploi», mentionne François Meunier, responsable du programme. Et pour s'adapter à la demande des employeurs, l'établissement a même mis sur pied en 2013 une nouvelle spécialisation en développement d'applications Web et mobiles, qui vient s'ajouter à celle en développement de logiciels. «Il y a une telle effervescence autour des téléphones intelligents et des tablettes que de nombreuses compagnies recherchent des développeurs spécialisés dans ce type d'outils», affirme-t-il.

Excellent placement aussi à l'Université Bishop's, où 11 étudiants en informatique ont été diplômés en 2013. «La majorité d'entre eux a trouvé un emploi moins de deux mois après l'obtention du diplôme», souligne Nelly Khouzam, responsable du programme. Selon elle, les effets de l'éclatement de la bulle Internet sont bel et bien choses du passé. «Nous vivons désormais le phénomène contraire, puisqu'il y a assez de travail, mais pas suffisamment de diplômés pour répondre aux offres», estime-t-elle.

SUR LE TERRAIN

- **Postes :** informaticien, programmeur, développeur d'applications, administrateur de base de données, gestionnaire de projet
- **Principaux employeurs :** firmes d'informatique, PME, ministères, établissements scolaires, institutions financières

ÇA VOUS INTÉRESSE?
Plus d'info page 170

PROFIL RECHERCHÉ

«Les informaticiens doivent savoir poser les bonnes questions afin de comprendre les besoins de leur clientèle et être capables de les projeter ensuite dans un outil informatique», rappelle François Meunier. La débrouillardise leur est essentielle. «Avec l'évolution constante des nouvelles technologies, les étudiants ne peuvent pas tout apprendre à l'université et doivent s'adapter rapidement à de nouveaux outils», explique Nelly Khouzam. Les informaticiens qui possèdent une formation complémentaire, en physique ou en gestion par exemple, sont très recherchés. «Cela leur permet de mieux analyser les besoins de leurs clients avant de concevoir leurs systèmes informatiques et fait d'eux de meilleurs chefs d'équipe», analyse Nelly Khouzam.

PERSPECTIVES

Avec l'arrivée de l'infonuagique, entre autres, les futurs informaticiens devront faire preuve d'une grande capacité d'adaptation pour assurer le développement et la sécurité des nouveaux systèmes d'information. «Et cela vaut dans tous les secteurs d'activité, puisque les informaticiens sont demandés dans le privé comme dans le public afin de développer des logiciels qui serviront, par exemple, à concevoir les bases de données de Statistique Canada», affirme Nelly Khouzam.

Pour ceux qui souhaitent s'expatrier, des places sont également à prendre à l'international, par exemple au sein d'importants groupes tels Microsoft, CGI ou IBM. 2013-10

ÉTABLISSEMENTS OFFRANT LE PROGRAMME

19, 41, 75, 76, 106, 190, 191, 192, 193, 204, 214, 215, 216

Voir le répertoire des établissements en page 264.

Pour plus de renseignements sur les statistiques et nos critères de sélection, consultez la rubrique *Comment interpréter l'information*, p. 8.

Sciences et technologie des aliments

Baccalauréat > par Emmanuelle Tassé

Nombre de diplômés	41
Diplômés en emploi	84,0 %
À temps plein	85,7 %
En rapport avec la formation	88,9 %
Aux études	16,0 %
Taux de chômage	0,0 %

Salaire hebdo. moyen
933 $

La Relance à l'université – 2013, MELS et MESRST.

PLACEMENT

À l'Université Laval, les 30 finissants de ce programme en 2013 ont profité d'un marché florissant : le Service de placement a reçu 211 offres d'emploi pour eux! «Ils doivent même souvent combiner leurs études avec un emploi décroché à la suite d'un stage. L'avenir est prometteur», dit Julie Jean, directrice du programme.

De leur côté, les 20 diplômés de 2013 de l'Université McGill ont pu consulter une vingtaine d'offres d'emploi reçues au Département de sciences alimentaires et de chimie agricole. «Notre taux de placement est de plus de 90 %», dit Salwa Karboune, professeure adjointe et responsable de la formation universitaire. «Ce qu'on mange est devenu très important et la concurrence est forte sur le plan industriel», ajoute-t-elle. La demande d'aliments santé (moins de gras, moins de sel, probiotiques, etc.), sans risques, dont la production et l'emballage respectent l'environnement, ne cesse d'augmenter. Cette industrie en pleine croissance offre d'excellentes perspectives d'emploi à long terme.

PROFIL RECHERCHÉ

Les diplômés améliorent la qualité des produits alimentaires et leurs procédés de fabrication et de distribution, en plus de concevoir et développer de nouveaux aliments. «Il faut avoir une passion pour les aliments, la science et la société en général», rapporte Salwa Karboune.

Les qualités requises sur le terrain varient en fonction du type de poste occupé. «En production des aliments, il faut savoir planifier, être apte à résoudre des problèmes comme des bris d'équipement ou la rupture de stock d'un ingrédient, être capable de travailler sous pression, d'organiser et de rassembler le personnel, explique Julie Jean. En contrôle de la qualité, on mise davantage sur la rigueur dans l'application des normes, notamment pour éviter tout risque microbiologique», ajoute-t-elle.

SUR LE TERRAIN

- **Postes :** contrôleur de la qualité, coordonnateur en recherche et développement, responsable de production ou des opérations, développeur de produits alimentaires
- **Principaux employeurs :** transformateurs alimentaires, Agence canadienne d'inspection des aliments, ministère de l'Agriculture, des Pêcheries et de l'Alimentation, distributeurs en alimentation, laboratoires d'analyse

PERSPECTIVES

Les diplômés s'imaginent volontiers en train de développer des produits et des marchés d'entrée de jeu. Ce n'est pas toujours le cas, même si certains candidats décrochent de très bons emplois tout de suite après un stage. «Les premiers emplois sont généralement techniques, mais évoluent rapidement vers les postes de coordination, de gestion, de création d'aliments ou de consultation», explique Julie Jean.

Les diplômés devront être capables d'anticiper les besoins et les choix des consommateurs, de plus en plus exigeants. «Par exemple, les gens veulent des aliments qui soient le plus naturels possible, avec de moins en moins d'agents de conservation, tout en restant attrayants et abordables, et sans le moindre risque d'intoxication. La barre est haute», conclut Salwa Karboune. 2013-10

ÇA VOUS INTÉRESSE?
Plus d'info page 178

ÉTABLISSEMENTS OFFRANT LE PROGRAMME

41, 193

Voir le répertoire des établissements en page 264.

Consultez des portraits de diplômés issus de ces formations à www.jobboom.com/carrieresdavenir

Architecture

Maîtrise professionnelle > par Catherine Mainville-M.

Nombre de diplômés	174
Diplômés en emploi	85,7 %
À temps plein	98,7 %
En rapport avec la formation	93,5 %
Aux études	6,6 %
Taux de chômage	2,5 %

Salaire hebdo. moyen
795 $

La Relance à l'université - 2013, MELS et MESRST.

PLACEMENT

Les perspectives d'emploi en architecture sont excellentes. À l'École d'architecture de l'Université Laval, où 63 étudiants ont décroché une maîtrise professionnelle en 2013, le placement oscille autour de 98 % depuis 2007, relate Pierre Côté, directeur du programme. Une situation qui, selon lui, n'est pas étrangère à la bonne santé du marché de la construction dans la région de Québec.

Les prévisions sont aussi optimistes à l'Université de Montréal, où 64 finissants ont obtenu leur diplôme en 2013. «Malgré un certain ralentissement du secteur de la construction dans la région montréalaise, les projets d'architecture demeurent nombreux et les bureaux d'architectes ont le vent dans les voiles», constate Nathalie Dion, présidente de l'Ordre des architectes du Québec. «Les ouvertures sont également nombreuses dans les régions, notamment en Mauricie, dans le Centre-du-Québec et dans les Laurentides», dit Anne Cormier, directrice de l'École d'architecture de l'Université de Montréal.

PROFIL RECHERCHÉ

«Tout en étant créatif, l'architecte doit faire preuve de leadership et d'un bon sens de la gestion afin de mener les projets à terme», dit Pierre Côté. Souvent appelé à travailler en équipe, l'architecte doit savoir communiquer et écouter les autres professionnels qui collaborent avec lui, comme les ingénieurs, les entrepreneurs, etc.

L'architecte doit aussi démontrer un excellent esprit de synthèse. «Pour concevoir un édifice, il lui faut notamment considérer les besoins des futurs utilisateurs, tout en tenant compte de l'espace urbain et architectural dans lequel sera aménagé le bâtiment», explique Anne Cormier.

PERSPECTIVES

Une fois la maîtrise obtenue, le diplômé doit effectuer un stage en cabinet (d'une durée de deux ans, depuis octobre 2013) avant de passer l'Examen des architectes du Canada pour avoir son titre professionnel. Le nouvel architecte peut ouvrir son propre bureau ou entrer au service d'une firme existante, où il pourra gravir les échelons et aspirer à devenir associé. Il lui est également possible de travailler dans les secteurs public et parapublic, ou même à l'international.

Le métier d'architecte nécessite assiduité et persévérance. «Quel que soit son talent, l'architecte doit constamment se renouveler, affirme Pierre Côté. Cela demande beaucoup de travail.» De plus en plus sensible à l'impact de ses projets sur la population et l'environnement, l'architecte doit aussi être visionnaire afin de concevoir des édifices dont l'utilité et l'esthétique dureront. 2013-09

Il faut être membre de l'Ordre des architectes du Québec pour porter le titre d'architecte.

SUR LE TERRAIN

- **Poste :** architecte
- **Principaux employeurs :** firmes d'architectes, ministères, organismes gouvernementaux, municipalités, écoles, hôpitaux, promoteurs immobiliers

ÇA VOUS INTÉRESSE?
Plus d'info page 187

ÉTABLISSEMENTS OFFRANT LE PROGRAMME

41, 191, 193

Voir le répertoire des établissements en page 264.

Pour plus de renseignements sur les statistiques et nos critères de sélection, consultez la rubrique *Comment interpréter l'information*, p. 8.

Génie civil/Génie de la construction

Baccalauréat > par Marie Lyan

Nombre de diplômés	644
Diplômés en emploi	84,9 %
À temps plein	99,4 %
En rapport avec la formation	89,8 %
Aux études	10,8 %
Taux de chômage	3,4 %

Salaire hebdo. moyen
1 111 $

La Relance à l'université – 2013, MELS et MESRST.

PLACEMENT

En 2013, 144 étudiants ont obtenu leur baccalauréat en génie civil à Polytechnique Montréal. Même si le taux de placement avoisinait 100 %, un léger ralentissement s'est fait ressentir. «On s'attend à ce que les étudiants trouvent un emploi, mais plutôt dans un délai de 6 à 12 mois au lieu de 3 ou 4», précise Allan Doyle, directeur du Service des stages et du placement. Avec la commission Charbonneau et la grève des ouvriers du secteur de la construction à l'été 2013, beaucoup de chantiers ont été retardés. «Nous avons reçu une cinquantaine d'offres de stages en moins cette année. Mais les besoins demeurent tout de même immenses», analyse Allan Doyle.

Le baccalauréat en génie de la construction, quant à lui, n'est offert qu'à l'École de technologie supérieure (ÉTS), à Montréal. Le taux de placement des 150 diplômés de 2013 est également excellent. «Nos étudiants ont reçu, en moyenne, deux offres de stages chacun, qui débouchent très fréquemment sur des offres d'emploi, précise Gabriel Lefebvre, directeur du Département de génie de la construction. Avec l'entretien et le renouvellement de grandes infrastructures comme l'échangeur Turcot, les besoins ne sont pas près de disparaître», ajoute-t-il.

SUR LE TERRAIN

- **Postes :** ingénieur civil, ingénieur en construction, chargé de projet, chef d'équipe
- **Principaux employeurs :** firmes de génie-conseil ou d'architectes, ministères, organismes parapublics, municipalités, entreprises de construction

ÇA VOUS INTÉRESSE?
Plus d'info pages 187 et 198

PROFIL RECHERCHÉ

En plus de savoir jongler avec les chiffres, les futurs ingénieurs doivent démontrer qu'ils sont capables de travailler en équipe. «Dans l'industrie de la construction, tous les ingénieurs sont amenés à travailler avec des architectes ou des entrepreneurs. C'est pourquoi il leur faut développer très tôt des habiletés pour gérer et diriger des projets, dans lesquels ils ne choisiront pas toujours leurs collaborateurs», précise Gabriel Lefebvre.

Et pour assurer la sécurité des infrastructures réalisées, «les ingénieurs doivent aussi faire preuve d'une grande rigueur en respectant toutes les normes en vigueur», précise Isabelle Roy, conseillère aux nouveaux étudiants au Service du recrutement de Polytechnique Montréal.

PERSPECTIVES

À la fin de leurs études, les diplômés deviendront ingénieurs juniors. Durant une période allant jusqu'à 36 mois, ils devront acquérir de l'expérience sous la supervision d'un ingénieur chevronné et réussir l'examen de l'Ordre des ingénieurs du Québec en vue d'obtenir leur permis d'exercice.

«Après quelques années d'expérience, les ingénieurs sont généralement prêts à relever de nouveaux défis en tant que chefs de projet, vice-présidents ou même présidents de compagnie», précise Isabelle Roy. 2013-10

Il faut être membre de l'Ordre des ingénieurs du Québec pour porter le titre d'ingénieur.

ÉTABLISSEMENTS OFFRANT LE PROGRAMME

41, 76, 187, 189, 190, 193, 214, 215, 216

Voir le répertoire des établissements en page 264.

Consultez des portraits de diplômés issus de ces formations à www.jobboom.com/carrieresdavenir

Génie géomatique et Géomatique appliquée à l'environnement

ÇA VOUS INTÉRESSE?
Plus d'info pages 179 et 198

Baccalauréats > par Anne Laguë

PLACEMENT

L'Université de Sherbrooke est le seul établissement au Québec à offrir le programme de géomatique appliquée à l'environnement. Une dizaine d'étudiants ont obtenu leur diplôme en août 2013. Un peu plus d'un mois plus tard, une majorité était en emploi.

De leur côté, les six diplômés de 2013 au programme de génie géomatique de l'Université Laval, la seule à proposer cette formation dans la province, ont tous trouvé un emploi, selon Michel Boulianne, responsable du programme.

Il estime que la demande de spécialistes de la géomatique ne risque pas de disparaître, notamment grâce à la popularité de la géolocalisation. L'expertise de ces professionnels a aussi d'autres utilités. Les municipalités, par exemple, ont besoin d'eux pour entretenir leurs infrastructures (rues, signalisation, conduits souterrains, etc.) ou pour dresser des plans d'urgence. «Avec les mesures de terrain, on peut faire des simulations et voir quelles rues seront inondées en premier», illustre Jérôme Théau, responsable du 1er cycle au Département de géomatique appliquée de l'Université de Sherbrooke.

PROFIL RECHERCHÉ

Les ingénieurs en géomatique* et les géomaticiens collectent, analysent et intègrent des données géographiques qui servent, entre autres, dans les systèmes de positionnement. Pour exercer dans le domaine, il faut aimer l'informatique, les mathématiques, la physique et l'environnement.

La géomatique étant une discipline relativement récente, la créativité est utile pour lui trouver de nouvelles applications. «Par exemple, certains ont eu l'idée d'utiliser les données géospatiales enregistrées par les téléphones intelligents pour cartographier en direct la congestion routière», explique Jérôme Théau. Par ailleurs, le nombre impressionnant de données à traiter demande rigueur et patience.

PERSPECTIVES

Plusieurs pensent que les géomaticiens et les ingénieurs en géomatique passent leurs journées dehors, mais il n'en est rien. «Les données sont collectées sur le terrain, mais ensuite toute leur gestion et leur traitement se font dans un bureau, à l'ordinateur», précise Jérôme Théau.

La multiplication des données géographiques numériques entraîne des défis. Dans un avenir rapproché, les spécialistes de la géomatique devront trouver des façons de traiter une surabondance d'informations. De nouvelles façons de les mettre à profit (des applications qui génèrent des trajets alternatifs pour contourner la congestion routière, par exemple) sont constamment à inventer. 2013-10

**Seul le programme de génie géomatique mène à la profession d'ingénieur en géomatique. Il faut être membre de l'Ordre des ingénieurs du Québec pour porter ce titre.*

SUR LE TERRAIN

- **Postes :** géomaticien, ingénieur en géomatique, chargé de projet, gestionnaire
- **Principaux employeurs :** firmes spécialisées en géomatique, firmes d'ingénierie, firmes de consultants en informatique, municipalités, ministères, organismes gouvernementaux, sociétés de transport

ÉTABLISSEMENTS OFFRANT LES PROGRAMMES

41, 76

Voir le répertoire des établissements en page 264.

STATISTIQUES	Nombre de diplômés	Diplômés en emploi	À temps plein	En rapport avec la formation	Aux études	Taux de chômage	Salaire hebdo. moyen
Génie géomatique – baccalauréat	n.d.	n.d.	n.d.	n.d.	n.d.	n.d.	n.d.
Géomatique appliquée à l'environnement – bac	n.d.	n.d.	n.d.	n.d.	n.d.	n.d.	n.d.

La Relance à l'université – 2013, MELS et MESRST.

Pour plus de renseignements sur les statistiques et nos critères de sélection, consultez la rubrique *Comment interpréter l'information*, p. 8.

Sciences géomatiques

Baccalauréat > par Anne Laguë

Nombre de diplômés	Diplômés en emploi	À temps plein	En rapport avec la formation	Aux études	Taux de chômage
n.d.	n.d.	n.d.	n.d.	n.d.	n.d.

Salaire hebdo. moyen **n.d.**

La Relance à l'université – 2013, MELS et MESRST.

PLACEMENT

L'Université Laval est le seul établissement au Québec à offrir le programme de sciences géomatiques. Le taux de placement des diplômés est de 100 %, même si le nombre d'inscriptions a plus que doublé depuis 2005, passant de 109 à 229. Ces excellentes perspectives se maintiennent depuis une bonne douzaine d'années. Les départs à la retraite sont en partie en cause. D'ici 2018, près de 500 arpenteurs-géomètres devront être remplacés, selon Francis Roy, directeur du programme.

De plus, les compétences de l'arpenteur-géomètre – savoir mesurer et cartographier le territoire, interpréter le droit foncier, etc. – sont très recherchées. «Elles sont à la base du développement du territoire, comme l'implantation de quartiers résidentiels, la localisation de zones d'inondation ou le positionnement d'éoliennes. Tant qu'il y aura de tels projets, les arpenteurs-géomètres seront sollicités», explique Luc St-Pierre, directeur général et secrétaire de l'Ordre des arpenteurs-géomètres du Québec.

SUR LE TERRAIN

- **Postes :** arpenteur-géomètre, géomètre spécialisé en cartographie, en géomatique ou en géodésie, chargé de projet en géomatique
- **Principaux employeurs :** firmes d'arpenteurs-géomètres, d'ingénierie, de conseil en gestion territoriale ou de développement d'outils technologiques de positionnement, ministères provinciaux et fédéraux, municipalités, Hydro-Québec, promoteurs immobiliers

ÇA VOUS INTÉRESSE? Plus d'info page 179

PROFIL RECHERCHÉ

L'arpenteur-géomètre est un expert de la mesure du territoire et de la cartographie. Un goût pour les mathématiques, la physique et la technologie – les outils comme le GPS et l'imagerie satellitaire sont au cœur de la profession – est essentiel. Le métier nécessite aussi du leadership, puisque l'arpenteur-géomètre est régulièrement à la tête d'une équipe de techniciens qui l'assistent dans ses tâches. Il faut également aimer le droit et la lecture d'actes juridiques, car c'est l'arpenteur-géomètre qui a l'autorité légale pour déterminer les limites des propriétés immobilières. En outre, il faut être prêt à travailler dehors à l'occasion.

PERSPECTIVES

La profession offre des défis stimulants, alimentés entre autres par la démocratisation des technologies. Par exemple, en utilisant Google Earth, un citoyen peut estimer que le cabanon de son voisin empiète sur son terrain. Si un conflit éclate, c'est à l'arpenteur-géomètre de démêler les données et de déterminer la limite de chaque propriété (en plus de calmer les esprits!). Tout au long de sa carrière, l'arpenteur-géomètre devra garder ses connaissances à jour. Il est possible de réaliser des mandats à l'international, puisque l'expertise des firmes québécoises est parfois sollicitée pour des projets de grandes infrastructures à l'étranger. 2013-10

Il faut être membre de l'Ordre des arpenteurs-géomètres du Québec pour porter le titre d'arpenteur-géomètre.

ÉTABLISSEMENT OFFRANT LE PROGRAMME

41

Voir le répertoire des établissements en page 264.

Consultez des portraits de diplômés issus de ces formations à www.jobboom.com/carrieresdavenir

Génie industriel

Baccalauréat > par Marie Lyan

Nombre de diplômés	Diplômés en emploi	À temps plein	En rapport avec la formation	Aux études	Taux de chômage
184	85,7 %	100,0 %	81,3 %	10,7 %	2,0 %

Salaire hebdo. moyen
1 136 $

La Relance à l'université - 2013, MELS et MESRST.

PLACEMENT

«Que l'on soit dans une période de récession ou de croissance économique, les entreprises ont toujours besoin des ingénieurs industriels afin d'augmenter leur productivité ou leur compétitivité», estime Georges Abdul-Nour, responsable du programme de génie industriel à l'Université du Québec à Trois-Rivières. En 2013, une vingtaine de finissants y ont obtenu leur diplôme : tous ont déjà trouvé un emploi. «J'ai même reçu trois offres auxquelles je n'ai pu répondre, faute de candidats», ajoute-t-il. Une situation qui ne semble pas près de changer. «On dirait que les entreprises commencent à peine à découvrir qu'elles peuvent innover dans leurs procédés grâce au génie industriel», note-t-il.

À Polytechnique Montréal, les 65 finissants qui ont terminé leurs études en 2012 ont tous trouvé un emploi dans les 12 mois qui ont suivi l'obtention de leur diplôme. Et les 65 finissants de 2013 devraient suivre le même chemin, affirme Martin Trépanier, responsable du programme. «Chaque année, notre établissement reçoit plus d'offres de stages qu'il n'a de finissants. À l'été 2013, nous avons reçu 188 propositions de stages, principalement destinées aux étudiants de 3e année, mais seulement 88 places ont été pourvues», explique-t-il.

SUR LE TERRAIN

- **Postes :** ingénieur industriel, consultant en génie industriel, responsable des opérations, directeur de production
- **Principaux employeurs :** firmes de génie-conseil, entreprises manufacturières ou de services

ÇA VOUS INTÉRESSE? Plus d'info page 198

PROFIL RECHERCHÉ

Chargé de travailler à l'amélioration continue des procédés au sein d'une entreprise, l'ingénieur industriel doit avoir un bon esprit de synthèse et savoir résoudre des problèmes. «Il peut, par exemple, être amené à améliorer la productivité dans les banques en introduisant de nouvelles techniques de gestion, ou à augmenter la productivité d'une entreprise manufacturière en appliquant des techniques d'amélioration continue», avance Georges Abdul-Nour. Si des qualités comme la minutie et la débrouillardise sont recherchées, ce sont les qualités humaines qui font la différence au quotidien. «Les ingénieurs doivent faire preuve de beaucoup d'entregent et d'écoute, car ils ont à résoudre des problèmes d'organisation du travail», précise Martin Trépanier.

PERSPECTIVES

Si certains secteurs comme la fabrication manufacturière recrutent bon nombre d'ingénieurs industriels, «ces derniers peuvent en réalité travailler dans toutes les entreprises qui ont besoin d'améliorer leurs procédés», souligne Martin Trépanier. Au début de leur carrière, les ingénieurs industriels feront surtout de la gestion de projet et pourront, avec le temps, en venir à gérer des équipes et des projets de plus en plus complexes. «C'est une bonne voie pour évoluer jusqu'à des postes de direction. Après 5 à 10 années d'expérience, de 30 à 40 % des ingénieurs industriels deviennent présidents d'entreprise», note Georges Abdul-Nour. 2013-10

Il faut être membre de l'Ordre des ingénieurs du Québec pour porter le titre d'ingénieur.

ÉTABLISSEMENTS OFFRANT LE PROGRAMME

41, 106, 189, 190

Voir le répertoire des établissements en page 264.

Pour plus de renseignements sur les statistiques et nos critères de sélection, consultez la rubrique *Comment interpréter l'information*, p. 8.

Génie mécanique

Baccalauréat > par Emmanuelle Tassé

Nombre de diplômés	Diplômés en emploi	À temps plein	En rapport avec la formation	Aux études	Taux de chômage
764	82,2 %	98,3 %	84,3 %	13,7 %	3,6 %

Salaire hebdo. moyen
1 085 $

La Relance à l'université – 2013, MELS et MESRST.

PLACEMENT

À Polytechnique Montréal, 125 étudiants ont terminé le baccalauréat en génie mécanique en 2013. «Le taux de placement se situe entre 90 et 100 %», observe Mylène Charron, coordonnatrice en gestion académique au département. Environ le tiers des étudiants sont embauchés dans leur milieu de stage.

Même son de cloche du côté de l'Université de Sherbrooke, où 89 étudiants ont obtenu leur diplôme en 2013. Le département a reçu plus d'offres d'emploi qu'il n'y avait de diplômés. Et comme les étudiants effectuent cinq stages pendant le baccalauréat, ils trouvent souvent du travail avant la fin du programme.

Cette forte demande s'explique par le large champ d'application du génie mécanique. «Les diplômés peuvent travailler dans n'importe quel type d'industrie. Leur formation va de la nanotechnologie à l'industrie lourde», explique Saïd Elkoun, directeur du département. Par exemple, les industries du plastique, de l'emballage, du caoutchouc ou encore de l'aéronautique sont des secteurs très dynamiques qui ont besoin d'ingénieurs en génie mécanique.

PROFIL RECHERCHÉ

L'ingénieur en génie mécanique conçoit et organise la fabrication et l'entretien de systèmes mécaniques, thermiques et de production industrielle. «Pendant la formation, de longs projets de conception, comme la création d'un avion ou d'une voiture électrique, leur permettent d'appliquer leurs connaissances et de gérer leur part du travail de A à Z», fait valoir Saïd Elkoun.

En entreprise, les projets sont de plus en plus multidisciplinaires : les ingénieurs collaborent notamment avec des architectes et des technologues. Les étudiants doivent être de bons joueurs d'équipe, savoir communiquer et adapter leur discours à chaque interlocuteur.

SUR LE TERRAIN

- **Postes :** ingénieur en génie mécanique, chef de projet, directeur de production, chef d'entreprise
- **Principaux employeurs :** firmes de génie-conseil, entreprises des secteurs manufacturier, de la construction, du transport et de l'aéronautique, compagnies minières, institutions publiques

ÇA VOUS INTÉRESSE? Plus d'info page 198

PERSPECTIVES

Depuis quelques années, les accusations de corruption ont une incidence sur la profession. «Les étudiants sont particulièrement concernés par l'aspect éthique de la profession», croit Mylène Charron. La sensibilité environnementale fait également sa marque. Pour rester dans le coup, l'ingénieur doit garder ses connaissances à jour tout au long de sa carrière. «L'Ordre des ingénieurs du Québec impose maintenant 30 heures de formation continue par année, notamment en informatique», rapporte Saïd Elkoun.

De belles possibilités d'avancement s'offrent aux ingénieurs en génie mécanique, qui peuvent devenir consultants, gestionnaires de projet, chefs de département ou directeurs d'entreprise. 2013-10

Il faut être membre de l'Ordre des ingénieurs du Québec pour porter le titre d'ingénieur.

ÉTABLISSEMENTS OFFRANT LE PROGRAMME

7, 19, 41, 76, 106, 187, 189, 190, 193, 214, 215, 216

Voir le répertoire des établissements en page 264.

Consultez des portraits de diplômés issus de ces formations à www.jobboom.com/carrieresdavenir

Génie minier

Baccalauréat > par Anne Laguë

Nombre de diplômés	Diplômés en emploi	À temps plein	En rapport avec la formation	Aux études	Taux de chômage
33	88,9 %	100,0 %	93,8 %	5,6 %	5,9 %

Salaire hebdo. moyen
1 610 $

La Relance à l'université – 2013, MELS et MESRST.

PLACEMENT

Malgré le ralentissement observé dans l'industrie minière, les emplois sont au rendez-vous pour les diplômés en génie minier. À l'Université McGill, 30 finissants ont terminé le baccalauréat en 2013. Tous ont trouvé un emploi. Même scénario pour la vingtaine de diplômés de 2013 de l'Université Laval. Comme le programme comporte des stages, les étudiants créent des contacts avec des employeurs et ont régulièrement des promesses d'embauche avant même d'obtenir leur diplôme, selon Ferri Hassani, professeur à McGill.

L'industrie minière est cyclique. Toutefois, la consommation mondiale de ressources augmente. «Selon une étude, nous consommerons, au cours des 50 prochaines années, 5 fois la quantité de matériaux utilisés depuis les débuts de l'humanité», rapporte Ferri Hassani. Les départs à la retraite, le petit nombre de diplômés et l'exploitation des sables bitumineux au Canada stimulent également la demande.

PROFIL RECHERCHÉ

L'ingénieur minier planifie, conçoit, organise et supervise l'aménagement et l'exploitation des mines. Il doit donc avoir un bon sens de l'organisation et des aptitudes en communication pour gérer des équipes multidisciplinaires (composées d'entrepreneurs, d'opérateurs de machinerie, d'experts en environnement, etc.). «Pour faire accepter les projets par les communautés touchées, l'ingénieur minier doit aussi savoir bien les présenter», ajoute Marcel Laflamme, directeur du programme à l'Université Laval.

Un intérêt pour les nouvelles technologies est essentiel pour continuer d'améliorer les procédés. Il faut également être disposé à aller travailler en région ou à l'étranger, notamment dans le Nord-du-Québec, en Amérique du Sud, en Australie ou en Afrique, où se trouvent les sites miniers.

SUR LE TERRAIN

- **Postes :** ingénieur minier, chef de l'ingénierie, contremaître, directeur de mine
- **Principaux employeurs :** compagnies minières, firmes de génie-conseil, fournisseurs de services et d'équipements miniers, gouvernements, entreprises de construction

PERSPECTIVES

Le mythe de l'ingénieur minier qui travaille uniquement avec «le pic et la pelle» pour casser de la roche est tenace. Pourtant, l'industrie utilise des technologies de pointe, assure Ferri Hassani. Par exemple, dans les mines souterraines, les ingénieurs peuvent désormais contrôler la qualité de l'air en temps réel grâce à des systèmes informatisés.

Les diplômés qui démontrent des habiletés de leadership peuvent devenir chefs de l'ingénierie, gestionnaires et même vice-présidents d'une compagnie minière. Comme des mines sont exploitées un peu partout sur la planète, la possibilité de faire carrière à l'international est bien réelle. 2013-10

Il faut être membre de l'Ordre des ingénieurs du Québec pour porter le titre d'ingénieur.

ÉTABLISSEMENTS OFFRANT LE PROGRAMME

41, 189, 193

Voir le répertoire des établissements en page 264.

ÇA VOUS INTÉRESSE?
Plus d'info pages 198 et 200

Pour plus de renseignements sur les statistiques et nos critères de sélection, consultez la rubrique *Comment interpréter l'information*, p. 8.

Audiologie

Maîtrise professionnelle > par Élise Prioleau

Nombre de diplômés	154*
Diplômés en emploi	92,7 %
À temps plein	84,3 %
En rapport avec la formation	100,0 %
Aux études	3,6 %
Taux de chômage	1,0 %

Salaire hebdo. moyen
968 $

La Relance à l'université - 2013, MELS et MESRST.

*Données tirées de la catégorie «Orthophonie et audiologie».

PLACEMENT

«En 2013, la très grande majorité des 20 finissants en audiologie a reçu une offre d'emploi avant l'obtention du diplôme», dit Benoît Jutras, responsable du programme à l'Université de Montréal, seul établissement à donner la formation au Québec. Et ce n'est pas tout. «Dans les dix prochaines années, on s'attend à ce que le nombre total d'audiologistes double dans la province», selon Marie-Pierre Caouette, présidente de l'Ordre des orthophonistes et audiologistes du Québec.

Cette forte demande s'explique par le vieillissement de la population et par le dépistage de plus en plus répandu des troubles auditifs chez les jeunes enfants. Toutefois, les diplômés doivent s'attendre à devoir quitter les grands centres. Le ministère de la Santé et des Services sociaux prévoit un important besoin d'audiologistes dans les régions du Bas-Saint-Laurent, de l'Abitibi-Témiscamingue, de la Côte-Nord, du Nord-du-Québec et de la Gaspésie–Îles-de-la-Madeleine. Le Ministère offre des bourses aux étudiants qui s'engagent à travailler dans l'une de ces régions pour une durée de trois ans.

PROFIL RECHERCHÉ

L'audiologiste évalue l'audition et facilite la réadaptation de personnes atteintes d'un handicap auditif. «Savoir écouter et faire preuve d'empathie est fondamental, car on travaille avec des personnes souffrantes», dit Marie-Pierre Caouette.

Le métier exige aussi un esprit d'analyse développé. «Lorsqu'il évalue un patient, l'audiologiste tient compte de plusieurs paramètres du son avant de procéder à un diagnostic. Pour ce faire, il faut maîtriser différentes notions en physique acoustique, en psychoacoustique, en psychologie du développement, en linguistique et en neurologie.»

SUR LE TERRAIN

- **Poste :** audiologiste
- **Principaux employeurs :** cabinets privés d'audiologistes, hôpitaux, centres de réadaptation en déficience physique

PERSPECTIVES

«Accompagner un patient atteint d'un trouble de la communication, c'est gratifiant, car on participe à l'amélioration de sa vie», affirme Marie-Pierre Caouette. Au Québec, les disciplines de la réadaptation sont en plein développement et offrent des perspectives de carrière diversifiées. L'audiologiste peut devenir enseignant, chercheur ou conférencier.

La profession ouvre également la porte à une carrière de gestionnaire dans le réseau des hôpitaux ou dans le privé, moyennant un diplôme d'études supérieures en administration de la santé. Ceux qui ont un esprit entrepreneurial pourront fonder leur propre cabinet. Le secteur privé embauche la majorité des diplômés de la maîtrise en audiologie. 2013-10

Il faut être membre de l'Ordre des orthophonistes et audiologistes du Québec pour porter le titre d'audiologiste.

ÇA VOUS INTÉRESSE?
Plus d'info page 201

ÉTABLISSEMENT OFFRANT LE PROGRAMME

191

Voir le répertoire des établissements en page 264.

Consultez des portraits de diplômés issus de ces formations à www.jobboom.com/carrieresdavenir

Chiropratique

Doctorat de 1er cycle > par Julie Chaumont

Nombre de diplômés
40

Diplômés en emploi
90,5 %

À temps plein
73,7 %

En rapport avec la formation
100,0 %

Aux études
9,5 %

Taux de chômage
0,0 %

Salaire hebdo. moyen

n.d.

La Relance à l'université – 2013, MELS et MESRST.

PLACEMENT

L'Université du Québec à Trois-Rivières (UQTR) est le seul établissement à offrir le doctorat de 1er cycle en chiropratique. En 2013, 40 étudiants y ont obtenu leur diplôme. «Treize d'entre eux ont démarré leur propre clinique, vingt-six se sont associés à des cliniques existantes et un diplômé poursuit des études supérieures», rapporte Danica Brousseau, chiropraticienne et deuxième vice-présidente de l'Ordre des chiropraticiens du Québec.

Ce programme contingenté (47 candidats acceptés sur 214 demandes en 2013) s'ajuste aux besoins du marché. «Il n'y a pas de pénurie de chiropraticiens. Le nombre d'admissions est stable depuis les cinq dernières années et il suffit à la demande», explique Jean-François Vézina, agent de recherche à l'UQTR.

«La profession est de plus en plus connue et l'intérêt de la population pour les traitements qui soulagent la douleur sans médication est très grand. Le besoin de chiropraticiens est constant depuis de nombreuses années», ajoute Danica Brousseau.

PROFIL RECHERCHÉ

Les chiropraticiens soulagent la douleur qui touche les nerfs, les articulations et les muscles. Ils travaillent debout et utilisent leurs mains ou divers instruments, ce qui requiert une bonne forme physique et une grande dextérité manuelle. «Un bon esprit de synthèse est aussi nécessaire pour traduire nos connaissances en pratique», ajoute Danica Brousseau. Faire preuve d'écoute et d'empathie est important pour œuvrer auprès de gens souffrants.

Le sens de l'entrepreneuriat est aussi un atout. «Qu'ils ouvrent ou non leur propre clinique, les chiropraticiens doivent avoir les habiletés essentielles pour gérer leur budget et bâtir leur clientèle», souligne-t-elle.

PERSPECTIVES

Une fois le doctorat terminé, les diplômés doivent réussir les trois examens du Conseil canadien des examens chiropratiques et satisfaire aux exigences de l'Ordre afin d'obtenir leur permis d'exercer. Ils deviennent alors travailleurs autonomes et, à défaut d'ouvrir leur propre clinique, peuvent se faire engager au sein de cliniques privées existantes.

La plupart des diplômés choisissent d'exercer en clinique privée, mais d'autres avenues s'offrent à eux. «Certains contribuent à l'enseignement du programme à l'UQTR, alors que d'autres se tournent vers la recherche. Un petit nombre se spécialise en orthopédie, en radiologie diagnostique, en sciences cliniques ou en chiropratique sportive», rapporte Jean-François Vézina. 2013-10

Il faut être membre de l'Ordre des chiropraticiens du Québec pour porter le titre de chiropraticien.

SUR LE TERRAIN

- **Poste :** chiropraticien
- **Principaux employeurs :** cliniques privées

ÇA VOUS INTÉRESSE?
Plus d'info page 201

ÉTABLISSEMENT OFFRANT LE PROGRAMME

106

Voir le répertoire des établissements en page 264.

Pour plus de renseignements sur les statistiques et nos critères de sélection, consultez la rubrique *Comment interpréter l'information*, p. 8.

Ergothérapie

Maîtrise professionnelle > par Julie Chaumont

Nombre de diplômés	143
Diplômés en emploi	99,0 %
À temps plein	93,9 %
En rapport avec la formation	100,0 %
Aux études	0,0 %
Taux de chômage	1,0 %

Salaire hebdo. moyen

931 $

La Relance à l'université - 2013, MELS et MESRST.

PLACEMENT

«Il n'y a pas d'ergothérapeute au chômage au Québec», affirme Louisette Mercier, directrice de la maîtrise en ergothérapie à l'Université de Sherbrooke, où les 31 diplômés de 2013 sont tous sur le marché du travail. Même chose pour les 32 diplômés de l'Université du Québec à Trois-Rivières. «Plusieurs de nos étudiants ont un emploi avant même d'avoir terminé leur formation», mentionne Marie-Josée Drolet, directrice du programme. Les employeurs vont jusqu'à créer des postes adaptés aux étudiants, comme celui d'aide-ergothérapeute, afin de favoriser leur éventuelle embauche.

Plusieurs facteurs expliquent la demande d'ergothérapeutes, comme le vieillissement de la population, les départs à la retraite, la volonté de diminuer les places en soins de longue durée et la multiplication des cliniques privées. «Selon les analyses, le manque de professionnels devrait durer jusqu'en 2023», dit Marie-Josée Drolet.

PROFIL RECHERCHÉ

Les ergothérapeutes aident les gens souffrant d'une incapacité physique, psychologique ou mentale à fonctionner le mieux possible au quotidien. Le métier exige de grandes qualités relationnelles. «On travaille constamment en équipe avec les clients, que ce soit au sein d'une famille où il y a divers aménagements à faire ou dans une école afin de faciliter l'intégration d'un jeune», illustre Louisette Mercier.

L'empathie et le désir d'aider sont aussi très importants, tout comme la capacité de raisonnement et l'esprit critique. «Les ergothérapeutes se concentrent beaucoup sur les activités afin d'accompagner leurs clients dans les difficultés qu'ils éprouvent. Ils doivent trouver des solutions, par exemple réaménager l'espace de vie d'un patient pour que celui-ci puisse s'épanouir dans ses occupations quotidiennes malgré la maladie ou le handicap», explique Marie-Josée Drolet.

SUR LE TERRAIN

- **Postes :** ergothérapeute, coordonnateur d'équipe, chercheur, gestionnaire
- **Principaux employeurs :** CLSC, CHSLD, centres hospitaliers, centres de réadaptation, cliniques médicales privées

ÇA VOUS INTÉRESSE?
Plus d'info page 201

PERSPECTIVES

Les possibilités sont nombreuses pour les diplômés : ils peuvent pratiquer dans différents milieux, auprès d'une clientèle diversifiée, selon leurs goûts et leurs champs d'intérêt. Ceux qui ont la bosse des affaires peuvent choisir d'ouvrir leur propre clinique. «Ils deviennent entrepreneurs, avec tous les défis que ça comporte, notamment celui de bâtir une clientèle», souligne Louisette Mercier.

Comme la profession est jeune, elle est très stimulante. «Il y a encore beaucoup à faire sur le plan scientifique. L'idée est d'arrimer la pratique aux résultats des dernières recherches. On peut devenir clinicien, mais aussi clinicien-chercheur», explique Marie-Josée Drolet. 2013-10

Il faut être membre de l'Ordre des ergothérapeutes du Québec pour porter le titre d'ergothérapeute.

ÉTABLISSEMENTS OFFRANT LE PROGRAMME

41, 76, 106, 191, 193

Voir le répertoire des établissements en page 264.

Consultez des portraits de diplômés issus de ces formations à www.jobboom.com/carrieresdavenir

Médecine

Doctorat et formation postdoctorale > par Élise Prioleau

Nombre de diplômés
n.d.

Diplômés en emploi
n.d.

À temps plein
n.d.

En rapport avec la formation
n.d.

Aux études
n.d.

Taux de chômage
n.d.

Salaire hebdo. moyen

n.d.

La Relance à l'université - 2013, MELS et MESRST.

PLACEMENT

«Le taux de placement est excellent et la majorité des diplômés trouvent un emploi après la formation postdoctorale, aussi appelée résidence», affirme Elizabeth Lefebvre, conseillère d'orientation à la Faculté de médecine de l'Université McGill. En 2013, les 176 diplômés ont trouvé un emploi. Même phénomène à l'Université de Montréal, où le taux de placement des 306 diplômés d'octobre 2013 est très bon, selon le Dr Éric Drouin, professeur agrégé de clinique à la Faculté de médecine.

Les futurs médecins ne risquent pas de chômer. Le ministère de la Santé et des Services sociaux du Québec évalue qu'en 2014, les 733 nouveaux diplômés en médecine ne pourvoiront pas même la moitié des postes disponibles, toutes spécialités confondues. Le Ministère souhaite d'ailleurs embaucher davantage de nouveaux médecins. Mais la capacité d'accueil d'étudiants dans les programmes de médecine est limitée par le nombre restreint de places pour les stages obligatoires.

PROFIL RECHERCHÉ

«Un bon médecin ne se limite pas à dépister et traiter les maladies, prévient Elizabeth Lefebvre. En tant qu'expert de la santé physique et psychologique, il doit aussi savoir communiquer son savoir à ses patients afin de les informer adéquatement.»

La curiosité intellectuelle est aussi essentielle, puisqu'un médecin doit se tenir informé des nouveautés scientifiques et technologiques dans son domaine tout au long de sa carrière, ajoute le Dr Éric Drouin. Connaître ses limites et avoir l'humilité de les admettre l'est tout autant. «Un bon médecin délimite ce qu'il ne connaît pas et choisit dans certains cas de recommander un patient à un collègue d'une autre spécialité de la médecine.»

PERSPECTIVES

Bien qu'on l'imagine ainsi, le médecin exerce rarement seul dans son cabinet. «Au contraire, il travaille dans des équipes multidisciplinaires, soit avec d'autres médecins, des infirmières, des pharmaciens, des inhalothérapeutes, des ergothérapeutes, des psychologues et autres, précise le Dr Éric Drouin. La pratique collaborative, en partenariat avec le patient, ses proches ainsi que différents professionnels, est une approche de plus en plus répandue.»

Au cours de sa carrière, le médecin peut décrocher un poste de gestionnaire dans un établissement de santé. Moyennant une formation en pédagogie, il peut exercer comme enseignant et participer à la formation des résidents, ou encore travailler dans le domaine de la recherche fondamentale de laboratoire et de la recherche clinique. 2013-10

Il faut être membre du Collège des médecins du Québec pour porter le titre de médecin.

SUR LE TERRAIN

- **Postes :** médecin, chercheur, enseignant, gestionnaire
- **Principaux employeurs :** centres hospitaliers, cliniques médicales privées, universités, centres de recherche, CLSC, centres d'hébergement pour personnes âgées

ÇA VOUS INTÉRESSE?
Plus d'info page 201

ÉTABLISSEMENTS OFFRANT LE PROGRAMME

41, 76, 191, 193, 216

Voir le répertoire des établissements en page 264.

Pour plus de renseignements sur les statistiques et nos critères de sélection, consultez la rubrique *Comment interpréter l'information*, p. 8.

Médecine dentaire

Doctorat de 1er cycle > par Catherine Mainville-M.

Nombre de diplômés	159
Diplômés en emploi	92,6 %
À temps plein	84,0 %
En rapport avec la formation	100,0 %
Aux études	4,9 %
Taux de chômage	0,0 %

Salaire hebdo. moyen
2 201 $

La Relance à l'université - 2013, MELS et MESRST.

PLACEMENT

En 2013, les 85 diplômés en médecine dentaire de l'Université de Montréal ont pu trouver un emploi sans difficulté, estime Adel Kauzman, professeur agrégé et adjoint au doyen aux admissions. Tous les ans, environ 30 % des finissants de cette faculté décident d'ouvrir leur propre clinique dentaire. D'autres travaillent à pourcentage pour un dentiste déjà établi. «Un certain nombre d'étudiants souhaitent plutôt poursuivre leurs études. Ils peuvent faire une année de résidence effectuée sous supervision en milieu hospitalier ou, s'ils sont acceptés, choisir de se spécialiser dans l'une des neuf disciplines offertes [orthodontie, dentisterie pédiatrique, etc.]», explique-t-il.

La situation est tout aussi enviable à l'Université Laval, où 45 étudiants ont décroché un doctorat de 1er cycle en 2013. Si tous trouvent un emploi à leur sortie, les diplômés qui vont travailler en région obtiennent un horaire complet plus rapidement que ceux qui décident d'exercer dans les grands centres, où les dentistes sont plus nombreux, explique Sylvie Morin, directrice du programme.

PROFIL RECHERCHÉ

Le dentiste travaille avec une clientèle variée présentant des problèmes de diverses natures. «Il doit donc faire preuve de compassion et être à l'écoute de ses patients en vue de trouver la solution qui répondra le mieux à leurs besoins», dit Adel Kauzman.

«Une facilité pour la communication est aussi un atout», ajoute Daniel Pelland, directeur général de l'Association des chirurgiens dentistes du Québec. Le dentiste doit être en mesure d'expliquer clairement le traitement au patient afin de le mettre en confiance. Il lui faut aussi savoir gérer son stress, puisqu'il peut être exigeant de travailler pendant plusieurs heures sur un patient éveillé et parfois tendu.

Souvent appelé à gérer une clinique dentaire et son personnel, le dentiste doit également avoir du leadership et des aptitudes pour l'administration.

PERSPECTIVES

Contrairement à l'idée préconçue, la médecine dentaire ne se limite pas à l'esthétique et à l'hygiène buccale. «Le rôle du dentiste est beaucoup plus grand que le pensent certains nouveaux étudiants, précise Adel Kauzman. Il est formé pour traiter la cavité buccale en entier et non pas uniquement les dents. L'aspect médical de la profession est très important, et avec le vieillissement de la population, les cas plus complexes sont plus nombreux.»

«Le dentiste doit constamment se maintenir à jour, poursuit Daniel Pelland. La formation continue est essentielle, puisque la profession évolue rapidement et les nouvelles technologies, les radiographies numériques par exemple, sont très présentes.» 2013-10

Il faut être membre de l'Ordre des dentistes du Québec pour porter le titre de dentiste.

SUR LE TERRAIN

- **Poste :** dentiste
- **Principaux employeurs :** cliniques dentaires privées, hôpitaux, CLSC, directions de santé publique, universités (comme professeur ou chargé d'enseignement clinique)

ÇA VOUS INTÉRESSE?
Plus d'info page 201

ÉTABLISSEMENTS OFFRANT LE PROGRAMME

41, 191, 193

Voir le répertoire des établissements en page 264.

Consultez des portraits de diplômés issus de ces formations à www.jobboom.com/carrieresdavenir

Médecine vétérinaire

Doctorat de 1er cycle > par Élise Prioleau

Nombre de diplômés	82
Diplômés en emploi	84,8 %
À temps plein	97,4 %
En rapport avec la formation	100,0 %
Aux études	13,0 %
Taux de chômage	0,0 %

Salaire hebdo. moyen
1 407 $

La Relance à l'université – 2013, MELS et MESRST.

PLACEMENT

L'emploi ne manque pas pour les vétérinaires. «Le taux de placement se maintient autour de 100 % depuis 20 ans, indique le Dr Joël Bergeron, président de l'Ordre des médecins vétérinaires du Québec. Il y a davantage d'emplois disponibles que de diplômés pour les occuper.»

À la Faculté de médecine vétérinaire de l'Université de Montréal, seul établissement à offrir ce programme au Québec, les 82 étudiants qui ont obtenu leur diplôme en 2013 ont décroché un emploi sans difficulté, selon Serge Messier, vice-doyen aux affaires étudiantes et aux études de 1er cycle.

La forte demande est due au fait que les gens sont de plus en plus préoccupés par la santé de leurs bêtes, selon le Dr Bergeron. Également, la profession compte environ 60 % de femmes et les congés de maternité créent des occasions de remplacement. Pour inciter les étudiants à choisir le domaine des animaux d'agriculture, où la demande est particulièrement grande, le gouvernement du Québec offre jusqu'à 10 000 $ en bourse.

PROFIL RECHERCHÉ

Le vétérinaire prévient, diagnostique et traite les maladies des animaux. Il renseigne aussi les clients sur l'élevage, l'alimentation et les soins.

«Pour exercer ce métier, il est essentiel d'avoir de l'entregent afin d'établir une bonne relation avec les propriétaires des animaux et de savoir écouter leurs besoins», dit Serge Messier.

«Les chirurgies délicates requièrent une précision manuelle, tout comme l'examen médical par palpation au cours duquel le vétérinaire doit déceler les anomalies», ajoute le Dr Bergeron. Le sens de l'analyse est également requis, car le vétérinaire établit des statistiques sur les troupeaux et met en place des plans d'intervention d'urgence, par exemple pour prévenir la propagation des épidémies.

SUR LE TERRAIN

- **Poste :** médecin vétérinaire
- **Principaux employeurs :** établissements vétérinaires, fonction publique (ministère de l'Agriculture et Agence canadienne d'inspection des aliments)

ÇA VOUS INTÉRESSE? Plus d'info page 201

PERSPECTIVES

Le métier a l'avantage de ne pas être routinier. «Dans la même journée, on peut être ophtalmologiste, chirurgien ou conseiller en prévention des maladies», illustre le Dr Bergeron. En plus de travailler dans les cliniques privées où sont traités les animaux domestiques et de la ferme, le vétérinaire peut s'orienter vers la médecine zoologique et s'occuper d'animaux exotiques, ou encore la médecine environnementale, où il contribuera à la préservation de la faune.

Les vétérinaires sont recrutés en grand nombre par la fonction publique, qui offre notamment des emplois de superviseurs en santé animale. Un programme de résidence d'une durée de trois ans permet d'acquérir une spécialisation médicale (imagerie médicale, neurologie, dermatologie, etc.). 2013-09

Il faut être membre de l'Ordre des médecins vétérinaires du Québec pour porter le titre de médecin vétérinaire.

ÉTABLISSEMENT OFFRANT LE PROGRAMME

191

Voir le répertoire des établissements en page 264.

Pour plus de renseignements sur les statistiques et nos critères de sélection, consultez la rubrique *Comment interpréter l'information*, p. 8.

Optométrie

Doctorat de 1er cycle > par Élise Prioleau

Nombre de diplômés	41
Diplômés en emploi	95,8 %
À temps plein	87,0 %
En rapport avec la formation	100,0 %
Aux études	4,2 %
Taux de chômage	0,0 %

Salaire hebdo. moyen
2 200 $

La Relance à l'université - 2013, MELS et MESRST.

PLACEMENT

À l'École d'optométrie de l'Université de Montréal, le seul établissement francophone à offrir la formation en Amérique du Nord, les 42 diplômés de 2013 ont rapidement décroché un emploi. «L'optométrie est un domaine où il y a toujours eu suffisamment d'emplois et ce n'est pas près de changer», affirme Danielle De Guise, directrice adjointe et responsable du programme de 1er cycle.

«Les diplômés ont la possibilité de travailler dans la région de leur choix, au Québec et dans le reste du Canada, car ils sont demandés un peu partout, selon le Dr Langis Michaud, président de l'Ordre des optométristes du Québec. Il n'est pas rare de voir des étudiants obtenir un emploi d'été ou à temps partiel dès la troisième année d'études», précise-t-il. S'il existe actuellement un équilibre entre le nombre de personnes qui entrent dans la profession et celles qui en sortent, les besoins pourraient augmenter dans la prochaine décennie en raison du vieillissement de la population, selon Danielle De Guise.

PROFIL RECHERCHÉ

Loin d'être un simple vendeur de lunettes, l'optométriste doit savoir émettre le bon diagnostic lorsque se présente une pathologie de l'œil comme la basse vision, le glaucome ou la dégénérescence maculaire.

«Ceci implique une grande capacité d'observation, d'analyse et de déduction, ainsi que des notions de physique, de mathématiques, de chimie, de biologie et de pharmacologie», explique le Dr Langis Michaud.

Il est essentiel de posséder des habiletés en communication et d'avoir de l'empathie, ajoute Danielle De Guise, car l'optométriste doit être à l'écoute de ses patients. La majorité des optométristes sont travailleurs autonomes ou associés d'un cabinet privé. Avoir la fibre entrepreneuriale est donc un atout dans la profession afin de développer une clientèle stable.

SUR LE TERRAIN

- **Poste :** optométriste
- **Principaux employeurs :** cliniques privées d'optométrie, établissements de santé, Régie de l'assurance maladie du Québec, ministère de la Santé et des Services sociaux, écoles et entreprises (en tant que consultant)

ÇA VOUS INTÉRESSE?
Plus d'info page 201

PERSPECTIVES

Le champ de pratique de l'optométriste va bien au-delà de l'examen de la vue. «Il peut aussi traiter certaines inflammations de l'œil par la prescription de médicaments ou effectuer des ajustements de monture très sophistiqués», dit Danielle De Guise. Détecter ces problèmes et répondre aux divers besoins des patients est un défi stimulant, ajoute le Dr Langis Michaud.

L'optométriste doit suivre l'évolution de la science et des technologies tout au long de sa carrière. Un certificat de résidence d'un an permet de se spécialiser dans un secteur précis, comme la santé oculaire, la vision binoculaire ou l'optométrie pédiatrique. Ce diplôme est nécessaire pour devenir clinicien à l'École d'optométrie et de superviser des étudiants. 2013-10

Il faut être membre de l'Ordre des optométristes du Québec pour porter le titre d'optométriste.

ÉTABLISSEMENT OFFRANT LE PROGRAMME

191

Voir le répertoire des établissements en page 264.

Consultez des portraits de diplômés issus de ces formations à www.jobboom.com/carrieresdavenir

Orthophonie

Maîtrise > par Élise Prioleau

Nombre de diplômés	154*
Diplômés en emploi	92,7 %
À temps plein	84,3 %
En rapport avec la formation	100,0 %
Aux études	3,6 %
Taux de chômage	1,0 %

Salaire hebdo. moyen
968 $

La Relance à l'université – 2013, MELS et MESRST.

*Données tirées de la catégorie «Orthophonie et audiologie».

ÇA VOUS INTÉRESSE? Plus d'info page 201

PLACEMENT

En 2013, chacun des 68 diplômés de la maîtrise en orthophonie de l'Université de Montréal a décroché un emploi, selon Natacha Trudeau, responsable du programme. Par contre, les diplômés doivent être prêts à se déplacer en région. Pour les y attirer, le ministère de la Santé et des Services sociaux va jusqu'à offrir des bourses d'une valeur de 30 000 $ aux étudiants qui s'engagent à commencer leur carrière dans l'une des régions où les besoins sont criants, c'est-à-dire le Bas-Saint-Laurent, l'Abitibi-Témiscamingue, la Côte-Nord, le Nord-du-Québec et la Gaspésie–Îles-de-la-Madeleine.

Ces bonnes perspectives s'expliquent, entre autres, par la pratique plus courante du dépistage chez les tout-petits et par l'augmentation des besoins chez les aînés, explique Marie-Pierre Caouette, présidente de l'Ordre des orthophonistes et audiologistes du Québec. «De plus, les remplacements de professionnelles parties en congé de maternité sont nombreux dans cette profession composée à 97 % de femmes.»

PROFIL RECHERCHÉ

L'orthophoniste est un professionnel de la réadaptation qui pratique auprès de personnes qui ont de la difficulté à s'exprimer, qu'elles soient paralysées, atteintes de bégaiement, autistes ou encore malentendantes.

Le métier requiert de l'empathie, explique Marie-Pierre Caouette, car il s'agit d'une relation d'aide. Une bonne dose de créativité est requise afin de créer des thérapies adaptées à l'âge, aux champs d'intérêt et aux besoins d'une clientèle diversifiée.

Le thérapeute devra aussi maîtriser de nombreuses notions scientifiques et posséder de la rigueur. «C'est un métier multidisciplinaire qui allie les sciences pures et les sciences humaines, précise Natacha Trudeau. De plus, les évaluations et les suivis pratiqués par ce professionnel doivent respecter des normes préétablies et rigoureuses.»

SUR LE TERRAIN

- **Postes :** orthophoniste, chef de service d'orthophonie
- **Principaux employeurs :** commissions scolaires, hôpitaux, centres de réadaptation, CHSLD, CLSC, bureaux privés d'orthophonistes

PERSPECTIVES

On imagine souvent l'orthophoniste comme celui qui accompagne un enfant qui bégaye. En réalité, le type de clientèle qu'il voit et les défis auxquels il fait face changent tout au long de sa carrière, précise Marie-Pierre Caouette. S'il le désire, ce professionnel peut exercer dans des milieux très variés, allant des établissements de santé aux écoles primaires et secondaires. Avec l'expérience, l'orthophoniste qui a un talent en gestion occupera les fonctions de chef de programme ou de service dans un établissement de santé, ouvrira son propre bureau ou sera consultant. Dans le milieu universitaire, il pourra superviser des stages, et s'il possède un doctorat, devenir chercheur ou enseignant. 2013-10

Il faut être membre de l'Ordre des orthophonistes et audiologistes du Québec pour porter le titre d'orthophoniste.

ÉTABLISSEMENT OFFRANT LE PROGRAMME

191

Voir le répertoire des établissements en page 264.

Pour plus de renseignements sur les statistiques et nos critères de sélection, consultez la rubrique *Comment interpréter l'information*, p. 8.

Pharmacie

Baccalauréat et doctorat de 1er cycle > par Catherine Mainville-M.

Nombre de diplômés	365
Diplômés en emploi	74,7 %*
À temps plein	92,9 %
En rapport avec la formation	98,7 %
Aux études	17,3 %
Taux de chômage	0,0 %

Salaire hebdo. moyen
1 849 $

La Relance à l'université - 2013, MELS et MESRST.

*Ce faible taux d'emploi peut s'expliquer par le pourcentage élevé de diplômés qui poursuivent leurs études (17,3 %).

PLACEMENT

«Le placement de nos diplômés est excellent», dit Anne Dionne, vice-doyenne de la Faculté de pharmacie de l'Université Laval. En 2012-2013, 153 étudiants y ont obtenu un baccalauréat en pharmacie. Ce n'est qu'en 2015 que sera diplômée la première cohorte du doctorat professionnel. Le programme, qui est passé de 128 à 164 crédits, a été revu afin d'y intégrer une partie des stages à effectuer, dont ceux de l'Ordre des pharmaciens du Québec. Les diplômés pourront ainsi obtenir leur permis d'exercice dès la fin de leurs études.

À l'Université de Montréal, où le doctorat est offert depuis 2007, quelque 180 finissants sont diplômés chaque année. «Tous nos diplômés obtiennent un emploi, rapporte Ema Ferreira, professeure titulaire et directrice du programme. Néanmoins, environ 20 % d'entre eux poursuivent à la maîtrise dans le but de travailler en milieu hospitalier.» Si elle est fortement recommandée, la maîtrise n'est toutefois pas obligatoire pour occuper un poste dans les hôpitaux.

Le bon placement des diplômés s'explique notamment par le nombre grandissant de nouvelles pharmacies et le prolongement de leurs heures d'ouverture. «Comme il s'agit d'un milieu où les femmes sont nombreuses, il y a beaucoup de congés de maternité à la suite desquels plusieurs pharmaciennes ne reviennent qu'à temps partiel», souligne Ema Ferreira.

SUR LE TERRAIN

- **Poste :** pharmacien
- **Principaux employeurs :** pharmacies privées, hôpitaux, CHSLD, industrie pharmaceutique, organismes gouvernementaux

ÇA VOUS INTÉRESSE?
Plus d'info page 201

PROFIL RECHERCHÉ

Intervenant de première ligne, le pharmacien doit avoir de l'entregent et démontrer de l'empathie envers ses patients. «Une bonne capacité d'analyse et un esprit critique sont aussi indispensables afin de s'assurer, par exemple, que le produit prescrit n'interagit pas avec d'autres médicaments», explique Ema Ferreira.

«Il faut également que le pharmacien soit un bon communicateur afin de vulgariser l'information et d'expliquer clairement le traitement au patient», indique Anne Dionne. Cette aptitude est aussi importante pour communiquer avec les autres professionnels de la santé, comme les médecins, nutritionnistes ou infirmières.

PERSPECTIVES

Le milieu pharmaceutique évolue constamment. «Tous les ans, il y a de nouvelles lignes de conduite et de nouveaux médicaments, explique Anne Dionne. Le pharmacien doit demeurer à l'affût grâce à des lectures, des conférences ou des formations.» La mise à jour des connaissances sera d'autant plus importante que l'application prochaine de la nouvelle Loi sur la pharmacie permettra notamment aux pharmaciens de prolonger une ordonnance ou de prescrire et interpréter des analyses de laboratoire.

Avec de l'expérience, le pharmacien qui exerce dans le secteur privé peut devenir chef du laboratoire, associé ou propriétaire de sa propre succursale. 2013-09

Il faut être membre de l'Ordre des pharmaciens du Québec pour porter le titre de pharmacien.

ÉTABLISSEMENTS OFFRANT LE PROGRAMME

41, 191

Voir le répertoire des établissements en page 264.

Consultez des portraits de diplômés issus de ces formations à www.jobboom.com/carrieresdavenir

Physiothérapie

Maîtrise professionnelle > par Élise Prioleau

Nombre de diplômés	Diplômés en emploi	À temps plein	En rapport avec la formation	Aux études	Taux de chômage
141	93,9 %	88,3 %	97,1 %	2,4 %	0,0 %

Salaire hebdo. moyen
950 $

La Relance à l'université - 2013, MELS et MESRST.

PLACEMENT

«Il y a une pénurie de physiothérapeutes au Québec. On estime qu'il en faudrait 200 de plus pour répondre aux besoins actuels», explique Robert Forget, directeur du programme à l'Université de Montréal. Dans cet établissement, les 84 diplômés d'octobre 2013 ont tous trouvé un emploi au terme de leurs études.

Scénario semblable du côté de l'Université Laval, où les 60 diplômés ont tous été embauchés avant même la fin de leurs études, généralement au cours d'un stage. «Le manque criant de physiothérapeutes devrait se maintenir au cours des cinq prochaines années, explique Richard Debigaré, directeur du programme. Les départs à la retraite chez les plus âgés, ainsi que les congés de maternité, nombreux dans cette profession majoritairement féminine, promettent de nombreuses occasions d'emploi.»

PROFIL RECHERCHÉ

Le physiothérapeute aide ses patients à retrouver une fonction sensorimotrice à la suite d'un accident, d'une maladie ou en raison du vieillissement du corps, par exemple. «Bien que le physiothérapeute possède des connaissances théoriques poussées en anatomie, en physiologie et en biomécanique, le métier comporte une grande part de gestes pratiques», explique Robert Forget. Le thérapeute touche ses patients, ce qui implique qu'il soit à l'aise dans les situations de contact physique.

L'empathie est une qualité nécessaire, car il importe de bien cerner les besoins particuliers de chacun des patients et de leur venir en aide adéquatement. «C'est une profession en constante évolution. Il faut sans cesse se tenir informé des plus récentes approches thérapeutiques et des nouvelles technologies», ajoute Richard Debigaré.

SUR LE TERRAIN

- **Postes :** physiothérapeute, gestionnaire dans le domaine de la santé
- **Principaux employeurs :** hôpitaux, centres de réadaptation, CLSC, CHSLD, centres sportifs, cliniques privées de physiothérapie, écoles spécialisées

ÇA VOUS INTÉRESSE?
Plus d'info page 201

PERSPECTIVES

Contrairement à l'idée reçue, le physiothérapeute n'est pas un massothérapeute. «Le physiothérapeute peut évaluer et traiter des personnes atteintes de divers troubles musculosquelettiques, neurologiques ou cardiorespiratoires, comme des paralysies, des fractures, des maladies chroniques. Sa clientèle est issue de tous les groupes d'âge : enfants, adultes et personnes âgées», remarque Robert Forget.

Dans la prochaine décennie, on s'attend à voir de plus en plus de physiothérapeutes en première ligne dans les hôpitaux, notamment en appui aux médecins orthopédistes, explique Richard Debigaré. Avec l'expérience, le physiothérapeute peut obtenir un poste de direction dans un établissement de santé ou se diriger vers l'enseignement ou la recherche. 2013-10

Il faut être membre de l'Ordre professionnel de la physiothérapie du Québec pour porter le titre de physiothérapeute.

ÉTABLISSEMENTS OFFRANT LE PROGRAMME

41, 76, 191, 193

Voir le répertoire des établissements en page 264.

Pour plus de renseignements sur les statistiques et nos critères de sélection, consultez la rubrique *Comment interpréter l'information*, p. 8.

Sciences infirmières

Baccalauréat > par Julie Chaumont

Nombre de diplômés	1 190
Diplômés en emploi	89,6 %
À temps plein	89,8 %
En rapport avec la formation	95,0 %
Aux études	5,1 %
Taux de chômage	0,7 %

Salaire hebdo. moyen

1 107 $

La Relance à l'université - 2013, MELS et MESRST.

PLACEMENT

Les 228 diplômées* de 2013 de l'Université de Sherbrooke sont toutes sur le marché du travail. «Les hôpitaux les recrutent avant même qu'elles aient obtenu leur permis d'exercer», dit Line Saintonge, directrice du programme. La situation est aussi favorable à l'Université du Québec à Trois-Rivières, où les 34 finissantes de 2013 avaient toutes trouvé un emploi avant l'obtention de leur diplôme. «Après la première année d'études, les étudiantes peuvent travailler comme préposées aux bénéficiaires. Puis, une fois qu'elles ont terminé les deux premières années du programme, elles sont autorisées à exercer comme externes dans les milieux hospitaliers», explique Lyne Campagna, directrice du comité de programme.

Si ces diplômées sont recherchées, c'est qu'une pénurie d'infirmières sévit depuis 2007. Un état de fait causé par les nombreux départs à la retraite et le vieillissement de la population, mais également par l'évolution des soins à donner.

PROFIL RECHERCHÉ

L'infirmière clinicienne évalue l'état de santé des patients et conçoit un programme de soins et de traitements appropriés. Un sens de l'observation aiguisé et un bon esprit critique sont essentiels. «En plus d'évaluer la condition clinique des personnes hospitalisées, elle doit pouvoir anticiper les signes de détérioration de leur état», explique Line Saintonge.

Travailler au chevet de personnes présentant des troubles de santé complexes requiert compassion et empathie. Sans oublier la curiosité. «Pour être au courant des nouveaux traitements, les infirmières doivent avoir le désir d'apprendre de leur propre gré», dit Lyne Campagna.

PERSPECTIVES

Les défis et les ouvertures sont nombreux pour les bachelières, qui peuvent exercer leur métier dans une foule de milieux différents. «Elles doivent avoir une grande capacité d'adaptation, surtout au début, car elles travailleront sans attache à un poste particulier, au sein d'unités diverses, comme les soins intensifs, la pédiatrie ou la cardiologie», souligne Line Saintonge.

Avec l'expérience, elles pourront devenir chefs d'équipe ou de département, ou encore infirmières cliniciennes spécialisées. Il est également possible de poursuivre des études jusqu'à l'obtention d'un diplôme de 2e cycle, qui permet d'obtenir le titre d'infirmière praticienne spécialisée et de travailler en étroite collaboration avec les médecins. Pour l'instant, le baccalauréat n'est pas nécessaire pour accéder à la profession au Québec, mais il pourrait le devenir dès 2014. 2013-10

Il faut être membre de l'Ordre des infirmières et infirmiers du Québec pour porter le titre d'infirmière clinicienne ou infirmier clinicien.

**Le féminin est utilisé dans cet article étant donné la très grande proportion de femmes diplômées en sciences infirmières.*

SUR LE TERRAIN

- **Postes :** infirmière clinicienne, chef d'unité, gestionnaire
- **Principaux employeurs :** centres hospitaliers, CLSC, cliniques médicales, centres de réadaptation, centres d'hébergement pour personnes âgées, agences privées

ÇA VOUS INTÉRESSE?
Plus d'info page 201

ÉTABLISSEMENTS OFFRANT LE PROGRAMME

Voir les lieux de formation en annexe, page 260.

Consultez des portraits de diplômés issus de ces formations à www.jobboom.com/carrieresdavenir

Adaptation scolaire

Baccalauréat > par Guillaume Jousset

Nombre de diplômés	442
Diplômés en emploi	89,6 %
À temps plein	76,2 %
En rapport avec la formation	94,8 %
Aux études	4,1 %
Taux de chômage	0,3 %

Salaire hebdo. moyen
809 $

La Relance à l'université - 2013, MELS et MESRST.

PLACEMENT

En 2013, à l'Université du Québec en Outaouais, la vingtaine de bacheliers en adaptation scolaire se sont tous placés sans difficulté. «Le nombre de diplômés ne permet pas de répondre à la demande des employeurs, particulièrement dans les écoles secondaires», constate Alain Cadieux, professeur et responsable des programmes de 2e cycle en éducation. L'amélioration de la prise en charge des élèves en difficulté, qui souffrent par exemple de troubles du comportement, d'apprentissage ou de handicaps, nécessite toujours plus de soutien d'enseignants spécialisés.

Les 92 finissants de 2013 du baccalauréat en adaptation scolaire et sociale de l'Université de Sherbrooke devraient aussi tous se placer sans difficulté, d'après Adolphe Adihou, responsable du programme. «Les départs à la retraite sont nombreux dans les établissements et les commissions scolaires», affirme-t-il. Selon lui, les besoins en enseignants spécialisés s'expliquent également par une augmentation notable du nombre d'élèves qui éprouvent des difficultés.

PROFIL RECHERCHÉ

Les enseignants spécialisés doivent faire preuve d'une grande capacité d'adaptation. «Chaque élève est unique. Il ne s'agit pas d'appliquer des recettes toutes faites, mais d'adapter son intervention en fonction de l'élève et de ses difficultés», explique Adolphe Adihou.

Intervenir auprès des jeunes ayant des difficultés scolaires requiert aussi de la patience. «Ce sont généralement des enfants qui ont besoin de beaucoup d'attention. Il faut parfois répéter longuement les consignes pour les aider», affirme Alain Cadieux. La communication est donc très importante, que ce soit pour enseigner aux élèves, expliquer des situations aux parents ou travailler avec l'équipe enseignante.

SUR LE TERRAIN

- **Poste :** enseignant en adaptation scolaire au primaire et au secondaire
- **Principaux employeurs :** commissions scolaires, écoles primaires et secondaires, centres de réadaptation, bureaux d'orthopédagogues, centres jeunesse, hôpitaux

PERSPECTIVES

Les diplômés effectuent souvent des remplacements durant leurs trois premières années de carrière, avant de décrocher un poste permanent. Ces enseignants peuvent décider de travailler directement auprès des élèves, au sein de classes ordinaires ou spécialisées. Après plusieurs années d'expérience, ils peuvent aussi aspirer à un poste de conseiller pédagogique, par exemple en lecture ou en écriture dans une commission scolaire.

Tout au long de leur carrière, les enseignants en adaptation scolaire devront faire preuve d'une grande autonomie en continuant à se former. «Ils doivent aller chercher toutes les informations susceptibles de les aider, lors de colloques, par des lectures et en suivant la formation continue offerte au sein des commissions scolaires», affirme Adolphe Adihou. 2013-10

ÉTABLISSEMENTS OFFRANT LE PROGRAMME

19, 58, 76, 94, 106, 191, 192, 204, 214

Voir le répertoire des établissements en page 264.

ÇA VOUS INTÉRESSE?
Plus d'info page 191

Pour plus de renseignements sur les statistiques et nos critères de sélection, consultez la rubrique *Comment interpréter l'information*, p. 8.

Criminologie

Baccalauréat > par Guillaume Jousset

Nombre de diplômés	117
Diplômés en emploi	75,0 %*
À temps plein	93,0 %
En rapport avec la formation	92,5 %
Aux études	23,7 %
Taux de chômage	0,0 %

Salaire hebdo. moyen

786 $

La Relance à l'université – 2013, MELS et MESRST.

*Ce faible taux d'emploi peut s'expliquer par le pourcentage élevé de diplômés qui poursuivent leurs études (23,7 %).

PLACEMENT

À l'Université de Montréal, 90 % des 115 diplômés du baccalauréat en criminologie de 2013 se sont placés. «Tous ceux qui souhaitent entrer sur le marché du travail trouvent un emploi», précise Valérie Préseault, responsable des études du 1er cycle. Selon elle, le nombre actuel de diplômés ne permet pas de répondre à la demande des employeurs. Elle reçoit près de 150 offres d'emploi chaque année pour ses étudiants. «La grande majorité d'entre eux se voit offrir un emploi pendant les stages», affirme-t-elle.

Pour la même année, les trois quarts des 72 diplômés du baccalauréat en criminologie de l'Université Laval ont obtenu un poste. Les autres ont décidé de continuer vers la maîtrise, constate Renée Brassard, directrice du programme. «Avec le durcissement des peines de prison, les institutions pénitentiaires débordent et les besoins en criminologues sont criants», explique-t-elle. Elle a reçu près de 300 offres d'emploi pour ses diplômés. Selon elle, certaines régions comme l'est et le nord du Québec font face à une véritable pénurie de criminologues.

PROFIL RECHERCHÉ

Selon son milieu d'intervention, le criminologue travaille aussi bien avec les victimes qu'avec les criminels. «Il doit faire preuve d'empathie et d'ouverture, car les rencontres avec ses clients comportent souvent une grande charge émotionnelle», prévient Valérie Préseault. Il faut avoir une bonne résistance au stress, ajoute Renée Brassard. «D'autant plus que le nombre de dossiers confiés au criminologue augmente de plus en plus, faute de personnel», précise-t-elle.

Le criminologue doit prendre des décisions qui ont un impact sur la vie des gens, par exemple accorder une remise en liberté. «Le défi à relever, c'est de conjuguer le contrôle et l'aide», confirme Renée Brassard.

SUR LE TERRAIN

- **Postes :** criminologue, agent de probation et de libération conditionnelle, agent d'aide aux victimes
- **Principaux employeurs :** centres de détention, centres jeunesse, centres de réadaptation, maisons de transition, ministères, organismes communautaires, services de probation

PERSPECTIVES

Pendant leurs études, plusieurs futurs diplômés travaillent comme éducateurs à temps partiel dans des maisons d'hébergement ou des centres jeunesse. En début de carrière, une fois leur diplôme en poche, ils seront sur le terrain, en lien direct avec différentes clientèles.

Après quelques années, les criminologues peuvent accéder à un poste de gestion, comme chef de secteur ou chef d'unité. «L'évolution sera souvent plus rapide en milieu communautaire qu'en milieu institutionnel», affirme Renée Brassard, qui souligne toutefois que les départs à la retraite prévus au cours des prochaines années devraient créer des possibilités d'avancement. À terme, les criminologues peuvent diriger un pénitencier ou concevoir des programmes de réinsertion sociale, par exemple pour des centres jeunesse ou au sein du gouvernement. 2013-10

ÉTABLISSEMENTS OFFRANT LE PROGRAMME

41, 191, 216

Voir le répertoire des établissements en page 264.

Consultez des portraits de diplômés issus de ces formations à www.jobboom.com/carrieresdavenir

Formation des enseignants au préscolaire et au primaire

Baccalauréat > par Ariane Dadier-Hénaut

Nombre de diplômés	1 261
Diplômés en emploi	87,9 %
À temps plein	74,8 %
En rapport avec la formation	91,7 %
Aux études	6,3 %
Taux de chômage	1,3 %

Salaire hebdo. moyen **809 $**

La Relance à l'université – 2013, MELS et MESRST.

PLACEMENT

Une soixantaine d'étudiants de l'Université du Québec en Abitibi-Témiscamingue ont obtenu le baccalauréat en éducation préscolaire et en enseignement primaire en 2013. Tous se sont placés sans difficulté. «Fréquemment, plusieurs de nos étudiants ont des contrats de travail pendant leurs études. La plupart de nos diplômés restent en Abitibi-Témiscamingue, et les autres vont dans les régions de Québec, de l'Estrie ou de Montréal», constate Bernard Harvey, directeur du Module des sciences de l'éducation.

L'Université du Québec en Outaouais comptait pour sa part une quarantaine de diplômés en 2013. «On n'arrive pas à satisfaire à la demande pour la région de l'Outaouais. Des écoles sont en construction. Ce ne sont pas toujours des besoins à temps plein, mais il est rare que nos diplômés se retrouvent sans emploi. De la suppléance ou des remplacements, allant de quelques jours à un trimestre, voire une année, sont souvent disponibles», dit Sylvie Fontaine, directrice du Module de l'éducation. Les départs à la retraite et les congés de maternité chez les enseignantes trentenaires, ainsi que le boum des naissances depuis 2005, contribuent à créer de la demande de main-d'œuvre.

PROFIL RECHERCHÉ

Doté d'une formation généraliste, l'enseignant au préscolaire et au primaire est responsable de sa classe et de toutes les matières qu'il enseigne. «Il doit maîtriser parfaitement le français à l'écrit comme à l'oral, car cela conditionne tout le reste», souligne Bernard Harvey. En plus d'avoir à développer une expertise professionnelle, travailler avec de jeunes enfants, des préadolescents ou des élèves en difficulté scolaire nécessite de la patience et de l'écoute. «Ces qualités sont aussi fort utiles pour l'enseignant qui est en contact avec les autres intervenants de l'école et les parents», souligne Sylvie Fontaine.

Selon Bernard Harvey, l'enseignant doit tenir compte des connaissances antérieures des enfants pour mieux ancrer leurs apprentissages. «Si on leur enseigne, par exemple, la poésie au primaire, on peut leur demander s'ils en ont déjà lu à la maison», explique-t-il.

SUR LE TERRAIN

- **Poste :** enseignant au primaire et au préscolaire
- **Principaux employeurs :** commissions scolaires, écoles primaires publiques et privées

ÇA VOUS INTÉRESSE? Plus d'info page 191

PERSPECTIVES

Généralement, un jeune diplômé commencera sa carrière par des contrats de remplacement ou de la suppléance dans plusieurs écoles. Par la suite, il pourra obtenir un poste permanent dans une commission scolaire.

Tout au long de sa carrière, l'enseignant maintiendra ses connaissances à jour en assistant à des journées de formation continue offertes par les commissions scolaires. Sylvie Fontaine souligne que les enseignants peuvent aussi collaborer à diverses recherches qui ont pour objectif de soutenir leur développement professionnel. Ces recherches sont menées par les universités, en partenariat avec les commissions scolaires. 2013-09

ÉTABLISSEMENTS OFFRANT LE PROGRAMME

Voir les lieux de formation en annexe, page 260.

Pour plus de renseignements sur les statistiques et nos critères de sélection, consultez la rubrique *Comment interpréter l'information*, p. 8.

Formation des enseignants au secondaire

Baccalauréat > par Ariane Dadier-Hénaut

Nombre de diplômés	730
Diplômés en emploi	87,0 %
À temps plein	71,6 %
En rapport avec la formation	86,2 %
Aux études	8,8 %
Taux de chômage	2,8 %

Salaire hebdo. moyen
863 $

La Relance à l'université – 2013, MELS et MESRST.

PLACEMENT

L'Université du Québec à Rimouski a délivré 22 diplômes de baccalauréat en enseignement au secondaire en 2013. «Plus de 85 % de nos étudiants trouvent un emploi dans leur spécialité ou un domaine connexe», dit Bastien Sasseville, directeur du Module d'enseignement secondaire. Beaucoup d'entre eux font d'ailleurs de la suppléance dès la fin de leurs études et sont déjà connus des commissions scolaires. «Nous répondons à nos besoins dans les environs immédiats de Rimouski. En revanche, aussitôt qu'on s'éloigne un peu de notre zone géographique, des manques se font ressentir en mathématiques et en sciences, parfois en français et en histoire», précise-t-il.

En 2013, l'Université du Québec en Outaouais a décerné, de son côté, 20 diplômes répartis dans les profils univers social, français et mathématiques. «On a du mal à satisfaire aux besoins en Outaouais. Il est rare de commencer sa carrière avec un poste à temps complet, mais on peut facilement décrocher des contrats pour des remplacements de congés de maternité ou de maladie», indique Sylvie Fontaine, directrice du Module de l'éducation.

PROFIL RECHERCHÉ

Une excellente connaissance de sa matière et une grande curiosité sont indispensables pour réussir dans la profession, selon Sylvie Fontaine. «Avec Internet, les jeunes sont branchés en permanence et ont accès à un flot d'informations. Ce n'est pas toujours facile de faire la part des choses, il faut savoir répondre à leurs interrogations, les aiguiller et leur apprendre à distinguer une bonne source d'une mauvaise», précise-t-elle.

Par ailleurs, un bon enseignant doit bien connaître ses élèves, leurs problèmes et leur psychologie. «La motivation des élèves et la gestion des conflits en classe sont des défis quotidiens», confie Bastien Sasseville.

PERSPECTIVES

Au cours de sa carrière, l'enseignant bénéficie de journées de formation offertes notamment par les commissions scolaires pour explorer les nouvelles approches pédagogiques ou pour en apprendre davantage sur les plus récents changements apportés aux programmes. «Des universités proposent aussi des séances de perfectionnement, en psychologie de l'enfant ou en gestion de classe par exemple», précise Bastien Sasseville.

L'enseignant peut également décider, au cours de sa carrière, de poursuivre ses études aux cycles supérieurs. «Une problématique éprouvée dans son école peut faire l'objet d'une recherche scientifique à la maîtrise», ajoute Bastien Sasseville. Enfin, il arrive que des enseignants travaillent pour des maisons d'édition produisant du matériel didactique lié, par exemple, à l'enseignement du français au secondaire. 2013-09

SUR LE TERRAIN

- **Poste :** enseignant au secondaire
- **Principaux employeurs :** commissions scolaires, écoles secondaires publiques et privées

ÇA VOUS INTÉRESSE?
Plus d'info page 191

ÉTABLISSEMENTS OFFRANT LE PROGRAMME

7, 19, 41, 75, 76, 106, 191, 192, 193, 204, 214, 215, 216

Voir le répertoire des établissements en page 264.

Consultez des portraits de diplômés issus de ces formations à www.jobboom.com/carrieresdavenir

Formation des enseignants spécialistes au primaire et au secondaire

Baccalauréat > par Ariane Dadier-Hénaut

Nombre de diplômés	Diplômés en emploi	À temps plein	En rapport avec la formation	Aux études	Taux de chômage
719	90,0 %	67,0 %	92,6 %	5,5 %	2,4 %

Salaire hebdo. moyen
784 $

La Relance à l'université - 2013, MELS et MESRST.

PLACEMENT

À l'Université du Québec en Abitibi-Témiscamingue, sept finissants ont reçu un diplôme de baccalauréat en enseignement de l'anglais langue seconde en 2013. «Comme ceux des promotions des années passées, ils se sont tous placés rapidement. Les besoins sont tellement grands que nos étudiants peuvent obtenir des contrats de suppléance dès leur première année de formation», dit Bernard Harvey, directeur du Module des sciences de l'éducation.

Les enseignants en anglais langue seconde, mais aussi ceux en éducation physique et en musique, sont particulièrement recherchés dans le réseau. Des 22 finissants du baccalauréat en enseignement au secondaire de l'Université du Québec à Rimouski, tous profils confondus, 2 seulement se sont spécialisés en musique en 2013. «Les commissions scolaires en milieu éloigné nous contactent parfois pour nous dire qu'elles manquent d'enseignants dans un domaine particulier. Dans ce cas, nous leur recommandons nos finissants, qui se placent sans difficulté», indique Bastien Sasseville, directeur du Module d'enseignement secondaire.

PROFIL RECHERCHÉ

Les enseignants spécialisés en langue seconde, en arts plastiques, en art dramatique, en musique ou en éducation physique sont aptes à travailler à la fois au primaire et au secondaire. Ainsi, ils peuvent être appelés à exercer leur métier auprès d'enfants d'âges variés, en fonction des classes où ils interviennent. Dotés d'un bon sens de l'observation, ils doivent tenir compte des particularités de chaque groupe d'élèves et s'adapter facilement. «Il faut, bien entendu, être passionné par la matière que l'on va enseigner au cours de sa carrière», précise Bastien Sasseville. Parfois aux prises avec des difficultés d'apprentissage, le handicap d'un élève, ou encore la gestion des conflits en classe, ces enseignants doivent être prêts à s'investir et être forts psychologiquement.

PERSPECTIVES

Généralement, un jeune diplômé spécialiste au primaire et au secondaire commence sa carrière par la suppléance (un contrat à la demi-journée ou à la journée) ou par un contrat de remplacement, souvent lié au départ d'un enseignant pour cause de congé de maternité ou de maladie. «Cela peut prendre plus de temps pour décrocher un emploi permanent en ville qu'en région éloignée, où des manques se font sentir», note Bastien Sasseville.

Les défis dans la profession sont quotidiens. «Il est indispensable que l'enseignant soit dans un apprentissage constant de sa propre matière. D'ailleurs, dès qu'il a fini le baccalauréat, il doit étendre ses connaissances en suivant des activités de formation continue, peu importe la matière enseignée», ajoute Bernard Harvey. 2013-09

SUR LE TERRAIN

- **Poste :** enseignant
- **Principaux employeurs :** écoles primaires et secondaires, écoles privées, écoles pour adultes

ÇA VOUS INTÉRESSE? Plus d'info page 191

ÉTABLISSEMENTS OFFRANT LE PROGRAMME

7, 41, 75, 76, 106, 190, 191, 192, 193, 204, 214

Voir le répertoire des établissements en page 264.

Pour plus de renseignements sur les statistiques et nos critères de sélection, consultez la rubrique *Comment interpréter l'information*, p. 8.

Orientation, information scolaire et professionnelle

Maîtrise > par Catherine Mainville-M.

Nombre de diplômés	104
Diplômés en emploi	81,8 %
À temps plein	88,9 %
En rapport avec la formation	87,5 %
Aux études	9,1 %
Taux de chômage	5,3 %

Salaire hebdo. moyen **875 $**

La Relance à l'université - 2013, MELS et MESRST.

PLACEMENT

Bon an mal an, une trentaine de finissants obtiennent une maîtrise en carriérologie à l'Université du Québec à Montréal. «Le placement de nos diplômés est excellent, affirme Edwidge Desjardins, directrice de la maîtrise. Très souvent, les étudiants sont recrutés au sein de leur milieu de stage.» À l'Université Laval, où 81 étudiants ont décroché une maîtrise en sciences de l'orientation à l'hiver et à l'été 2013, on estime que la très grande majorité d'entre eux devrait trouver un emploi dans la première année suivant l'obtention du diplôme, dit Lysanne Tanguay, conseillère à la gestion des études à la Faculté des sciences de l'éducation.

De plus en plus de gens consultent les conseillers d'orientation, remarque Edwidge Desjardins. «La consultation n'est plus vue comme une faiblesse, explique-t-elle. D'autant plus qu'un nombre grandissant de compagnies d'assurance reconnaissent et couvrent désormais ce genre de consultation.»

PROFIL RECHERCHÉ

«Le rôle du conseiller d'orientation est de faciliter les transitions et les changements que vivent les individus et les collectivités», explique Lysanne Tanguay. Un intérêt marqué pour les relations d'aide et une facilité pour l'écoute et l'empathie sont donc des impératifs. «Le conseiller doit aussi parfois faire preuve de stratégie, fait valoir Edwidge Desjardins. Comme certaines personnes sont négatives ou toujours en opposition, il faut trouver le moyen de contourner de tels mécanismes.» «Une aptitude à travailler en équipe est nécessaire, puisque le conseiller collabore avec différents professionnels, dont des enseignants, des médecins et des psychologues», ajoute Lysanne Tanguay. Enfin, une bonne maîtrise de la langue française est essentielle parce que le conseiller doit régulièrement rédiger des rapports.

SUR LE TERRAIN

- **Postes :** conseiller d'orientation, conseiller en emploi, agent de gestion du personnel
- **Principaux employeurs :** écoles primaires et secondaires, cégeps, universités, organismes d'aide à l'emploi, agences de placement, entreprises privées

ÇA VOUS INTÉRESSE? Plus d'info page 191

PERSPECTIVES

Les conseillers d'orientation ne sont plus confinés aux écoles. Outre l'orientation scolaire, leurs activités professionnelles touchent désormais à la recherche d'emploi, la transition de carrière, la préparation à la retraite, etc. D'autres avenues sont aussi envisageables. «Environ 50 % de nos diplômés ne portent pas le titre de conseiller d'orientation, mais travaillent plutôt comme agents de gestion du personnel, conseillers de développement organisationnel, etc.», souligne Lysanne Tanguay.

Depuis l'entrée en vigueur en septembre 2012 de la Loi modifiant le Code des professions et d'autres dispositions législatives dans le domaine de la santé mentale et des relations humaines, certaines activités professionnelles sont désormais réservées aux conseillers d'orientation, comme l'évaluation du retard mental d'un individu ou l'évaluation d'un élève handicapé ou en difficulté d'adaptation. 2013-09

Il faut être membre de l'Ordre des conseillers et conseillères d'orientation du Québec pour porter le titre de conseiller d'orientation.

ÉTABLISSEMENTS OFFRANT LE PROGRAMME

41, 76, 192, 193

Voir le répertoire des établissements en page 264.

Consultez des portraits de diplômés issus de ces formations à www.jobboom.com/carrieresdavenir

Psychoéducation

Maîtrise > par Ariane Dadier-Hénaut

Nombre de diplômés
115

Diplômés en emploi
96,6 %

À temps plein
92,9 %

En rapport avec la formation
96,2 %

Aux études
2,3 %

Taux de chômage
0,0 %

Salaire hebdo. moyen
1 046 $

La Relance à l'université - 2013, MELS et MESRST.

PLACEMENT

À l'Université du Québec en Outaouais, entre 40 et 50 étudiants obtiennent chaque année la maîtrise en psychoéducation. Le taux de placement atteint pratiquement 100 %. «Quand nos étudiants effectuent un bon stage, les milieux de travail sont souvent intéressés à les garder à temps partiel, voire complet. Près de 60 % de nos étudiants sont même déjà en emploi avant de faire leur stage», dit Diane Dubeau, responsable des programmes de 2e cycle en psychoéducation.

En 2013, 9 étudiants ont reçu leur diplôme de maîtrise à l'Université du Québec en Abitibi-Témiscamingue. «Notre taux de diplomation est plus variable que dans les autres universités, car une grande partie de nos étudiants sont à temps partiel», indique Denise Côté, responsable de la maîtrise en psychoéducation. Elle précise cependant que le taux de placement des diplômés demeure excellent. Environ 90 % de ceux-ci décrochent un emploi dans la région, sans difficulté.

PROFIL RECHERCHÉ

Le psychoéducateur intervient auprès des personnes - de la petite enfance au troisième âge - aux prises avec des problèmes d'adaptation, de comportement ou de santé mentale. En contact direct avec sa clientèle, il évalue les difficultés par l'observation, des questionnaires et des tests standardisés. Il doit donc être bien organisé pour que la planification et la mise en œuvre de son intervention soient réussies.

Observateur, créatif et persévérant, le psychoéducateur fait des animations de groupes de gens en crise ou de personnes en perte d'autonomie. «Il faut de bonnes habiletés pour créer des liens et une excellente capacité d'adaptation», explique Diane Dubeau.

SUR LE TERRAIN

- **Postes :** psychoéducateur, intervenant psychosocial, responsable des services pédagogiques, conseiller pédagogique, agent de relations humaines
- **Principaux employeurs :** écoles primaires et secondaires, centres de la petite enfance et d'éducation des adultes, centres jeunesse, hôpitaux et centres de réadaptation, CSSS, organismes communautaires, cabinets privés

PERSPECTIVES

L'Ordre des psychoéducateurs et psychoéducatrices du Québec oblige ses membres à participer à 40 heures d'activités de formation continue tous les deux ans. «Celles-ci peuvent porter, par exemple, sur l'intervention de crise auprès de personnes suicidaires, sur l'utilisation de nouveaux instruments d'évaluation ou sur les problèmes de comportement des enfants en milieu scolaire», indique Diane Dubeau.

Entrée en vigueur en septembre 2012, la Loi modifiant le Code des professions et d'autres dispositions législatives dans le domaine de la santé mentale et des relations humaines a redéfini le rôle des psychoéducateurs en leur réservant désormais certains actes. Par exemple, seuls ceux qui possèdent ce titre professionnel peuvent évaluer les difficultés d'adaptation et les capacités adaptatives d'une personne atteinte d'un trouble mental. 2013-10

Il faut être membre de l'Ordre des psychoéducateurs et psychoéducatrices du Québec pour porter le titre de psychoéducateur.

ÇA VOUS INTÉRESSE?
Plus d'info page 191

ÉTABLISSEMENTS OFFRANT LE PROGRAMME

7, 76, 94, 106, 191, 204

Voir le répertoire des établissements en page 264.

Pour plus de renseignements sur les statistiques et nos critères de sélection, consultez la rubrique *Comment interpréter l'information*, p. 8.

Service social

ÇA VOUS INTÉRESSE?
Plus d'info page 201

Baccalauréat et maîtrise > par Ariane Dadier-Hénaut

PLACEMENT

En 2013, environ 150 étudiants ont obtenu leur diplôme de baccalauréat en travail social à l'Université du Québec en Abitibi-Témiscamingue (UQAT). Ce nombre inclut aussi les diplômés de l'Université du Québec à Rimouski (UQAR), qui offre le programme en partenariat avec l'UQAT à son campus de Rimouski depuis l'automne 2008 et à celui de Lévis depuis 2012. «L'UQAR a ainsi diplômé 26 finissants en travail social en 2013. Plus de 90 % d'entre eux devraient se placer rapidement. Il y a une pénurie de main-d'œuvre en Gaspésie, à Baie-Comeau, dans la Chaudière-Appalaches et aux Îles-de-la-Madeleine», dit Jean-Yves Desgagnés, codirecteur du Module de travail social à l'UQAR, campus de Lévis.

«Notre programme de travail social est le seul qui n'est pas contingenté au Québec, note Stéphane Grenier, directeur du Module de travail social à l'UQAT. Plus de 50 % de nos étudiants viennent de l'extérieur de la région. Et on affiche un taux de placement proche de 100 %.» Bien que le baccalauréat suffise pour intégrer l'Ordre des travailleurs sociaux et des thérapeutes conjugaux et familiaux du Québec, certains étudiants choisissent de poursuivre des études supérieures. En 2013, huit étudiants, pour la plupart déjà en emploi, ont opté pour la maîtrise à temps partiel à l'UQAT.

PROFIL RECHERCHÉ

Le travailleur social vient en aide aux personnes démunies, familles ou communautés vivant une situation sociale difficile. Il agit, par exemple, auprès d'enfants négligés ou abusés, de gens sans emploi ou de victimes de violence conjugale. «Il faut être à l'écoute et avoir un bon savoir-être. Une réelle capacité d'adaptation est indispensable pour traiter des cas souvent complexes», dit Stéphane Grenier.

«En milieu hospitalier, le travailleur social doit aussi savoir collaborer avec les médecins, psychologues, psychoéducateurs et infirmières», confie Jean-Yves Desgagnés.

PERSPECTIVES

«Beaucoup de nos jeunes diplômés se retrouvent dans une communauté autochtone à intervenir en protection de la jeunesse. Ils commencent souvent dans les secteurs les plus difficiles», remarque Stéphane Grenier.

Présentement, des postes permanents peuvent être obtenus en très peu de temps dans le domaine communautaire ou dans la fonction publique un peu partout au Québec. Le travailleur social pourra œuvrer aussi bien dans les centres jeunesse que dans les CLSC, où il sera amené, par exemple, à traiter des troubles de santé mentale et de toxicomanie. 2013-10

Il faut être membre de l'Ordre des travailleurs sociaux et des thérapeutes conjugaux et familiaux du Québec pour porter le titre de travailleur social.

SUR LE TERRAIN

- **Postes :** travailleur social, intervenant social, conseiller en réadaptation, agent de relations humaines ou de probation
- **Principaux employeurs :** centres jeunesse, organismes communautaires, centres d'accueil, CLSC, CHSLD, centres de réadaptation, ministères, écoles

ÉTABLISSEMENTS OFFRANT LE PROGRAMME

Voir les lieux de formation en annexe, page 260.

STATISTIQUES	Nombre de diplômés	Diplômés en emploi	À temps plein	En rapport avec la formation	Aux études	Taux de chômage	Salaire hebdo. moyen
Service social - baccalauréat	673	84,2 %	86,7 %	93,4 %	7,5 %	3,4 %	837 $
Service social - maîtrise	168	89,4 %	87,1 %	95,5 %	2,7 %	2,9 %	1 017 $

La Relance à l'université - 2013, MELS et MESRST.

Consultez des portraits de diplômés issus de ces formations à www.jobboom.com/carrieresdavenir

La sélection 2014

LES formations À surveiller de 2014

Dans cette section, vous trouverez des formations qui, lors de nos enquêtes auprès des établissements d'enseignement, ont été classées parmi celles ayant un caractère prometteur : recrudescence marquée de la demande de diplômés en 2013, intégration possible des diplômés dans des secteurs en croissance sur le marché du travail, débouchés traditionnellement intéressants pour les diplômés, mais momentanément incertains à cause d'une conjoncture économique particulière, etc.

Toutefois, les plus récentes statistiques provinciales de ces programmes ne correspondent pas strictement à nos critères de sélection. C'est pourquoi nous les traitons à part.

- Les formations dont le bon placement nous avait été mentionné dans le cadre de l'enquête sur le placement du printemps 2013 font l'objet d'un texte plus documenté.
- Nous présentons sous forme de liste les programmes pour lesquels des établissements de formation nous ont signalé, lors de nos récentes enquêtes sur le terrain, un manque de diplômés par rapport à la demande des employeurs.
- Certains programmes de la section *À surveiller* mènent à des métiers saisonniers. Or, les enquêtes *Relance* ont lieu à l'hiver. Cela peut expliquer pourquoi les statistiques ne se conforment pas toujours à nos critères, alors que, sur le terrain, les perspectives d'emploi des diplômés sont décrites comme excellentes par les établissements de formation.
- Par ailleurs, nous avons ajouté dans cette section, certains programmes qui font partie du *Top 50 des programmes de formation professionnelle et technique offrant les meilleures perspectives d'emploi* du MELS.

À leur façon, ces formations sont toutes à surveiller!

Vente-conseil

DEP 5321 > par André Lavoie

Nombre de diplômés	1 014
Diplômés en emploi	74,5 %*
À temps plein	88,1 %
En rapport avec la formation	70,8 %
Aux études	14,5 %
Taux de chômage	8,3 %

Salaire hebdo. moyen
687 $

La Relance au secondaire en formation professionnelle – 2012, MELS et MESRST.

*Ce faible taux d'emploi peut s'expliquer par le pourcentage élevé de diplômés qui poursuivent leurs études (14,5 %).

ÇA VOUS INTÉRESSE?
Plus d'info page 186

PLACEMENT

«Nous affichons un taux de placement de 100 % depuis des années», affirme avec fierté Marie-Danielle Laflamme, enseignante en vente-conseil au Centre de formation professionnelle (CFP) 24-Juin, à Sherbrooke. En effet, les 18 diplômés de la promotion 2013 ont tous trouvé un emploi, souvent même avant la fin de leur dernière année d'études, qui est ponctuée de 4 stages en entreprise.

Même succès du côté du CFP Samuel-De Champlain, à Québec, où enseigne Carl Baribeau, responsable du programme. Ses 19 élèves ont été très sollicités par les employeurs de la région. L'enseignant dit recevoir annuellement quatre ou cinq offres d'emploi pour chaque finissant disponible.

Les compagnies savent qu'elles peuvent compter sur du personnel bien formé, car ce sont souvent des anciens du programme qui recrutent les diplômés. «Lorsqu'ils deviennent directeurs des ventes ou superviseurs d'un territoire, ils savent où aller pour embaucher des conseillers», précise Carl Baribeau.

PROFIL RECHERCHÉ

Fort en gueule et manipulateur : voilà deux qualificatifs qui sont souvent accolés au vendeur... mais à tort. «Il faut se battre contre cette image», se désole Carl Baribeau, qui voit plutôt en eux des travailleurs essentiels pour l'économie. «Nous développons l'intelligence émotionnelle de nos élèves. La vente, c'est un état d'esprit», précise l'enseignant.

Pour Marie-Danielle Laflamme, au-delà du savoir-faire, il y a le savoir-être. «Soigner son apparence, donner une bonne poignée de main, choisir le bon produit et non pas le plus cher, c'est essentiel. Et surtout, il faut être à l'écoute du client», ajoute-t-elle. Selon Carl Baribeau, la véritable compétence s'affiche non pas lorsque vous vendez un produit, mais plutôt lorsque vous fidélisez un consommateur. «Cela témoigne du fait que le client vous fait confiance», dit-il.

SUR LE TERRAIN

- **Postes :** vendeur, conseiller, représentant, gérant, directeur commercial
- **Principaux employeurs :** commerces de détail, concessionnaires automobiles, entreprises de télécommunications, compagnies agroalimentaires, grossistes, fabricants de matériaux de construction

PERSPECTIVES

Il ne faut pas croire que l'achat en ligne fera disparaître la profession. «La personne à la recherche du "beau, bon, pas cher" peut trouver pratiquement tout ce dont elle a besoin sur Internet. Mais dès qu'un produit affiche une certaine complexité, la présence du vendeur est importante», affirme Marie-Danielle Laflamme. Qu'on pense à l'automobile, au matériel informatique ou aux télécommunications.

Carl Baribeau reconnaît que les nouvelles technologies vont transformer le métier de vendeur, «mais les centres commerciaux ne vont pas fermer de sitôt», assure-t-il. Les employeurs savent qu'ils ont tout à gagner en embauchant des gens qualifiés et passionnés. Selon lui, «20 % des employés en vente génèrent 80 % des résultats des entreprises». 2013-09

ÉTABLISSEMENTS OFFRANT LE PROGRAMME

Voir les lieux de formation en annexe, page 260.

Consultez des portraits de diplômés issus de ces formations à www.jobboom.com/carrieresdavenir

FORMATION PROFESSIONNELLE

> SECTEUR 01 ADMINISTRATION, COMMERCE ET INFORMATIQUE

Secrétariat médical* ASP 5227	Nombre de diplômés	Diplômés en emploi	À temps plein	En rapport avec la formation	Aux études	Taux de chômage	Salaire hebdo. moyen
	344	**82,3 %**	**85,0 %**	**73,5 %**	**6,1 %**	**5,8 %**	**638 $**

* Ce programme fait partie du *Top 50 des programmes de formation professionnelle et technique offrant les meilleures perspectives d'emploi* du MELS.

> SECTEUR 03 ALIMENTATION ET TOURISME

Boucherie de détail* DEP 5268	Nombre de diplômés	Diplômés en emploi	À temps plein	En rapport avec la formation	Aux études	Taux de chômage	Salaire hebdo. moyen
	248	**71,8 %****	**95,7 %**	**79,5 %**	**13,7 %**	**11,9 %**	**530 $**

* Ce programme fait partie du *Top 50 des programmes de formation professionnelle et technique offrant les meilleures perspectives d'emploi* du MELS.
** Ce faible taux d'emploi peut s'expliquer par le pourcentage élevé de diplômés qui poursuivent leurs études (13,7 %).

> SECTEUR 09 ÉLECTROTECHNIQUE

Montage de lignes électriques* DEP 5185	Nombre de diplômés	Diplômés en emploi	À temps plein	En rapport avec la formation	Aux études	Taux de chômage	Salaire hebdo. moyen
	315	**90,2 %**	**98,8 %**	**73,6 %**	**1,1 %**	**8,3 %**	**1 159 $**

* Ce programme fait partie du *Top 50 des programmes de formation professionnelle et technique offrant les meilleures perspectives d'emploi* du MELS.

> SECTEUR 11 FABRICATION MÉCANIQUE

Dessin industriel* DEP 5225	Nombre de diplômés	Diplômés en emploi	À temps plein	En rapport avec la formation	Aux études	Taux de chômage	Salaire hebdo. moyen
	234	**75,6 %****	**96,7 %**	**86,4 %**	**11,8 %**	**10,9 %**	**652 $**

* Ce programme fait partie du *Top 50 des programmes de formation professionnelle et technique offrant les meilleures perspectives d'emploi* du MELS.
** Ce faible taux d'emploi peut s'expliquer par le pourcentage élevé de diplômés qui poursuivent leurs études (11,8 %).

> SECTEUR 12 FORESTERIE ET PAPIER

Pâtes et papiers – Opérations* DEP 5262	Nombre de diplômés	Diplômés en emploi	À temps plein	En rapport avec la formation	Aux études	Taux de chômage	Salaire hebdo. moyen
	44	**83,3 %**	**100,0 %**	**79,2 %**	**10,0 %**	**7,4 %**	**959 $**

* Ce programme fait partie du *Top 50 des programmes de formation professionnelle et technique offrant les meilleures perspectives d'emploi* du MELS.

FORMATION COLLÉGIALE

> SECTEUR 07 BÂTIMENT ET TRAVAUX PUBLICS

Programme	Nombre de diplômés	Diplômés en emploi	À temps plein	En rapport avec la formation	Aux études	Taux de chômage	Salaire hebdo. moyen
Technologie de l'estimation et de l'évaluation en bâtiment (Évaluation immobilière)* DEC 221.DB	37	69,2 %**	95,0 %	94,7 %	23,1 %	5,3 %	688 $

* Ce programme fait partie du *Top 50 des programmes de formation professionnelle et technique offrant les meilleures perspectives d'emploi* du MELS.
** Ce faible taux d'emploi peut s'expliquer par le pourcentage élevé de diplômés qui poursuivent leurs études (23,1 %).

> SECTEUR 09 ÉLECTROTECHNIQUE

Programme	Nombre de diplômés	Diplômés en emploi	À temps plein	En rapport avec la formation	Aux études	Taux de chômage	Salaire hebdo. moyen
Technologie de l'électronique (Télécommunications)* DEC 243.BA	114	52,5 %**	95,2 %	75,0 %	45,0 %	4,5 %	760 $

* Ce programme fait partie du *Top 50 des programmes de formation professionnelle et technique offrant les meilleures perspectives d'emploi* du MELS.
** Ce faible taux d'emploi peut s'expliquer par le pourcentage élevé de diplômés qui poursuivent leurs études (45,0 %).

> SECTEUR 10 ENTRETIEN D'ÉQUIPEMENT MOTORISÉ

Programme	Nombre de diplômés	Diplômés en emploi	À temps plein	En rapport avec la formation	Aux études	Taux de chômage	Salaire hebdo. moyen
Techniques de maintenance d'aéronefs* DEC 280.C0	92	66,2 %**	97,8 %	80,0 %	23,5 %	10,0 %	709 $

* Ce programme fait partie du *Top 50 des programmes de formation professionnelle et technique offrant les meilleures perspectives d'emploi* du MELS.
** Ce faible taux d'emploi peut s'expliquer par le pourcentage élevé de diplômés qui poursuivent leurs études (23,5 %).

> SECTEUR 11 FABRICATION MÉCANIQUE

Programme	Nombre de diplômés	Diplômés en emploi	À temps plein	En rapport avec la formation	Aux études	Taux de chômage	Salaire hebdo. moyen
Technologie du génie industriel* DEC 235.B0	26	62,5 %**	100,0 %	73,3 %	37,5 %	0,0 %	758 $

* Ce programme fait partie du *Top 50 des programmes de formation professionnelle et technique offrant les meilleures perspectives d'emploi* du MELS.
** Ce faible taux d'emploi peut s'expliquer par le pourcentage élevé de diplômés qui poursuivent leurs études (37,5 %).

> SECTEUR 12 FORESTERIE ET PAPIER

Programme	Nombre de diplômés	Diplômés en emploi	À temps plein	En rapport avec la formation	Aux études	Taux de chômage	Salaire hebdo. moyen
Technologie forestière* DEC 190.B0	40	74,1 %**	92,9 %	69,2 %	25,9 %	0,0 %	779 $

* Ce programme fait partie du *Top 50 des programmes de formation professionnelle et technique offrant les meilleures perspectives d'emploi* du MELS.
** Ce faible taux d'emploi peut s'expliquer par le pourcentage élevé de diplômés qui poursuivent leurs études (25,9 %).

FORMATION UNIVERSITAIRE

> SECTEUR 01 ADMINISTRATION, COMMERCE ET INFORMATIQUE

Administration publique Maîtrise	Nombre de diplômés	Diplômés en emploi	À temps plein	En rapport avec la formation	Aux études	Taux de chômage	Salaire hebdo. moyen
	341	88,7 %	97,8 %	81,5 %	3,9 %	4,6 %	1 369 $

Administration scolaire Maîtrise	Nombre de diplômés	Diplômés en emploi	À temps plein	En rapport avec la formation	Aux études	Taux de chômage	Salaire hebdo. moyen
	133	94,1 %	98,9 %	93,6 %	4,0 %	1,0 %	1 673 $

> SECTEUR 12 FORESTERIE ET PAPIER

Génie forestier, foresterie et sciences du bois (sylviculture) Baccalauréat	Nombre de diplômés	Diplômés en emploi	À temps plein	En rapport avec la formation	Aux études	Taux de chômage	Salaire hebdo. moyen
	39	73,3 %*	100,0 %	90,9 %	20,0 %	4,3 %	981 $

* Ce faible taux d'emploi peut s'expliquer par le pourcentage élevé de diplômés qui poursuivent leurs études (20,0 %).

> SECTEUR 13 COMMUNICATIONS ET DOCUMENTATION

Bibliothéconomie et archivistique Maîtrise	Nombre de diplômés	Diplômés en emploi	À temps plein	En rapport avec la formation	Aux études	Taux de chômage	Salaire hebdo. moyen
	157	93,9 %	80,4 %	87,8 %	2,0 %	4,2 %	948 $

> SECTEUR 19 SANTÉ

Santé communautaire et épidémiologie Maîtrise	Nombre de diplômés	Diplômés en emploi	À temps plein	En rapport avec la formation	Aux études	Taux de chômage	Salaire hebdo. moyen
	91	90,0 %	93,3 %	90,5 %	6,0 %	2,2 %	1 137 $

Sources : *La Relance au secondaire en formation professionnelle – 2012, La Relance au collégial en formation technique – 2012, La Relance à l'université – 2013,* MELS et MESRST.

Traduction

Nombre de diplômés	286
Diplômés en emploi	81,6 %
À temps plein	84,2 %
En rapport avec la formation	73,2 %
Aux études	8,4 %
Taux de chômage	7,6 %

Salaire hebdo. moyen
811 $

La Relance à l'université – 2013, MELS et MESRST.

Baccalauréat > par Julie Chaumont

PLACEMENT

L'Université de Sherbrooke décerne entre 30 et 35 diplômes en traduction professionnelle chaque année. «Selon les analyses de l'Association de l'industrie de la langue, le marché pourrait absorber davantage de diplômés», rapporte Shirley Fortier, chargée de cours à forfait au programme.

À l'Université de Montréal, 104 étudiants ont obtenu leur diplôme en 2012-2013. Pour la première fois en 12 ans, les offres de stages arrivent en moins grand nombre, selon Nycole Bélanger, responsable des stages. «Le gouvernement fédéral a récemment coupé dans ses services de traduction et nous en ressentons les effets», affirme-t-elle.

Malgré tout, elle reste optimiste. Grâce à son bilinguisme officiel, le Canada offre beaucoup de possibilités d'emploi. «Et avec l'explosion des communications et des médias, les traducteurs sont toujours demandés», explique Shirley Fortier. D'autant plus que la moyenne d'âge des travailleurs est très élevée, ajoute-t-elle. «Il faut remplacer ceux qui partent à la retraite.»

PROFIL RECHERCHÉ

Pour être traducteur, une solide connaissance de la langue de départ et une maîtrise de celle dans laquelle on traduit (souvent la langue maternelle) sont essentielles. Une grande curiosité intellectuelle est aussi requise. «Un traducteur qui exerce en pharmaceutique, par exemple, doit être à l'affut des découvertes dans le domaine et maintenir son vocabulaire à jour», explique Nycole Bélanger. La capacité à travailler sous pression est également importante. «Le traducteur arrive en fin de processus, après la rédaction, la révision et les divers niveaux d'approbation d'un texte. Il doit donc être rapide et efficace», précise-t-elle.

Quoique bien des personnes puissent le penser, la traduction n'est pas un métier pour les solitaires. «Le traducteur doit avoir de la facilité à travailler en équipe, car il aura notamment à transiger avec des clients et des réviseurs», explique Shirley Fortier.

PERSPECTIVES

Plusieurs avenues s'offrent aux diplômés. Au fil de leur carrière, ils peuvent se spécialiser dans différents domaines (médical, pharmaceutique, juridique, etc.) ou se tourner vers une discipline connexe comme la rédaction, la terminologie (définition des termes spécialisés en usage pour des entreprises, des bases de données, des glossaires, des dictionnaires, etc.) et la gestion de projets de traduction. «Nous offrons également des cours de doublage et de sous-titrage, qui permettent d'élargir les horizons», souligne Shirley Fortier.

La technologie fait aussi évoluer la profession. «La postédition, qui consiste à faire la révision des traductions faites par des logiciels informatiques, occupe de plus en plus de place, indique Nycole Bélanger. C'est la preuve que ça prend toujours de la matière grise derrière une machine!» 2013-10

SUR LE TERRAIN

- **Postes :** traducteur, rédacteur, réviseur, terminologue, chef de projet
- **Principaux employeurs :** cabinets de traduction, services linguistiques de grandes entreprises, ministères fédéraux et provinciaux

ÇA VOUS INTÉRESSE?
Plus d'info page 180

ÉTABLISSEMENTS OFFRANT LE PROGRAMME

41, 76, 106, 190, 191, 193, 204, 215, 216

Voir le répertoire des établissements en page 264.

Consultez des portraits de diplômés issus de ces formations à www.jobboom.com/carrieresdavenir

Nutrition/Sciences de la nutrition

Baccalauréat > par Élise Prioleau

Nombre de diplômés	161
Diplômés en emploi	80,7 %
À temps plein	65,9 %
En rapport avec la formation	79,3 %
Aux études	14,7 %
Taux de chômage	2,2 %

Salaire hebdo. moyen
860 $

La Relance à l'université - 2013, MELS et MESRST.

PLACEMENT

À l'Université McGill, le taux de placement des 60 diplômés en nutrition de 2013 était de 100 %. «Plus de la moitié de nos finissants sont embauchés avant même la fin de leurs études, affirme Kristine Koski, directrice de l'École de diététique et de nutrition humaine. Ceci s'explique par le fait qu'il y a une variété de débouchés dans ce domaine.» Un nutritionniste peut, par exemple, devenir clinicien dans un hôpital, chef de service alimentaire, communicateur scientifique, conférencier, ou encore faire carrière dans l'industrie agroalimentaire.

Du côté de l'Université de Montréal, les 49 diplômés de 2013 ont tous décroché un emploi facilement, indique Louise St-Denis, responsable du programme. «Le domaine connaît un essor au Québec, car on voit présentement apparaître des nouveaux problèmes de santé nutritionnelle chez les jeunes, comme l'obésité et certaines formes de diabète, sans compter le besoin grandissant d'intervention nutritionnelle chez les aînés.»

PROFIL RECHERCHÉ

Le nutritionniste (ou diététiste) est un expert de la saine alimentation et de la prévention des maladies. «Il est appelé à transmettre ses connaissances à une variété de clientèles, comme ses patients, le grand public, des organismes, des chercheurs ou les médias, explique Kristine Koski. Les habiletés en vulgarisation scientifique sont donc importantes.»

La curiosité est aussi nécessaire, car le nutritionniste doit demeurer à jour dans son domaine et à l'affût des dernières recherches, selon Louise St-Denis. «Il doit aimer collaborer avec toutes sortes de professionnels. Il ne travaille jamais seul dans son bureau», ajoute-t-elle.

PERSPECTIVES

Le rôle du nutritionniste ne se limite pas à conseiller des recettes ou à en inventer, prévient Louise St-Denis. Son champ de pratique est vaste, allant de la gestion d'un service alimentaire collectif, dans une école ou un centre de la petite enfance par exemple, à la consultation dans un centre sportif. L'industrie alimentaire fait également appel aux nutritionnistes quand vient le temps de développer de nouveaux produits. «Dans les prochaines années, les nutritionnistes seront de plus en plus appelés à faire la promotion d'une nourriture saine auprès de l'industrie agroalimentaire afin que les entreprises améliorent la qualité de leurs produits», note Kristine Koski. Autre créneau en développement : la nutrigénomique, ajoute Louise St-Denis «Il s'agit de prescrire une alimentation adaptée aux gènes de l'individu.» 2013-10

Il faut être membre de l'Ordre professionnel des diététistes du Québec pour porter le titre de diététiste/nutritionniste.

SUR LE TERRAIN

- **Postes :** diététiste/nutritionniste, gestionnaire, chef de service alimentaire, consultant
- **Principaux employeurs :** centres hospitaliers, centres de soins et d'hébergement, entreprises du secteur agroalimentaire, restauration collective (commissions scolaires, centres de la petite enfance, etc.), industrie pharmaceutique

ÇA VOUS INTÉRESSE?
Plus d'info page 201

ÉTABLISSEMENTS OFFRANT LE PROGRAMME

41, 191, 193, 215, 216

Voir le répertoire des établissements en page 264.

Pour plus de renseignements sur les statistiques et nos critères de sélection, consultez la rubrique *Comment interpréter l'information*, p. 8.

Pratique sage-femme

Baccalauréat > par Julie Chaumont

Nombre de diplômés	13
Diplômés en emploi	58,3 %
À temps plein	57,1 %
En rapport avec la formation	100,0 %
Aux études	8,3 %
Taux de chômage	0,0 %

Salaire hebdo. moyen
1 061 $

La Relance à l'université - 2013, MELS et MESRST.

PLACEMENT

En 2013, les 20 diplômées* du baccalauréat en pratique sage-femme de l'Université du Québec à Trois-Rivières, seul établissement dans la province à offrir ce programme, ont trouvé un emploi. Elles n'occupent pas toutes un poste permanent, mais aucune n'est au chômage.

«La demande est forte», dit Raymonde Gagnon, directrice du programme. Selon un sondage réalisé pour le ministère de la Santé et des Services sociaux en 2010, 26 % des femmes souhaitent accoucher en maison de naissance ou à domicile. Cependant, seulement 2 ou 3 % d'entre elles en auront la chance, selon Marie-Ève St-Laurent, présidente de l'Ordre des sages-femmes du Québec. «Malgré les nombreux projets de développement présentement en cours, les points de service sont encore nettement insuffisants», ajoute-t-elle. La demande n'est donc pas près de s'essouffler pour ces professionnelles de la santé.

PROFIL RECHERCHÉ

La sage-femme effectue le suivi des femmes enceintes désirant accoucher naturellement. En plus d'avoir de l'intérêt pour tout ce qui touche à la naissance, il faut de bonnes habiletés relationnelles et une grande capacité d'adaptation. «Il faut moduler sa vie en fonction du travail. Les sages-femmes sont présentes pour l'accouchement de leurs clientes, leur horaire est donc imprévisible et leur emploi du temps susceptible de changer à la dernière minute», souligne Raymonde Gagnon.

Une bonne forme physique est aussi importante. «Lors d'un accouchement, en plus d'avoir parfois à aider une femme à se lever, une sage-femme peut se retrouver dans toutes sortes de positions inconfortables», explique Marie-Ève St-Laurent.

SUR LE TERRAIN

- **Poste :** sage-femme praticienne
- **Principaux employeurs :** CSSS, maisons de naissance, services de sages-femmes, centres hospitaliers, CLSC

ÇA VOUS INTÉRESSE? Plus d'info page 201

PERSPECTIVES

«La croyance populaire veut que les sages-femmes ne soient pas en mesure d'intervenir en cas d'urgence. Mais c'est faux», souligne Raymonde Gagnon. Elles doivent d'ailleurs suivre tous les deux ans une formation sur la détection et la gestion adéquate des urgences obstétricales et une autre sur la prise en charge d'un nouveau-né nécessitant des manœuvres de réanimation à la naissance.

Les sages-femmes peuvent travailler au sein du réseau de la santé provincial ou pour l'organisme Médecins sans frontières, qui recrute pour différentes missions humanitaires. En poursuivant les études à la maîtrise, elles peuvent accéder à des emplois en santé publique ou en enseignement. 2013-10

Il faut être membre de l'Ordre des sages-femmes du Québec pour porter le titre de sage-femme.

**Le féminin est utilisé dans cet article étant donné la très grande proportion de femmes diplômées en pratique sage-femme.*

ÉTABLISSEMENT OFFRANT LE PROGRAMME

106

Voir le répertoire des établissements en page 264.

Consultez des portraits de diplômés issus de ces formations à www.jobboom.com/carrieresdavenir

Droit

Baccalauréat > par Catherine Mainville-M.

Nombre de diplômés	1 146
Diplômés en emploi	53,9 %*
À temps plein	95,6 %
En rapport avec la formation	91,6 %
Aux études	31,4 %
Taux de chômage	10,6 %

Salaire hebdo. moyen **1 001 $**

La Relance à l'université - 2013, MELS et MESRST.

*Ce faible taux d'emploi peut s'expliquer par le pourcentage élevé de diplômés qui poursuivent leurs études (31,4 %).

PLACEMENT

Après avoir connu un ralentissement dans la foulée de la crise économique de 2008-2009, le placement des bacheliers en droit se porte mieux. À la Faculté de droit de l'Université de Montréal, où 350 finissants ont obtenu un baccalauréat en 2012 et en 2013, on remarque un certain regain d'activité dans le marché, rapporte Aminata Bal, coordonnatrice du Centre de développement professionnel.

À l'Université Laval, où l'on a diplômé 201 finissants en 2013 (ce nombre totalisant les finissants des sessions d'hiver et d'été), on estime également que les perspectives d'emploi sont très bonnes. Selon Louis-Philippe Lampron, directeur des programmes de 1er cycle à la Faculté de droit, le bon placement des diplômés s'explique en partie par l'augmentation des départs à la retraite, mais aussi par la polyvalence de la formation qui permet aux jeunes avocats de travailler dans divers milieux. «Le développement de nouveaux domaines du droit comme l'environnement, la propriété intellectuelle ou les médias sociaux offre aussi de belles ouvertures», ajoute Micheline Voyzelle, conseillère en emploi au Centre de développement professionnel de la Faculté.

PROFIL RECHERCHÉ

«Le milieu demande une forte capacité d'analyse, indique Louis-Philippe Lampron. Cet atout est essentiel afin de cerner les lois ou les règles qui s'appliquent dans un cas précis.»

Un intérêt pour la lecture et la rédaction, de bonnes habiletés en communication et la capacité de mener une argumentation sont également nécessaires. Enfin, dans un contexte de mondialisation, il faut savoir faire preuve d'ouverture d'esprit et de curiosité intellectuelle, puisqu'on peut être appelé à travailler avec des gens de partout, relate Aminata Bal. Le bilinguisme est d'ailleurs fortement recommandé.

SUR LE TERRAIN

- **Postes :** avocat, notaire, procureur, médiateur
- **Principaux employeurs :** cabinets d'avocats, études de notaires, ministères provinciaux ou fédéraux, organismes publics et parapublics, entreprises privées

PERSPECTIVES

Les bacheliers qui souhaitent exercer le droit doivent suivre une formation de quatre ou huit mois à l'École du Barreau, à la suite de laquelle ils auront à faire un stage de six mois. Ceux qui désirent devenir notaires doivent obtenir un diplôme d'études supérieures spécialisées en droit notarial, un programme d'un an, après quoi il leur faudra effectuer un stage de 32 semaines par l'entremise de la Chambre des notaires du Québec.

Près d'un notaire sur deux travaille à son compte. Chez les avocats, 25 % pratiquent en entreprise, 25 % dans les secteurs public et parapublic, et 50 % en cabinet privé, selon le Barreau du Québec. Les avocats qui exercent dans le privé fondent leur propre cabinet ou se joignent à un bureau établi. 2013-10

Il faut être membre du Barreau du Québec pour porter le titre d'avocat et membre de la Chambre des notaires du Québec pour porter le titre de notaire.

ÉTABLISSEMENTS OFFRANT LE PROGRAMME

41, 76, 191, 192, 193, 215, 216

Voir le répertoire des établissements en page 264.

Pour plus de renseignements sur les statistiques et nos critères de sélection, consultez la rubrique *Comment interpréter l'information*, p. 8.

Former la relève

CERTAINS SECTEURS D'EMPLOI SONT INÉBRANLABLES DEVANT LES SOUBRESAUTS DE L'ÉCONOMIE. D'AUTRES, PLUS CYCLIQUES, PROFITENT ACTUELLEMENT D'UN CONTEXTE FAVORABLE ET SONT EN PLEIN ESSOR. EN VOICI QUELQUES-UNS QUI SE DÉMARQUENT PAR LEUR VIGUEUR.

TROIS SECTEURS EN VEDETTE

1 Technologies de l'information et des communications

Le secteur des technologies de l'information et des communications poursuit sa croissance fulgurante. Selon les prévisions actuelles, 3 800 postes seront à pourvoir chaque année d'ici 2015. Pourtant, les établissements scolaires peinent à répondre à la demande des employeurs, notamment en informatique et en génie logiciel, en raison du faible nombre de diplômés. Les ouvertures ne se limitent pas qu'aux entreprises spécialisées en TIC. En effet, près de la moitié des travailleurs évoluent en dehors du secteur, dans des banques, des compagnies d'assurance ou des entreprises manufacturières, entre autres.

3 800
Nombre de postes à pourvoir chaque année d'ici 2015 en TIC

2 Aérospatiale

Le secteur de l'aérospatiale, mené par le développement de la CSeries de Bombardier, a le vent dans les voiles. Au cours des prochaines années, la production de cette nouvelle série d'appareils emploiera 3 500 personnes dans la région de Montréal seulement. Et les perspectives devraient demeurer favorables au-delà de la construction des nouveaux aéronefs; des travailleurs seront aussi nécessaires pour les entretenir et les améliorer. La bonne santé du secteur de l'aérospatiale rejaillit sur toute une grappe industrielle de sous-traitants, qui profitent également de la manne.

3 500 Nombre de personnes qui travailleront à produire la CSeries de Bombardier à Montréal

3 Administration et comptabilité

Que l'économie soit sur une lancée ou qu'elle plonge en récession, les professionnels de l'administration et de la comptabilité ne manquent jamais de travail. Pas étonnant que le taux d'emploi des comptables professionnels frôlait les 100 % en 2013!

53
Âge moyen des membres de l'Ordre des administrateurs agréés du Québec

Alors que de nombreux scandales financiers ont fait la manchette au cours des dernières années, les entreprises recherchent plus que jamais des administrateurs compétents et rigoureux. Avec un effectif vieillissant, le secteur constitue une avenue prometteuse pour les diplômés.

Trois secteurs à surveiller

Santé et services sociaux

Avec le vieillissement de la population et la croissance démographique, les besoins en main-d'œuvre continueront de croître en santé. Des dizaines de milliers de travailleurs seront nécessaires pour satisfaire à la demande et remplacer les personnes parties à la retraite.

Mines et métallurgie

Malgré un ralentissement de l'activité et une baisse des investissements, le secteur minier est encore un filon d'avenir en raison de la richesse du sous-sol québécois... pour autant que le prix des métaux, par nature très cyclique, demeure élevé.

Construction et bâtiment

Après une année 2012 record, la construction a tourné au ralenti en 2013. Mais le démarrage des grands projets du Nord québécois ravivera l'activité.

Technologies de l'information et des communications (TIC)

L'industrie des TIC peut compter sur une main-d'œuvre jeune et dynamique pour répondre aux nouveaux besoins des entreprises en matière d'informatisation de procédés, de développement de logiciels ou de création d'applications mobiles.

> par Marie Lyan

EMPLOI

«Avec une croissance deux fois supérieure à celle des autres secteurs de l'économie, les TIC représentent un secteur d'avenir», estime Vincent Corbeil, gestionnaire de projets à TECHNO*Compétences*, le Comité sectoriel de main-d'œuvre en technologies de l'information et des communications. Selon les données fournies par l'organisme, près de 3 800 postes en TIC seront à pourvoir chaque année d'ici 2015 à travers la province.

«Les sous-secteurs du service-conseil et de la conception de systèmes informatiques demeurent particulièrement solides, avec de grandes entreprises comme CGI qui proposent des solutions technologiques complètes», précise Vincent Corbeil. En 2013, 25 % des offres d'emploi du secteur étaient d'ailleurs destinées aux analystes et consultants en informatique. «Dans les années à venir, des postes seront aussi à pourvoir dans le domaine de la mobilité, étant donné le développement d'applications pour les téléphones intelligents et les tablettes», ajoute Patrice-Guy Martin, président-directeur général du Réseau Action TI.

L'industrie du jeu vidéo, quant à elle, arrive à maturité. Malgré cela, les perspectives demeureront positives pour les prochaines années grâce aux investissements annoncés par Ubisoft et Warner Bros. à Montréal en octobre 2013.

Confirmées en 2013 par le gouvernement québécois, la prolongation et l'indexation du crédit d'impôt pour le développement des affaires électroniques sur une période de dix ans, à compter de janvier 2016, seront aussi bénéfiques aux entreprises spécialisées en TIC.

RECHERCHÉS

- Analystes des bases de données et administrateurs de données
- Analystes et consultants en informatique
- Concepteurs et développeurs Web
- Gestionnaires de systèmes informatiques
- Ingénieurs (génie informatique, génie logiciel et génie électronique)
- Programmeurs et concepteurs en médias interactifs
- Technologues et techniciens en génie

RELÈVE

Avec une moyenne d'âge établie à 41 ans, l'industrie des TIC ne connaît pas encore de pénurie de main-d'œuvre. «Mais les employeurs du secteur prévoient tout de même une première vague de départs à la retraite d'ici cinq à sept ans, surtout dans les grandes entreprises ainsi que dans les organisations publiques et gouvernementales», souligne Vincent Corbeil.

Or, depuis l'éclatement de la bulle informatique au début des années 2000, le Québec ne forme pas suffisamment de jeunes diplômés dans le secteur des TIC, notamment en informatique. «Dans notre département, nous avions près de 150 étudiants, contre une soixantaine aujourd'hui», affirme Nelly Khouzam, responsable du baccalauréat en sciences informatiques à l'Université Bishop's, à Sherbrooke.

Même si les chiffres remontent progressivement depuis quelques années, ils ne permettent pas encore de récupérer le retard accumulé. «Les entreprises s'arrachent littéralement les diplômés en génie informatique et en génie logiciel», confirme Allan Doyle, directeur du Service des stages et du placement à Polytechnique Montréal.

PORTRAIT STATISTIQUE

Selon les plus récentes données diffusées par TECHNO*Compétences*, 7 058 entreprises embauchaient 191 000 travailleurs en 2012. De ce nombre, 51 % travaillaient directement dans le secteur des TIC, soit en développement de logiciels, en service-conseil ou en télécommunications. Les autres professionnels (49 %) occupaient plutôt des postes chez des employeurs non spécialisés en TIC comme les banques, les compagnies d'assurance, les entreprises manufacturières ou les services publics. 2013-10

«LES EMPLOYEURS DU SECTEUR PRÉVOIENT TOUT DE MÊME UNE PREMIÈRE VAGUE DE DÉPARTS À LA RETRAITE D'ICI CINQ À SEPT ANS.»

– Vincent Corbeil, TECHNO*Compétences*

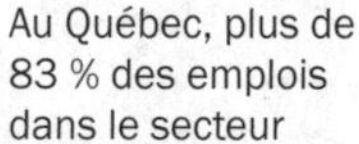

Au Québec, plus de 83 % des emplois dans le secteur des TIC se trouvent dans les grandes régions de Montréal et Québec. La Montérégie offre, pour sa part, 19 % des postes. Dans la Capitale-Nationale, la fonction publique est, de loin, le principal employeur.

FORMATIONS GAGNANTES

- Génie des technologies de l'information (p. 121)
- Génie informatique (p. 122)
- Génie logiciel (p. 123)
- Sciences de l'informatique (p. 125)
- Techniques de l'informatique (p. 71)

POUR ALLER PLUS LOIN

- **Ma carrière en jeux :** www.macarriereenjeux.com
- **Ma carrière techno :** www.macarrieretechno.com
- **Ordre des ingénieurs du Québec :** www.oiq.qc.ca
- **Ordre des technologues professionnels du Québec :** www.otpq.qc.ca
- **TECHNO*Compétences* :** www.technocompetences.qc.ca

Aérospatiale

L'industrie aérospatiale se distingue par des technologies de pointe et d'importantes retombées pour l'économie québécoise. En effet, 80 % de la production est exportée, créant ainsi une très grande valeur ajoutée pour le Québec.

> par Clémence Cireau

EMPLOI

Le secteur de l'aérospatiale a le vent en poupe. En témoigne le vol inaugural d'un avion de la CSeries de Bombardier, qui a eu lieu en septembre 2013. Suzanne Benoît, présidente-directrice générale d'Aéro Montréal, explique que 3 500 personnes travailleront ces prochaines années sur la production de ces appareils, rien que dans la région de Montréal. De plus, la société Boeing prévoit que le nombre d'avions commerciaux devrait doubler d'ici 2030, ajoute-t-elle. Une progression qui apportera son lot de bonnes nouvelles du côté de l'emploi. André Marcil, directeur des Partenariats d'affaires de l'École nationale d'aérotechnique (ÉNA) et du Centre de services aux entreprises et de formation continue du Collège Édouard-Montpetit, le confirme : «Ces avions nécessiteront aussi de l'entretien. On connaîtra alors un grand besoin de techniciens en maintenance et en avionique.»

Les possibilités d'emploi seront donc très diversifiées. Suzanne Benoît explique que le secteur a autant besoin d'ingénieurs que de techniciens, d'ébénistes pour les finitions intérieures des avions, de machinistes ou de pilotes. Les agents de méthode sont aussi très recherchés. L'ÉNA a d'ailleurs créé un programme accéléré, une attestation d'études collégiales, pour en former rapidement.

Du fait des contraintes environnementales, la recherche et développement est aussi un secteur particulièrement prometteur, explique André Marcil. Bien que l'industrie aérospatiale ait été touchée par la crise économique mondiale de 2008, elle a depuis repris de la vigueur, affirme-t-il. «Le Québec se positionne favorablement sur le marché mondial. Ce créneau d'excellence fait en sorte que des entreprises étrangères

RECHERCHÉS

- Agents de méthode
- Ébénistes
- Ingénieurs (intégration de systèmes, génie mécanique, génie électrique, génie logiciel)
- Machinistes
- Pilotes
- Techniciens en avionique
- Techniciens en construction aéronautique
- Techniciens en maintenance des aéronefs

viennent se greffer à notre grappe industrielle», dit-il. Les entreprises déploient beaucoup d'efforts pour recruter des travailleurs qualifiés, et les nombreux départs à la retraite à venir vont accentuer la demande de main-d'œuvre.

RELÈVE

D'ici les 15 prochaines années, 30 % de la main-d'œuvre québécoise du secteur aérospatial partira à la retraite. L'âge moyen des travailleurs est de 43 ans, mais Suzanne Benoît souligne qu'il est de 53 ans chez Bombardier et de 49 ans chez Pratt & Whitney. Des départs à la retraite massifs sont prévus dès 2016. «Et à ceci s'ajoute l'augmentation de la cadence de production. Le besoin de main-d'œuvre va donc être amplifié», précise-t-elle.

André Marcil explique, pour sa part, que les entreprises vont déployer des mesures pour maintenir des gens en emploi devant cette pénurie. «Certaines activités vont être restructurées pour être moins fragilisées par les départs à la retraite. Le plus important est de s'assurer que le transfert de connaissances se fasse bien et que le savoir reste au sein des entreprises», dit-il.

PORTRAIT STATISTIQUE

Dans l'industrie aérospatiale québécoise, 42 500 personnes travaillent en conception et construction. Quatre grands joueurs (Bombardier, Pratt & Whitney Canada, Bell Helicopter Textron et CAE) se partagent la majorité de ces travailleurs. Suzanne Benoît estime que ces quatre entreprises, à elles seules, procurent de l'emploi à 25 000 personnes dans l'industrie. À cela s'ajoutent les quelque 15 000 emplois de l'industrie du transport aérien et de la maintenance des aéronefs. 2013-10

DANS LA MÉTROPOLE, 1 EMPLOI SUR 96 SE TROUVE DANS L'INDUSTRIE AÉROSPATIALE.

OÙ TRAVAILLER?

Les postes du secteur aérospatial se concentrent presque exclusivement dans la grande région de Montréal. Suzanne Benoît affirme d'ailleurs que dans la métropole, 1 emploi sur 96 se trouve dans l'industrie aérospatiale.

FORMATIONS GAGNANTES

- Génie mécanique (p. 132)
- Techniques de construction aéronautique (p. 91)
- Techniques de maintenance d'aéronefs (p. 159)
- Techniques d'usinage (p. 51)
- Usinage sur machines-outils à commande numérique (p. 52)

POUR ALLER PLUS LOIN

- **Aéro Montréal :** www.aeromontreal.ca
- **Aerospace Industries Association :** www.aia-aerospace.org
- **Association québécoise du transport aérien :** www.aqta.ca
- **CAMAQ :** www.camaq.org

Administration et comptabilité

En période de reprise comme de crise économique, les organisations veulent avoir l'heure juste sur leur situation financière. À cet effet, l'expertise des comptables et des administrateurs est constamment recherchée pour assurer une saine gestion.

> par Amélie Cournoyer

EMPLOI

Les comptables sont au cœur des décisions d'affaires des organisations. Les services de ces professionnels sont toujours demandés, peu importe le contexte économique. «C'est la nature de leur travail qui change et qui s'ajuste aux fluctuations de l'économie. Quand on vit une récession, il y a moins d'acquisitions d'entreprises, mais plus de projection, de planification et d'analyse financières», dit Daniel McMahon, président et chef de la direction de l'Ordre des comptables professionnels agréés (CPA) du Québec. Autant d'activités dont s'occupent les comptables. Il précise qu'en 2013, le taux d'emploi des comptables professionnels frôlait les 100 %.

«Trois facteurs expliquent ces bonnes perspectives d'emploi, indique Michel Coulmont, directeur du Département de sciences comptables à l'Université de Sherbrooke. D'abord, la moyenne d'âge élevée des professionnels et l'élargissement du domaine d'intervention des comptables stimulent la demande. Puis, la venue des nouvelles normes internationales d'information financière [IFRS] force les entreprises à engager davantage de comptables.»

La demande d'administrateurs agréés est également forte. «Les récents scandales financiers ont augmenté les besoins en administrateurs agréés», souligne Me Denise Brosseau, directrice générale et secrétaire de l'Ordre des administrateurs agréés du Québec. Elle constate que les entreprises recherchent des professionnels rigoureux ayant un sens de l'éthique bien développé et capables d'appliquer les principes d'une saine gestion.

RECHERCHÉS

- Administrateurs agréés
- Analystes financiers
- Comptables professionnels
- Conseillers en management certifiés
- Contrôleurs
- Fiscalistes
- Gestionnaires
- Juricomptables
- Planificateurs financiers
- Vérificateurs internes

RELÈVE

L'âge moyen des membres de l'Ordre des CPA est de 47 ans. Les départs à la retraite des *baby-boomers* créeront d'importants besoins en main-d'œuvre d'ici quelques années, mais l'Ordre voit venir le coup. «Notre défi, c'est d'attirer suffisamment de candidats pour répondre à la demande. Et ça semble fonctionner, car le nombre d'inscriptions à l'Ordre a connu une hausse de 7 % en 2013», note Daniel McMahon.

Le phénomène du vieillissement de la population touche aussi l'Ordre des administrateurs agréés. L'âge moyen des membres est de 53 ans. «Avec les départs à la retraite, la demande de gestionnaires de haut niveau se fera de plus en plus grande, soutient Me Denise Brosseau. Déjà, les entreprises recherchent des diplômés qui démontrent des aptitudes multidisciplinaires en gestion, donc qui peuvent travailler sur plusieurs dossiers et qui sont habiles avec les nouvelles technologies.»

PORTRAIT STATISTIQUE

L'Ordre des CPA comptait 35 600 comptables professionnels en 2013. De 10 à 20 % d'entre eux sont engagés par les cabinets comptables, le ministère des Finances et de l'Économie et le bureau du Vérificateur général du Québec. Les autres pratiquent dans une variété d'entreprises privées, de même que dans des organisations publiques et parapubliques.

Sur les 1 406 administrateurs agréés du Québec, la majorité (73 %) travaille dans des entreprises privées, les autres pour des organismes publics, parapublics ou communautaires. De plus, 36 % occupent des postes de direction et 31 % ont un emploi de cadre. 2013-10

«AVEC LES DÉPARTS À LA RETRAITE, LA DEMANDE DE GESTIONNAIRES DE HAUT NIVEAU SE FERA DE PLUS EN PLUS GRANDE.»

– Me Denise Brosseau

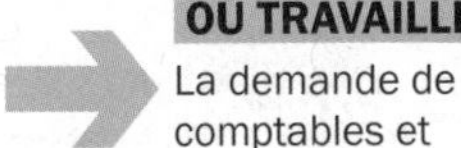

OÙ TRAVAILLER?

La demande de comptables et d'administrateurs se fait sentir dans toutes les régions du Québec, mais la majorité de ces professionnels travaille à Montréal, en Montérégie et à Québec. Les entreprises hors des grands centres ont donc du mal à les recruter.

FORMATIONS GAGNANTES

- Administration des affaires (p. 119)
- Administration publique (p. 160)
- Administration scolaire (p. 160)
- Comptabilité/Sciences comptables (p. 120)
- Techniques de comptabilité et de gestion (p. 70)

POUR ALLER PLUS LOIN

- **Ordre des administrateurs agréés du Québec :** www.adma.qc.ca
- **Ordre des CPA du Québec :** www.cpa-quebec.com

Agriculture et transformation alimentaire

Bien que mal connu de la population, le secteur agroalimentaire constitue un pilier qui stabilise l'économie du Québec et insuffle de la vitalité dans ses régions. Une tendance qui ne s'inversera pas de sitôt.

> par Laurence Hallé

EMPLOI

La transformation alimentaire est un secteur stable, peu sensible aux fluctuations économiques, selon Lise Perron, directrice générale du Comité sectoriel de main-d'œuvre en transformation alimentaire. «Nous continuerons toujours de manger, alors des emplois sont créés», dit-elle. Les techniciens au contrôle de la qualité, les chimistes en alimentation et les électromécaniciens, entre autres, sont particulièrement recherchés. En agriculture, environ la moitié de la main-d'œuvre est issue de la famille des producteurs, note Hélène Varvaressos, directrice générale d'AGRIcarrières, le Comité sectoriel de main-d'œuvre de la production agricole. «Mais les besoins en travailleurs sont grands parce que le nombre de fermes tend à diminuer, et celles qui restent sont plus grosses.» Ceux-ci s'avèrent difficiles à recruter, notamment parce que les exploitations se trouvent dans les régions rurales et que certains hésitent à se déplacer. Les productions laitières, porcines et horticoles, les sous-secteurs qui embauchent le plus, manquent cruellement d'ouvriers, de superviseurs et gérants de ferme, de mécaniciens et de technologistes agricoles. Grâce à la machinerie à la fine pointe de la technologie, le travail est moins exigeant physiquement qu'autrefois.

RELÈVE

Les métiers de la transformation alimentaire sont mal connus, ce qui nuit au recrutement, selon Lise Perron. L'âge moyen des agriculteurs québécois est de 51 ans. Si les fermes ont longtemps été transmises d'une génération à l'autre, c'est moins fréquent de nos jours. Pour la relève, le coût élevé des exploitations, surtout laitières et porcines, peut représenter un frein. «De plus en plus, les producteurs concluent des ententes avec un employé, par exemple pour lui transférer la ferme graduellement. L'État offre aussi de l'aide», mentionne Hélène Varvaressos. On compte entre 600 et 800 transferts de fermes par année. Il en faudrait 1 000 pour maintenir le nombre de fermes au Québec.

PORTRAIT STATISTIQUE

L'industrie de la transformation alimentaire compte environ 2 000 entreprises, dont 90 % sont des PME, qui embauchent près de 65 000 personnes. Les secteurs dominants sont ceux de la fabrication de produits de viande (18 125 travailleurs), de la boulangerie (13 235) et des produits laitiers (9 720). Du côté de l'agriculture, le Québec compte un peu moins de 30 000 fermes et près de 60 000 salariés. 2013-10

RECHERCHÉS

- Agronomes
- Électromécaniciens
- Frigoristes
- Ingénieurs en génie alimentaire
- Ouvriers spécialisés en production laitière, porcine ou serricole
- Préposés en boucherie industrielle
- Techniciens et chargés de projets en recherche et développement
- Vétérinaires

OÙ TRAVAILLER?

Près de la moitié des entreprises de transformation alimentaire se situe en périphérie de Montréal (Montérégie, Laval, Lanaudière, Laurentides). On trouve aussi de fortes concentrations dans les régions de Québec et Chaudière-Appalaches.

POUR ALLER PLUS LOIN

- **AGRIcarrières :** www.agricarrieres.qc.ca/
- **Centres d'emploi agricole du Québec :** www.emploiagricole.com
- **Comité sectoriel de main-d'œuvre en transformation alimentaire (CSMOTA) :** www.csmota.qc.ca/
- **Site jeunesse du CSMOTA :** www.alimentetavie.com

Arpentage et géomatique

De plus en plus de domaines font appel aux informations fournies par la géomatique. La demande de cartes dynamiques augmente et de nouveaux postes se créent constamment. Toutefois, les travailleurs manquent à l'appel.

> par Ariane Gruet-Pelchat

EMPLOI

La demande de spécialistes de l'arpentage et de la géomatique est vigoureuse et devrait aller en s'accroissant. «Tous les bureaux d'arpenteurs-géomètres manquent d'effectif», indique Raymond Houde, président du comité de révision de l'Ordre des arpenteurs-géomètres du Québec. Même son de cloche du côté de Pierre Daoust, chef de division Géomatique à la Ville de Laval. «On a de la difficulté à trouver des employés qualifiés et intéressés», dit-il.

Tout nouvel aménagement du territoire nécessite la prise de levés et la réalisation d'un plan, travail qui revient aux arpenteurs-géomètres. Ceux-ci doivent également analyser les titres de propriété et déterminer l'emplacement idéal pour les futurs bâtiments. Le secteur de la construction se porte bien et ne menace pas de s'essouffler de sitôt; par conséquent, les arpenteurs ne risquent pas de manquer de travail.

Quant à eux, les géomaticiens, c'est-à-dire les spécialistes en développement de logiciels géomatiques, sont très recherchés. «La connaissance du territoire est devenue indispensable pour tout organisme qui a des responsabilités en matière d'aménagement ou de gestion», souligne Pierre Daoust. Par exemple, les données géomatiques ont permis de cerner les régions les plus touchées par la grippe H1N1, et ainsi aidé les chercheurs à mieux comprendre les causes et la source de l'épidémie.

RELÈVE

Au Québec, l'âge moyen des arpenteurs-géomètres est de 52 ans; c'est donc dire que le besoin de relève va se faire de plus en plus sentir au cours des prochaines années. Pourtant, celle-ci ne se bouscule pas au portillon. «Beaucoup de bureaux doivent faire appel à des retraités quelques jours par semaine», indique Raymond Houde. La présence des femmes, qui forment 11 % des membres de l'Ordre, est appelée à augmenter et pourra également aider à répondre aux besoins. Elles représentent actuellement le quart des inscriptions au programme de baccalauréat en sciences géomatiques de l'Université Laval.

PORTRAIT STATISTIQUE

Le Québec compte 993 arpenteurs-géomètres (titulaires d'un diplôme universitaire en sciences géomatiques), dont 12 % sont retraités ou membres honoraires[1]. La majorité travaille dans l'une des 150 firmes d'arpenteurs-géomètres en pratique privée[2]. Les ministères et de plus en plus de municipalités emploient des arpenteurs-géomètres et les grandes villes comme Montréal et Sherbrooke ont des services de géomatique. 2013-10

RECHERCHÉS

- Aides-géomètres
- Arpenteurs-géomètres
- Calculateurs-dessinateurs
- Géomaticiens
- Ingénieurs en géomatique
- Technologues en arpentage
- Technologues en géomatique

OÙ TRAVAILLER?

La majorité des emplois est concentrée dans les grands centres, mais il est possible de travailler partout au Québec. Certaines firmes se spécialisent dans le milieu rural, par exemple dans les analyses de délimitation du territoire dans des dossiers d'expropriation, de zonage agricole ou de territoire minier.

1. et 2. Ordre des arpenteurs-géomètres du Québec.

POUR ALLER PLUS LOIN

- **Association de géomatique municipale du Québec :** www.agmq.qc.ca
- **Centre de géomatique du Québec :** www.cgq.qc.ca
- **Comité de relève en géomatique :** www.relevegeomatique.com
- **Ordre des arpenteurs-géomètres du Québec :** www.oagq.qc.ca
- **Tracer ses frontières :** www.tracersesfrontieres.ca

Arts et culture, communications

À grands coups de créativité, d'ingéniosité et de sensibilité, les artistes et artisans du Québec développent des projets stimulants. La stabilité d'emploi dans le domaine est tout de même difficile à atteindre pour la plupart d'entre eux.

> par Gabrielle Brassard-Lecours

EMPLOI

Si certains sous-secteurs des arts, de la culture et des communications sont en déclin, comme celui de la télévision traditionnelle, d'autres connaissent une croissance inattendue. «Le domaine de la télévision spécialisée prend beaucoup d'ampleur», témoigne Benoît Allaire, conseiller en recherche en culture et communications à l'Observatoire de la culture et des communications de l'Institut de la statistique du Québec. En 2012, ce créneau fournissait 1 151 emplois, soit deux fois plus qu'en 2001.

Les établissements du patrimoine, comme les musées ou les centres d'interprétation, ont affiché une croissance de 2,3 % par année entre 2001 et 2012. La plupart du temps, les emplois qu'on y offre sont cependant saisonniers.

Du côté des productions cinématographiques, Montréal devient une destination de choix. «En 2013, on a accueilli des tournages américains d'une ampleur sans précédent au Québec», confirme Louise Boucher, directrice générale du Conseil québécois des ressources humaines en culture. Le milieu a d'ailleurs appuyé la création d'une nouvelle formation en technologies sonores au collégial, qui devrait être implantée dans les prochaines années. Ce programme permettrait de former des techniciens du son employés sur les plateaux de tournage et en postproduction.

RELÈVE

L'industrie compte bon nombre de jeunes diplômés. Les départs à la retraite ne risquent donc pas de venir gonfler la demande de main-d'œuvre pour l'instant. Les gestionnaires d'organismes culturels, qui occupent des postes demandant plus d'expérience et de compétences entrepreneuriales, sont cependant un peu plus âgés. «Même s'ils sont passionnés et dévoués, ils doivent préparer leur succession», explique Louise Boucher. Les jeunes diplômés qui allient une formation en arts et une autre en administration pourraient donc connaître une ascension plus rapide vers des postes de haut niveau.

PORTRAIT STATISTIQUE

Au Québec, l'industrie de la culture et des communications rassemble 118 760 travailleurs[1]. De ce nombre, 32 820 personnes évoluent dans le domaine de la rédaction, de la traduction et des relations publiques, alors que 24 820 travaillent comme designers (graphiques, industriels ou d'intérieur), concepteurs artistiques et artisans. Près de 10 000 personnes sont des professionnels, des commis ou du personnel technique des bibliothèques, des archives, des musées et des galeries d'art. 2013-10

RECHERCHÉS

- Adjoints administratifs
- Chargés de projet et de communication
- Commis au service à la clientèle
- Gestionnaires d'organismes culturels
- Techniciens en audiovisuel
- Techniciens en cinéma

OÙ TRAVAILLER?

Les emplois dans le milieu culturel sont généralement concentrés dans les grands centres urbains, comme Montréal ou Québec, où se trouvent la plupart des chaînes de télévision, des maisons de production cinématographique et des cabinets de relations publiques.

1. Observatoire de la culture et des communications du Québec.

POUR ALLER PLUS LOIN

- **Conseil québécois des ressources humaines en culture :** www.cqrhc.com
- **Culture Montréal :** www.culturemontreal.ca
- **Observatoire de la culture et des communications du Québec :** www.stat.gouv.qc.ca/statistiques/culture/index.html

Assurances et services financiers

Avec une population vieillissante qui planifie sa retraite, la multiplication des produits financiers et un important besoin de relève, les perspectives d'emploi demeurent excellentes dans le secteur des assurances et des services financiers, année après année.

> par Amélie Cournoyer

EMPLOI

Qu'on soit en période de récession ou de prospérité, la population a toujours besoin des conseils d'un expert en services financiers et en assurances. «Quand l'économie va mal, les gens veulent savoir s'ils épargnent suffisamment et s'ils sont bien assurés en cas de maladie, d'invalidité ou de décès. Lorsque l'économie se porte bien, ils consultent davantage pour placer et investir leur argent», illustre Yves L. Giroux, président du conseil d'administration de l'Institut québécois de planification financière (IQPF). Luc Labelle, président et chef de la direction de la Chambre de la sécurité financière, constate que les besoins sont particulièrement importants dans les secteurs de l'assurance de personnes et de la planification financière. L'IQPF a d'ailleurs décerné 187 diplômes en planification financière en 2012, une hausse d'environ 15 % par rapport à l'année précédente. Tous les finissants avaient trouvé un emploi avant même de recevoir leur titre. La tendance devrait se maintenir dans les prochaines années, selon l'Institut.

La Chambre de l'assurance de dommages (ChAD) estime, quant à elle, qu'il y a entre 1 600 et 2 000 postes à pourvoir chaque année au Québec dans cette industrie. Me Robert LaGarde, président de la Coalition pour la promotion des professions en assurance de dommages, observe une pénurie de main-d'œuvre depuis plus de 10 ans dans ce secteur.

RELÈVE

Le vieillissement de la main-d'œuvre stimule le secteur des services financiers. «D'ici 5 ans, nous aurons besoin de 10 000 travailleurs pour remplacer ceux qui prennent leur retraite», affirme Luc Labelle. L'IQPF, de son côté, note déjà un besoin de relève. «Pour 10 planificateurs financiers qui partent à la retraite, seulement 4 diplômés arrivent sur le marché du travail», dit Yves L. Giroux.

À la ChAD, la moitié des membres ont 45 ans et plus. On prévoit donc de nombreux départs à la retraite dans les 10 prochaines années.

PORTRAIT STATISTIQUE

En 2013, la Chambre de la sécurité financière comptait 31 611 membres spécialisés en courtage en épargne collective (52 %), en assurance de personnes (28 %), en planification financière (10 %) et en assurance collective de personnes (9 %).

Avec ses 1 300 employeurs, le secteur de l'assurance de dommages fournit des emplois directs à 24 000 personnes[1], qui occupent des postes de courtiers en assurance de dommages (46 %), d'agents en assurance de dommages (34 %) et d'experts en sinistre (20 %). 2013-10

RECHERCHÉS

- Courtiers en valeurs mobilières
- Planificateurs financiers
- Représentants en assurance de dommages et en assurance de personnes
- Représentants en épargne collective

OÙ TRAVAILLER?

Les principaux employeurs du secteur sont les institutions financières, les cabinets de services financiers, les firmes de courtage et les compagnies d'assurance.

La majorité des travailleurs exerce dans les grands centres urbains, mais la demande est également forte en région.

1. Coalition pour la promotion des professions en assurance de dommages, septembre 2013.

POUR ALLER PLUS LOIN

- **Autorité des marchés financiers :** www.lautorite.qc.ca
- **Chambre de la sécurité financière :** www.chambresf.com
- **Institut québécois de planification financière :** www.iqpf.org

Biotechnologie et pharmaceutique

L'industrie québécoise de la biotechnologie et de la pharmaceutique est en perte de vitesse depuis 2008. Un nouveau modèle d'affaires, basé sur des partenariats entre les compagnies afin de partager les risques financiers liés à la création de médicaments, semble cependant prometteur.

> par Josianne Haspeck

EMPLOI

L'industrie de la biotechnologie et de la pharmaceutique a subi des revers ces dernières années : à la récession de 2008 et à l'échéance de plusieurs brevets en 2012 se sont ajoutées des difficultés liées au développement, coûteux, de nouvelles molécules. En conséquence, environ 2 900 personnes ont perdu leur emploi depuis 2006 dans la région de Montréal seulement, principalement dans des grandes sociétés.

Mais l'industrie demeure tout de même optimiste. Les entreprises de fabrication de produits génériques ou en sous-traitance se portent particulièrement bien, avec une hausse des embauches de 10 % au Québec, de 2010 à 2012. «Les perspectives s'avèrent meilleures qu'il y a quelques années, mais nos récents sondages effectués auprès de 242 sociétés canadiennes indiquent que l'accès limité au capital et la pénurie de main-d'œuvre restent des défis importants dans l'atteinte des objectifs d'affaires», mentionne Robert Henderson, président-directeur général de BioTalent Canada, un organisme national spécialisé dans les ressources humaines dans le domaine de la bioéconomie.

Selon une enquête réalisée en 2012 par Pharmabio Développement, le Comité sectoriel de main-d'œuvre des industries des produits pharmaceutiques et biotechnologiques, de nouveaux produits devraient être développés prochainement. «Ces développements se feront surtout grâce à des partenariats conclus entre différentes compagnies ou avec des centres de recherche», précise Alain Cassista, directeur général du Comité.

RELÈVE

Le secteur n'est pas tellement affecté par le vieillissement de la population. La grande majorité de la main-d'œuvre (plus de 70 %) se situe dans la tranche d'âge des 25-54 ans, tandis que seulement 15 % des travailleurs ont plus de 55 ans. On trouve cependant une importante proportion de postes vacants dans les domaines de la fabrication, de l'assurance qualité, de la distribution et de la recherche et développement.

PORTRAIT STATISTIQUE

Selon le recensement 2012 du ministère des Finances et de l'Économie, l'industrie québécoise de la biotechnologie et de la pharmaceutique embauche 18 000 personnes réparties dans 155 entreprises.

RECHERCHÉS

- Administrateurs
- Cadres intermédiaires
- Chimistes
- Opérateurs de bioprocédés ou de fabrication pharmaceutique
- Techniciens en fabrication pharmaceutique

Parmi celles-ci, on compte 30 sociétés pharmaceutiques internationales (7 500 emplois), 36 fabricants contractuels et génériques (5 500 postes), 42 firmes de recherche contractuelle (4 350 emplois) et 47 entreprises en biotechnologie de la santé (650 postes). 2013-10

OÙ TRAVAILLER?

La plupart des entreprises en biotechnologie et en pharmaceutique sont concentrées dans le sud du Québec, afin de se trouver à proximité des centres universitaires de recherche, entre autres. Environ 80 % de tous les emplois sont à Montréal. Il y en a également à Saint-Hyacinthe, à Québec et à Sherbrooke.

POUR ALLER PLUS LOIN

- **BIOQuébec :** www.bioquebec.com
- **Consortium québécois sur la découverte du médicament :** www.cqdm.org
- **Montréal InVivo :** www.montreal-invivo.com
- **Passionne tes neurones :** www.passionnetesneurones.com
- **Pharmabio Développement :** www.pharmabio.qc.ca

Chimie, pétrochimie et raffinage

Malgré quelques coups durs, comme la fermeture de la raffinerie Shell en 2010, le secteur de la chimie, de la pétrochimie et du raffinage n'est pas mort. À preuve, il génère des revenus de 23,2 milliards de dollars par année, la meilleure performance de tout le secteur manufacturier au Québec.

> par Anne-Marie Tremblay

EMPLOI

Le secteur de la chimie, de la pétrochimie et du raffinage a créé 1 600 emplois entre 2004 et 2011, selon les données de CoeffiScience, le Comité sectoriel de main-d'œuvre de la chimie, pétrochimie, raffinage et gaz. Un dynamisme qui s'explique, entre autres, par la vigueur du créneau de la chimie, affirme Guillaume Legendre, directeur général. «Près de 96 % des produits manufacturés ont subi une transformation chimique, que ce soit le tissu avec lequel on fabrique nos vêtements ou les aliments que nous mangeons.»

La demande de main-d'œuvre semble durer encore aujourd'hui, constate-t-on à l'Institut des procédés industriels du Collège de Maisonneuve, à Montréal. «En 2013, nous avons diplômé une soixantaine de finissants en techniques de procédés chimiques et nous avons recensé environ 200 emplois disponibles», dit Éric Larivée, conseiller pédagogique. La fabrication de nettoyants, de cosmétiques et de produits écologiques figure parmi les sous-secteurs les plus dynamiques.

La tendance devrait se maintenir au cours des prochaines années. En effet, selon un sondage mené par CoeffiScience auprès de 77 entreprises du secteur, 38 % d'entre elles prévoyaient embaucher en 2014 et ainsi créer 147 emplois. Les techniciens en procédés chimiques ou en procédés industriels, les vendeurs d'équipement spécialisé et les techniciens en laboratoire sont parmi les plus recherchés.

L'avenir semble aussi prometteur à plus long terme, puisque plusieurs projets sont sur la table à dessin, par exemple l'implantation de l'usine de production d'engrais d'IFFCO à Bécancour d'ici 2017 ou l'ouverture prévue pour 2014 de l'usine de Nemaska Lithium à Salaberry-de-Valleyfield, où sera transformé le minerai utilisé dans les batteries.

RELÈVE

Le vieillissement de la main-d'œuvre créera aussi des ouvertures. «Comme il y a eu une vague d'embauches d'opérateurs dans les années 1980, plusieurs départs à la retraite sont à prévoir. Certaines entreprises devront renouveler jusqu'à 46 % de leur main-d'œuvre», affirme Guillaume Legendre. Selon les données de CoeffiScience, le nombre d'employés de plus de 55 ans a doublé entre 1990 et 2011, passant de 6 % à 12 %. À l'inverse, la proportion des 15 à 24 ans est passée de 30 % à 19 %.

RECHERCHÉS

- Chaudronniers
- Chimistes
- Électriciens industriels
- Mécaniciens de machines fixes
- Opérateurs
- Soudeurs
- Tuyauteurs industriels

PORTRAIT STATISTIQUE

Selon les derniers chiffres disponibles, le secteur comptait 16 576 travailleurs en 2011, dont plus de 60 % œuvraient en production. Une vaste majorité des postes se trouvaient dans des PME. En effet, 88 % des 648 entreprises du secteur comptaient moins de 50 employés. 2013-10

OÙ TRAVAILLER?

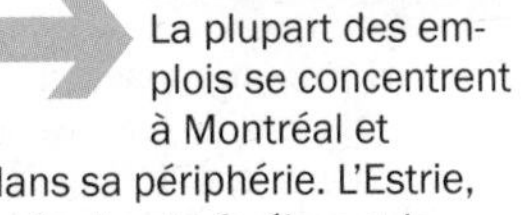

La plupart des emplois se concentrent à Montréal et dans sa périphérie. L'Estrie, le Centre-du-Québec et la Capitale-Nationale abritent aussi des entreprises.

POUR ALLER PLUS LOIN

- **Association canadienne de l'industrie de la chimie :** www.chimiecanadienne.ca
- **CoeffiScience :** www.chimie.qc.ca
- **Institut de chimie du Canada :** www.chemistry.ca
- **Ordre des chimistes du Québec :** www.ocq.qc.ca

Commerce de détail

Avec des ventes totalisant une centaine de milliards de dollars chaque année, le Québec est un terrain fertile pour le commerce de détail, qui vit présentement plusieurs transformations technologiques. Avis aux travailleurs branchés!

> par André Lavoie

EMPLOI

Le secteur du commerce de détail constitue toujours une porte d'entrée intéressante pour les jeunes en quête d'un premier emploi, puisque les barrières à l'embauche sont peu nombreuses. Selon Léopold Turgeon, président-directeur général du Conseil québécois du commerce de détail, c'est une vraie mine d'emplois, surtout pour les travailleurs polyvalents et passionnés.

Parce qu'il est assez simple de décrocher un emploi dans le secteur, cela laisse croire qu'y faire carrière est peu intéressant, un préjugé tenace que dénonce Nathalie St-Pierre, vice-présidente – Québec au Conseil canadien du commerce de détail. «Le commerce de détail ne se limite pas qu'à la vente en magasin, dit-elle. Il y a de plus en plus d'emplois en environnement, en gestion de personnel et dans les nouvelles technologies. Beaucoup d'entreprises ont maintenant des sites transactionnels et leur visibilité passe aussi par le Web.»

Toutes ces transformations s'effectuent alors que des bannières étrangères s'implantent au Québec, dont le géant américain Target, stimulant la créativité des compétiteurs locaux et la croissance de l'emploi. Les perspectives s'annoncent d'ailleurs excellentes d'ici 2015. «On prévoit la création de 3 000 à 6 000 emplois supplémentaires, en plus de tous les postes qu'il faut pourvoir à cause des départs à la retraite», mentionne Patricia Lapierre, directrice générale de Détail Québec.

RELÈVE

«La gestion des différentes générations de travailleurs constitue un défi», souligne Patricia Lapierre. La cohorte de travailleurs âgés de 15 à 34 ans diminue de façon constante. Il faut donc recruter du personnel plus âgé prêt à aborder une deuxième carrière. Cette cohabitation peut s'avérer parfois difficile. Or, pour plusieurs employeurs, le phénomène contribue grandement à la croissance de leur entreprise. «Les travailleurs expérimentés inspirent de la crédibilité, mais les jeunes, eux, arrivent avec une grande connaissance du numérique, et la clientèle apprécie beaucoup cela», confirme-t-elle.

PORTRAIT STATISTIQUE

Le commerce de détail, «c'est l'un des plus gros employeurs au Québec», affirme Nathalie St-Pierre. En effet, quelque 500 000 personnes y travaillent au quotidien, dont 120 000 dans le secteur de l'alimentation. Selon Détail Québec, qui exclut les épiceries et les marchands d'automobiles de ses statistiques, 48 % du personnel est affecté à la vente ou au service à la clientèle, 15 % à la direction, 6 % à la gestion de la marchandise et 5 % au soutien administratif. 2013-10

RECHERCHÉS

- Caissiers
- Commis au service à la clientèle
- Commis d'épicerie
- Directeurs de commerce
- Gestionnaires de premier niveau
- Magasiniers
- Superviseurs
- Vendeurs

OÙ TRAVAILLER?

Selon Détail Québec, les régions de Montréal, Laval et la Montérégie regroupent 45,1 % des établissements. La Capitale-Nationale (9,6 %), les Laurentides (6,8 %) et Chaudière-Appalaches (5,5 %) sont aussi des pôles importants.

POUR ALLER PLUS LOIN

- **Conseil canadien du commerce de détail :** www.cccd-rcc.org
- **Conseil québécois du commerce de détail :** www.cqcd.org
- **Détail Québec :** www.detailquebec.com

Construction et bâtiment

Au Québec, un emploi sur vingt est dans le secteur de la construction, un moteur de l'économie. Malgré un léger ralentissement de l'activité en 2013, principalement dans les domaines minier et des infrastructures publiques, les perspectives d'emploi sont bonnes pour les prochaines années.

> par Anne Gaignaire

EMPLOI

L'activité a légèrement ralenti en 2013 dans le secteur de la construction. Plusieurs facteurs sont en cause, dont la baisse du prix des matières premières pour le sous-secteur minier et la diminution des investissements du gouvernement provincial dans le sous-secteur des infrastructures publiques. La Commission de la construction du Québec (CCQ) prévoyait une baisse de 5,5 % du nombre d'heures travaillées en 2013. «Il s'agit davantage d'un réajustement après plusieurs années de forte activité et une année 2012 record», tempère Jean-Philippe Cliche, économiste à l'Association de la construction du Québec.

Les perspectives d'emploi restent très bonnes. «On aura besoin de 11 000 nouveaux travailleurs par an d'ici 2016, tous secteurs confondus», souligne Patricia Carvajal, économiste à la CCQ. Après une année 2013 difficile, c'est le sous-secteur de l'exploitation minière qui pourrait connaître la plus forte embellie dans les prochaines années, à la suite du démarrage de plusieurs projets d'envergure comme la mine de fer Fire Lake North, près de Fermont, ou l'expansion de la mine Niobec, au Saguenay–Lac-Saint-Jean. Le secteur institutionnel devrait aussi se maintenir. «Par exemple, de nombreuses écoles sont dans un état de désuétude inquiétant. Il faut faire les travaux de réparation et d'entretien», illustre Jean-Philippe Cliche.

RELÈVE

Le domaine connaît un fort taux de roulement. «Chaque année, un employé sur huit quitte le secteur», dit Jean-Philippe Cliche. La nature exigeante du travail, physique et à l'extérieur, explique en grande partie ce phénomène. Le reste est dû aux départs à la retraite. Au cours de la dernière décennie, environ 2 500 travailleurs ont pris leur retraite chaque année.

La moyenne d'âge des travailleurs s'élève à près de 39 ans, mais certains corps de métiers sont affectés par le vieillissement de leur effectif. C'est notamment le cas des grutiers, des mécaniciens de chantier et des mécaniciens de machines lourdes.

PORTRAIT STATISTIQUE

Le secteur compte environ 25 000 employeurs, qui embauchaient 163 000 personnes en 2012. Le plus grand nombre d'employeurs et de travailleurs se trouve dans le secteur commercial, suivi par le résidentiel. L'écrasante majorité des entreprises se compose de très petites structures. Selon la CCQ, 82 % des employeurs embauchent cinq salariés et moins. 2013-10

RECHERCHÉS

- Carreleurs
- Couvreurs
- Grutiers
- Mécaniciens d'ascenseur
- Mécaniciens en protection-incendie
- Monteurs de lignes
- Plâtriers
- Poseurs de revêtements souples

OÙ TRAVAILLER?

Les emplois sont concentrés dans les agglomérations de Montréal et de Québec, où il y a de nombreux chantiers résidentiels, industriels et d'infrastructures publiques d'envergure (ponts, routes, hôpitaux). Des postes – difficiles mais rémunérateurs – sont aussi souvent disponibles en régions éloignées, notamment sur la Côte-Nord et dans le Nord-du-Québec.

POUR ALLER PLUS LOIN

- **Association de la construction du Québec :** www.acq.org
- **Association des constructeurs de routes et grands travaux du Québec :** www.acrgtq.qc.ca
- **Association provinciale des constructeurs d'habitations du Québec :** www.apchq.com
- **Commission de la construction du Québec :** www.ccq.org
- **ConstruForce Canada :** www.buildforce.ca

Choisis la CONSTRUC

Les créatifs

Briqueteur-maçon
Carreleur
Charpentier-menuisier
Cimentier-applicateur
Couvreur
Peintre
Plâtrier
Poseur de revêtements souples

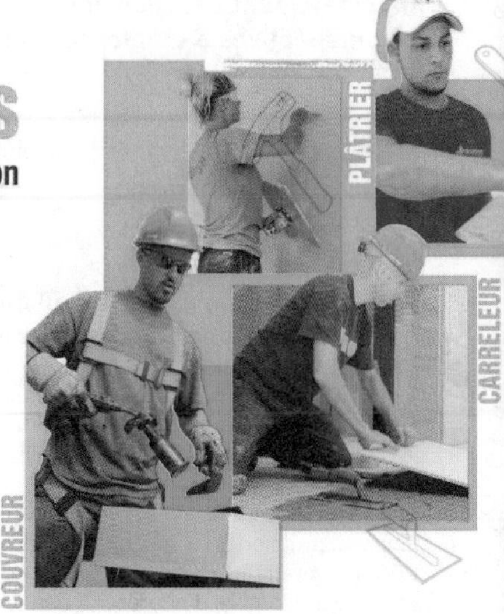

Les psychomoteur

Grutier
Opérateur d'équipement lourd
Opérateur de pelles

Occupations spécialisées requérant un DEP

>> Arpenteur
>> Boutefeu-fore
>> Monteur de li

Économie sociale

L'économie sociale, ce sont les coopératives et les organismes sans but lucratif qui vendent produits et services afin de réaliser une mission sociale, par exemple l'intégration au travail de jeunes en difficulté. Des valeurs qui ont le vent dans les voiles.

> par Jean-François Barbe

EMPLOI

À l'image de ce secteur, les emplois sont nombreux et variés. «Ils touchent une foule de domaines. On y trouve plus de 200 métiers et professions», dit Odette Trépanier, chargée de projet aux communications au Comité sectoriel de main-d'œuvre de l'économie sociale et de l'action communautaire (CSMO-ÉSAC). Des centres de la petite enfance aux coopératives d'habitation en passant par les camps de vacances familiaux, l'économie sociale ratisse large. Toutefois, la main-d'œuvre est parfois difficile à recruter. En effet, 42 % des organisations interrogées lors de l'enquête nationale *Les Repères* (2012) du CSMO-ÉSAC ont eu du mal à pourvoir des postes au cours des trois dernières années. Les professions et les métiers pour lesquels il est le plus ardu de trouver des travailleurs sont : animateur, intervenant, éducateur, directeur général et coordonnateur, secrétaire, réceptionniste, adjoint administratif, agent de bureau, préposé, cuisinier, chargé de projet et responsable de programme. Toujours selon cette enquête, 27 % des organisations envisageaient l'embauche de deux personnes, en moyenne, au cours de l'année 2012, soit pour remplacer un employé ou suivant la création de nouveaux postes. Même s'il n'y a pas encore de données disponibles pour 2014, les départs à la retraite risquent de générer d'autres besoins.

RELÈVE

Plus de la moitié (58 %) des gestionnaires d'entreprises d'économie sociale se disent préoccupés par les enjeux relatifs à la relève. La majorité d'entre eux estime que la vague de départs à la retraite frappera en 2016. Afin d'atténuer le choc, les gestionnaires favorisent le maintien au travail des employés de 50 ans et plus, dans la majorité des cas. L'embauche d'immigrants est également envisagée par plusieurs. Parmi les organisations qui ne comptent pas encore d'employés issus de l'immigration, une sur quatre (27 %) prévoit recruter de nouveaux arrivants afin de remplacer les personnes qui prendront leur retraite.

PORTRAIT STATISTIQUE

Les 6 284 entreprises d'économie sociale du Québec emploient plus de 94 900 personnes. Ces entreprises génèrent au-delà de 4,6 milliards de dollars de chiffre d'affaires. 2013-10

RECHERCHÉS

- Adjoints administratifs
- Agents de bureau
- Animateurs
- Chargés de projet
- Cuisiniers
- Directeurs généraux et coordonnateurs d'organisme
- Éducateurs
- Formateurs
- Intervenants
- Préposés
- Responsables de programmes
- Secrétaires, réceptionnistes

OÙ TRAVAILLER?

Les entreprises d'économie sociale sont partout sur le territoire. Elles touchent 27 secteurs d'activité, de la coupe d'arbres à l'aide domestique en passant par les services funéraires et le tourisme. C'est pourquoi on les trouve autant dans les grands centres urbains que dans les zones plus rurales.

POUR ALLER PLUS LOIN

- **Chantier de l'économie sociale :** www.chantier.qc.ca
- **Comité d'économie sociale de l'île de Montréal :** www.economiesocialemontreal.net
- **Comité sectoriel de main-d'œuvre de l'économie sociale et de l'action communautaire :** www.csmoesac.qc.ca
- **Conseil régional d'économie sociale de la Mauricie :** www.economiesocialejeunesse.ca.
- **Portail de l'économie sociale :** www.economiesocialequebec.ca

Éducation

Les politiques de soutien aux élèves permettent de maintenir le nombre d'enseignants au primaire et au secondaire. Ces prochaines années, le Québec aura donc besoin de sang neuf dans le domaine.

> par Ariane Dadier-Hénaut

EMPLOI

Selon les prévisions du ministère de l'Éducation, du Loisir et du Sport (MELS), le Québec aurait besoin de 10 942 nouveaux enseignants au préscolaire et au primaire entre 2013 et 2016. Au secondaire, il faudrait embaucher, pour cette même période, 4 510 enseignants. «Les mesures du MELS pour soutenir les élèves en difficulté, réduire le nombre d'écoliers dans les classes du primaire, ou encore introduire la maternelle à temps plein dès quatre ans, ont contribué à créer des postes», affirme Bernard Tremblay, directeur des relations du travail à la Fédération des commissions scolaires du Québec. Les spécialistes en mathématiques, anglais ou musique sont particulièrement recherchés.

Du côté des cégeps, le MELS prévoit une baisse de la population étudiante jusqu'en 2020. Mais selon Mathieu Saint-Onge, conseiller en communication à la Fédération des cégeps, «cela n'impliquera pas nécessairement une baisse significative de la demande de professeurs au collégial», compte tenu, entre autres, des nombreux départs à la retraite prévus. Mais c'est à l'université que le manque d'enseignants est le plus criant... et chronique. «En 15 ans, le nombre d'étudiants a augmenté de plus de 25 %, alors que les effectifs professoraux n'ont même pas progressé de 10 %. Peu de nouveaux postes ont été créés et les personnes parties à la retraite n'ont pas toutes été remplacées», dit Max Roy, président de la Fédération québécoise des professeures et professeurs d'université.

RELÈVE

«Lors du Sommet sur l'enseignement supérieur en février 2013, le gouvernement québécois a promis un réinvestissement dans les universités qui permettrait l'embauche de 1 000 professeurs d'ici 2018», précise Max Roy. Il y a donc de l'espoir pour les diplômés dans le domaine, d'autant plus que l'âge moyen des professeurs d'université est de 49,3 ans.

«Les enseignants employés par les commissions scolaires ont en moyenne 40,5 ans. On ne s'attend pas à des départs massifs à la retraite comme à la fin des années 1990», indique Bernard Tremblay. Au collégial, l'âge moyen est de 44 ans, selon la Fédération des cégeps.

PORTRAIT STATISTIQUE

Plus de 103 000 enseignants travaillent dans près de 3 175 écoles au préscolaire, au primaire et au secondaire. Environ 22 000 enseignants sont employés dans les 48 établissements collégiaux publics de la province. Enfin, les 19 universités du Québec comptent 9 400 professeurs. 2013-10

RECHERCHÉS

- Audiologistes
- Éducateurs en service de garde
- Éducateurs spécialisés
- Enseignants au primaire et au secondaire
- Orthopédagogues
- Orthophonistes
- Psychoéducateurs

OÙ TRAVAILLER?

Dans les couronnes nord et sud de Montréal, la demande soutenue d'enseignants s'explique par la forte concentration de jeunes familles qui viennent s'y établir. Des régions au fort potentiel économique, mais plus isolées, comme la Côte-Nord et le Nord-du-Québec, sont aussi à la recherche d'enseignants.

POUR ALLER PLUS LOIN

- **Fédération des cégeps :** www.fedecegeps.qc.ca
- **Fédération des commissions scolaires du Québec :** www.fcsq.qc.ca
- **Fédération québécoise des professeures et professeurs d'université :** www.fqppu.org
- **Ministère de l'Éducation, du Loisir et du Sport :** www.mels.gouv.qc.ca

Énergie

Avec la poursuite de la construction du barrage électrique de la Romaine et les nombreux projets de transport d'électricité à réaliser, le secteur de l'énergie va bien au Québec. L'incertitude continue toutefois de planer sur les hydrocarbures.

> par Florence Sara G. Ferraris

EMPLOI

Le changement de gouvernement en novembre 2012 a quelque peu changé le visage du secteur de l'énergie au Québec. Certains projets prévus dans le cadre du Plan Nord, et pour lesquels Hydro-Québec allait fournir de l'électricité, ont été mis en veilleuse. La société d'État a donc dû se tourner vers d'autres avenues pour créer des emplois. Au cours des prochaines années, ce sont surtout des projets de transport d'électricité, comme la création de lignes à haute tension, qui devraient voir le jour. La poursuite de la construction de la centrale de la Romaine devrait également générer près d'un millier d'emplois par année d'ici 2020. Par ailleurs, la construction d'une vingtaine de parcs éoliens est prévue d'ici 2015, ce qui devrait mener à la création d'environ 26 000 emplois.

Du côté des hydrocarbures, tout reste à faire, selon le président de l'Association québécoise des fournisseurs de services pétroliers et gaziers, Mario Lévesque. «Les ressources, les compagnies et les investisseurs sont là. Tout ce qu'il manque, c'est la volonté gouvernementale.» Si le politique décide d'aller de l'avant, près de 80 000 emplois pourraient être générés. Or, rien n'est assuré, notamment en raison du moratoire imposé par le gouvernement québécois sur les gaz de schiste.

RELÈVE

Chez Hydro-Québec, on prévoit environ 1 000 départs à la retraite annuellement d'ici 2016, selon Louis-Olivier Batty, attaché de presse. Ce nombre s'élève à 2 000 lorsqu'on l'étend à toutes les entreprises du secteur électrique. Pour ce qui est des hydrocarbures, le roulement est constant. «Il s'agit d'un domaine difficile. C'est un travail de chantier très physique qui éloigne souvent les employés de leur lieu de résidence», indique Mario Lévesque. Dans cette optique, il estime que la relève aura toujours de la place.

PORTRAIT STATISTIQUE

L'industrie électrique compte plus de 40 000 travailleurs, selon l'Association de l'industrie électrique du Québec. Sur ce nombre, environ 21 000 travaillent pour le compte d'Hydro-Québec. Les secteurs gazier et pétrolier embauchent un peu plus de 200 personnes. Du côté du raffinage, on emploie environ un millier de personnes. 2013-10

OÙ TRAVAILLER?

La majorité des emplois d'Hydro-Québec se trouve dans la grande région de Montréal, en Montérégie, en Estrie, dans les Laurentides ainsi que sur la Côte-Nord. Dans les secteurs gazier et pétrolier, les emplois sont actuellement concentrés dans les grands centres urbains. L'exploitation des ressources amènerait toutefois les industries à se rediriger vers l'île d'Anticosti, la Gaspésie et les basses-terres du Saint-Laurent.

RECHERCHÉS

- Électriciens ou mécaniciens d'appareillage électrique
- Foreurs
- Ingénieurs
- Jointeurs de lignes souterraines
- Monteurs d'acier de structure
- Monteurs de lignes électriques
- Opérateurs de machinerie lourde
- Techniciens en automatisme de maintenance
- Techniciens en télécommunications

POUR ALLER PLUS LOIN

- **Association de l'industrie électrique du Québec :** www.aieq.net
- **Association québécoise de la production d'énergie renouvelable :** www.aqper.com
- **Association québécoise des fournisseurs de services pétroliers et gaziers :** www.afspg.com
- **Hydro-Québec :** www.hydroquebec.com

Environnement

Entre 2009 et 2012, le nombre d'emplois dans le secteur de l'environnement a bondi de 27 %. Si le marché s'est stabilisé en 2013, on prévoit une pénurie de travailleurs pour les années à venir. Des programmes d'études se créent, mais la relève demeure timide.

> par Geneviève Gignac

EMPLOI

«Plus de 150 000 travailleurs œuvrent dans le secteur de l'environnement au Québec et il nous en faudra encore davantage», affirme Dominique Dodier, directrice générale d'EnviroCompétences, le Comité sectoriel de main-d'œuvre de l'environnement. La gestion des matières résiduelles et dangereuses, l'assainissement et le traitement de l'eau potable et des eaux usées, le traitement des sols et les laboratoires et service-conseil sont les secteurs les plus dynamiques. «La protection de l'environnement nécessite toujours des professionnels comme des ingénieurs, des biologistes ou des hydrologues, mais des emplois en communications, des postes d'écoconseillers et d'éducateurs en environnement voient aussi le jour», souligne le président du conseil de Réseau Environnement, Robert A. Dubé.

De nouvelles occupations naissent en fonction des besoins, particulièrement dans les technologies propres, les énergies renouvelables (éolien, biomasse, géothermie), en efficacité énergétique et en développement durable. Sans compter les travailleurs qualifiés nécessaires pour établir et faire respecter les nouvelles politiques, pour freiner les changements climatiques ou préserver la biodiversité, par exemple.

Parmi les métiers demandés : technicien en restauration après sinistre, expert en qualité de l'air et inspecteur en environnement.

RELÈVE

D'après EnviroCompétences, le nombre d'emplois en développement durable devrait croître significativement au cours des trois à cinq prochaines années. Près de 85 % des firmes de consultation en développement durable et près de la moitié des employeurs canadiens dans le secteur prévoient embaucher, ce qui créera plus de 4 200 emplois, selon une enquête d'ECO Canada, un organisme fédéral de ressources humaines en environnement.

Au Québec, 1,5 million de travailleurs prendront leur retraite d'ici 2020. Le secteur de l'environnement ne sera pas épargné.

PORTRAIT STATISTIQUE

Au Québec, près de 90 000 emplois en environnement sont dans le secteur public et 61 000 dans le secteur privé (dans environ 4 000 entreprises), estime Dominique Dodier. 2013-10

RECHERCHÉS

- Biologistes
- Chargés de projets environnementaux
- Conseillers en efficacité énergétique
- Conseillers en gestion environnementale industrielle
- Coordonnateurs en gestion environnementale
- Géologues
- Hydrologues
- Ingénieurs (civils, en environnement, forestiers, miniers, etc.)
- Techniciens (en assainissement des systèmes de ventilation, en gestion des matières résiduelles, en hydrogéologie et en environnement)
- Techniciens et opérateurs en traitement et assainissement des eaux

OÙ TRAVAILLER?

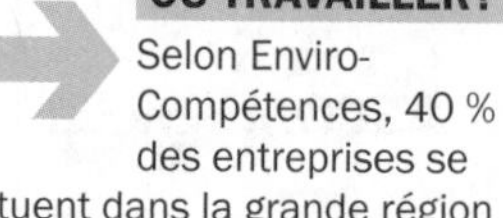

Selon EnviroCompétences, 40 % des entreprises se situent dans la grande région montréalaise, 19 % en Montérégie et 12 % dans la Capitale-Nationale.

POUR ALLER PLUS LOIN

- **ECO Canada :** www.eco.ca
- **EnviroCompétences :** www.envirocompetences.org
- **Ministère du Développement durable, de l'Environnement, de la Faune et des Parcs :** www.mddep.gouv.qc.ca
- **Réseau environnement :** www.reseau-environnement.com

Fabrication métallique industrielle

La fabrication métallique industrielle (FMI) est un vaste secteur qui englobe les fabricants de produits métalliques, les fabricants de machines et les fabricants de matériel de transport (à l'exception de l'aéronautique). Toujours à la recherche de main-d'œuvre qualifiée, la FMI recrute même à l'étranger.

> par Carole Boulé

EMPLOI

En 2012, les ventes dans l'industrie de la fabrication de produits métalliques au Canada ont augmenté de 6,1 %, pour atteindre 35 milliards de dollars (contre 33 milliards en 2011)[1]. Et ça se poursuit. «Certaines entreprises ont crû et augmenté leurs ventes en 2013», dit Raymond Langevin, chargé de projet au Comité sectoriel de la main-d'œuvre dans la fabrication métallique industrielle (CSMOFMI).

La force de la FMI est de produire des pièces sur mesure et sur commande, à l'unité ou en petits lots. Comme le travail y est encore peu mécanisé et automatisé, le besoin de main-d'œuvre qualifiée se maintient et l'industrie est moins exposée à la concurrence internationale, poursuit Raymond Langevin. Les embauches sont à la hausse, selon les résultats préliminaires d'une enquête menée par le CSMOFMI. Pour 2013, les employeurs avaient prévu effectuer environ 4 400 embauches, contre 3 700 en 2010. Un taux de croissance d'environ 5 % pour l'ensemble du secteur[2].

Les travailleurs les plus demandés sont les assembleurs-soudeurs et les soudeurs. En 2013, le marché aurait eu besoin de 1 400 nouveaux travailleurs de ces métiers pour compenser le roulement de personnel et répondre à la demande créée par la croissance. «Le problème, c'est qu'on en diplôme à peine 900 par année. Le scénario est le même pour les machinistes : la demande se situe autour de 700, mais en 2013, on comptait moins de 300 diplômés», explique-t-il.

RELÈVE

En 2011, 28 % des travailleurs avaient de 45 à 54 ans et 17 % avaient 55 ans et plus, selon Raymond Langevin. Deux projets pour former la relève en Estrie et dans Lanaudière ont été mis sur pied pour faire face aux départs à la retraite.

Des programmes d'apprentissage en milieu de travail (PAMT) ont aussi vu le jour pour une vingtaine de métiers de la FMI, ajoute Raymond Langevin. Malgré tout, en 2013, une dizaine d'entreprises ont recruté à l'étranger pour répondre à leurs besoins en soudeurs et en machinistes, principalement.

PORTRAIT STATISTIQUE

La FMI compte plus de 3 300 entreprises, dont 87,2 % ont moins de 50 employés. Plus de 94 000 personnes y travaillent. Près de 60 % des ouvriers du secteur sont des spécialistes diplômés des formations professionnelles ou collégiales[3]. 2013-10

RECHERCHÉS

- Assembleurs-soudeurs
- Dessinateurs industriels
- Électromécaniciens
- Machinistes
- Manœuvres en métallurgie
- Mécaniciens industriels
- Opérateurs de presse plieuse, presse poinçonneuse, machine à découper au laser
- Peintres en production industrielle
- Soudeurs
- Techniciens en génie mécanique
- Tôliers

OÙ TRAVAILLER?

Bien implantée partout au Québec, la FMI concentre surtout ses activités dans la grande région de Montréal et en Montérégie. Cependant, il y a de plus en plus d'entreprises dans le Centre-du-Québec, la Capitale-Nationale et la Chaudière-Appalaches.

1. Statistique Canada. Michael Schimpf, John Seay et Stephanie Ventresca, «Fabrication : bilan de l'année 2012», *Analyse en bref*, nº 91, septembre 2013.

2. et 3. Données fournies par Raymond Langevin, chargé de projet au CSMOFMI.

POUR ALLER PLUS LOIN

- **Comité sectoriel de la main-d'œuvre dans la fabrication métallique industrielle :** www.csmofmi.com/

Fonction publique

La fonction publique s'immisce dans tous les secteurs d'activité, de la santé à la justice en passant par la culture et l'économie. Le gouvernement est le seul employeur qui permet à ses travailleurs d'évoluer dans divers organismes tout en préservant leurs conditions de travail.

> par Geneviève Gignac

EMPLOI

Pour rétablir l'équilibre budgétaire, le gouvernement du Canada subit actuellement une cure d'amincissement. En 2012, le Plan d'action économique indiquait que 19 200 postes seraient abolis en trois ans. «Cette cible est en voie d'être atteinte», dit Kelly James, porte-parole au Secrétariat du Conseil du Trésor du Canada. Malgré tout, le gouvernement fédéral demeure le plus grand employeur au pays. Au Québec, l'Agence du revenu du Canada, les Services correctionnels et l'Agence des services frontaliers du Canada continuent de recruter des travailleurs.

La fonction publique québécoise, quant à elle, emploie plus de 62 500 personnes dans une vingtaine de ministères et plus de 70 organismes à travers la province. «Entre 2012 et 2017, 15 000 postes réguliers auront été pourvus», indique Jocelyne Tremblay, directrice générale des politiques de gestion des ressources humaines au Secrétariat du Conseil du trésor du Québec. Les départs à la retraite ainsi que les besoins en main-d'œuvre dans les domaines des ressources informationnelles et des transports favoriseront l'embauche. «Le gouvernement s'apprête d'ailleurs à simplifier les démarches pour obtenir un emploi dans la fonction publique», souligne-t-elle.

RELÈVE

En 2012, l'âge moyen des fonctionnaires provinciaux était de 47,2 ans. Le nombre de prises de retraite a atteint un sommet en 2010-2011, avec plus de 3 000 départs. Depuis, il s'est stabilisé à 2 000 annuellement.

Lors de l'exercice financier 2011-2012, un peu plus de 2 000 employés de la fonction publique fédérale sont partis à la retraite au Québec. Bien que l'âge moyen des fonctionnaires fédéraux ait légèrement augmenté, passant de 43,9 ans en 2009 à 44,4 ans en 2012, le besoin de relève est moins criant à cause des coupes de postes.

PORTRAIT STATISTIQUE

En 2013, on comptait plus de 55 000 fonctionnaires fédéraux au Québec. «Depuis plusieurs années, le travail axé sur le savoir, comme les services administratifs, la gestion des systèmes d'ordinateurs et les postes de direction, compte pour 40 % des emplois», dit Kelly James. Quant à la fonction publique québécoise, elle occupait approximativement 48 000 employés réguliers, 13 000 travailleurs occasionnels et près de 2 000 étudiants et stagiaires en 2012. 2013-10

RECHERCHÉS

- Actuaires
- Adjoints administratifs
- Analystes et techniciens en informatique
- Économistes
- Évaluateurs agréés
- Experts-comptables et professionnels en finance
- Ingénieurs
- Techniciens en droit
- Techniciens en travaux publics

OÙ TRAVAILLER?

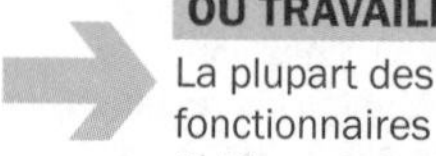

La plupart des fonctionnaires fédéraux travaillent dans les régions de Gatineau et de Montréal. Au sein de la fonction publique québécoise, environ 45 % des fonctionnaires sont établis à Québec, 21 % à Montréal et 34 % ailleurs dans la province.

POUR ALLER PLUS LOIN

- **Carrières à la fonction publique fédérale :** jobs-emplois.gc.ca
- **Commission de la fonction publique du Canada :** www.psc-cfp.gc.ca
- **Portail Carrières du gouvernement du Québec :** www.carrieres.gouv.qc.ca
- **Secrétariat du Conseil du trésor du Québec :** www.tresor.gouv.qc.ca

Foresterie

Abondante et renouvelable, la forêt a façonné le Québec. Après des années de crise et des fermetures d'usines, l'industrie de la foresterie se renouvelle. Le bois offre maintenant des possibilités écologiques inespérées.

> par Geneviève Gignac

EMPLOI

Pour la foresterie, 2013 a été une année de transition, selon Annie Beaupré, directrice générale du Comité sectoriel de main-d'œuvre en aménagement forestier. Entre 2005 et 2012, le secteur a perdu le tiers de ses emplois, la plupart dans des régions dépendant du bois et de sa transformation. «La crise forestière a été dure. On doit s'adapter au nouveau régime forestier, entré en vigueur le 1er avril 2013, qui amène des changements majeurs dans la gestion des forêts publiques», dit-elle. Mais la demande reprend.

«L'emploi en aménagement forestier devrait croître de 1 à 2 % annuellement d'ici 2018», note Annie Beaupré. Malgré la crise, le taux de chômage chez les ingénieurs forestiers a diminué, souligne François-Hugues Bernier, directeur des communications et de la foresterie à l'Ordre des ingénieurs forestiers du Québec. «Les perspectives sont prometteuses, mais la forêt reste associée à la précarité», ajoute-t-il.

À l'instar de tout secteur lié aux ressources naturelles, la foresterie connaît des hauts et des bas. «La filière a des défis à relever, allant de l'aménagement durable à l'usage du bois dans les bâtiments verts ou la confection de tissu», assure François-Hugues Bernier. La matière non ligneuse (plantes, champignons, fruits, sève) offre d'infinies possibilités, comme la fabrication de produits fins, d'huiles essentielles ou de cosmétiques.

RELÈVE

La crise forestière a découragé les jeunes. À l'Université Laval, 62 postes destinés aux diplômés en génie du bois ont été affichés pour 2 finissants seulement. Chez les ingénieurs forestiers, «il y aura deux fois plus de départs à la retraite que de nouvelles recrues en 2015», s'inquiète François-Hugues Bernier. Même désarroi dans le secteur de l'aménagement forestier, qui manque de débroussailleurs, de reboiseurs et d'abatteurs manuels. «L'âge moyen des travailleurs est de 47 ans», note Annie Beaupré.

PORTRAIT STATISTIQUE

Le secteur employait au moins 60 000 personnes en 2012, selon le Conseil de l'industrie forestière du Québec. Près de 27 000 travailleurs œuvrent dans la filière des produits du bois, environ 24 000 dans les pâtes et papiers, et plus de 10 000 dans l'aménagement forestier. Parmi les 1 800 ingénieurs actifs, 30 % travaillent au ministère des Ressources naturelles, dans les MRC ou au gouvernement fédéral. 2013-10

RECHERCHÉS

- Abatteurs manuels
- Affûteurs
- Contremaîtres
- Débroussailleurs
- Électriciens et électromécaniciens
- Ingénieurs forestiers
- Journaliers et manutentionnaires
- Opérateurs de machines
- Opérateurs d'équipement de scierie
- Techniciens et technologues forestiers

OÙ TRAVAILLER?

Des emplois dans les forêts privées et publiques sont disponibles dans toutes les régions du Québec, à l'exception de Montréal et de Laval. Les grandes zones forestières sont situées au Saguenay–Lac-Saint-Jean, dans le Nord-du-Québec, en Abitibi-Témiscamingue, sur la Côte-Nord et en Mauricie.

POUR ALLER PLUS LOIN

- **Comité sectoriel de main-d'œuvre en aménagement forestier :** www.csmoaf.com
- **Conseil de l'industrie forestière du Québec :** www.cifq.com
- **FormaBOIS :** www.csmobois.qc.ca
- **Ordre des ingénieurs forestiers du Québec :** www.oifq.com

Ingénierie

L'ingénierie offre toujours un vaste choix de débouchés bien rémunérés. Mais les disciplines traditionnelles du génie – civil, mécanique et électrique – cèdent graduellement du terrain à des secteurs émergents, par exemple l'informatique, l'environnement, le biomédical, l'aéronautique et le manufacturier.

> par Emmanuelle Tassé

EMPLOI

La commission Charbonneau fait planer un nuage noir au-dessus du milieu de l'ingénierie et engendre pour le moment une baisse du nombre de projets prévus pour 2014 et 2015, notamment en génie civil, selon l'Ordre des technologues professionnels du Québec. «Cette contraction du marché du travail sera toutefois momentanée», assure Denis-Philippe Tremblay, directeur du développement professionnel.

«Avec 3 % de chômage, on peut parler de plein emploi», estime Daniel Lebel, président de l'Ordre des ingénieurs du Québec. L'entretien du réseau routier et les grands chantiers comme ceux de l'échangeur Turcot, du pont Champlain et du Centre hospitalier de l'Université de Montréal contribueront à maintenir le cap.

Le Réseau des ingénieurs du Québec estimait à 2 930 le nombre de postes créés en 2013, surtout en génie civil, mécanique et électrique. «Parmi les avenues actuellement porteuses, il y a le développement du marché de la voiture électrique et la construction de bâtiments écoénergétiques», souligne la présidente du Réseau, Michèle Raymond, qui se dit enthousiasmée par l'énergie novatrice des jeunes qui arrivent sur le marché du travail.

RELÈVE

L'âge moyen des membres du Réseau des ingénieurs du Québec est de 42 ans. Le quart d'entre eux prendront leur retraite d'ici 2020, selon Michèle Raymond. L'Ordre des ingénieurs du Québec espère, quant à lui, intéresser plus de femmes, qui représentent pour l'heure 13 % des membres. «Elles aspirent à faire une différence sur le plan social : le génie de l'environnement et les questions de santé-sécurité les attirent», rapporte Daniel Lebel.

Chez les technologues, l'effectif se fait aussi vieillissant et la relève n'est pas au rendez-vous. «Il y a une forte tendance au décrochage des jeunes garçons en génie au cégep. On prévoit donc un grand besoin de technologues dans les années à venir, et ce, dans tous les domaines», croit Denis-Philippe Tremblay.

PORTRAIT STATISTIQUE

Les quelque 60 000 membres de l'Ordre des ingénieurs se répartissent majoritairement entre les secteurs public et parapublic (12,4 %), la consultation (15,6 %), le secteur manufacturier (23 %) et l'éducation (4 %). On dénombre plus de 125 000 technologues, dont 30 % travaillent au public et 70 % au privé. 2013-10

RECHERCHÉS

- Ingénieurs en génie civil, génie mécanique, génie électrique, génie aéronautique
- Technologues en génie civil, génie mécanique, génie électrique, génie aéronautique

OÙ TRAVAILLER?

Les ingénieurs et les technologues exercent surtout dans les grands centres urbains. Selon l'Ordre des ingénieurs du Québec, Montréal, Laval et la Montérégie accueillent 62 % des travailleurs, et la région de Québec, 11 %. Le secteur minier offre toutefois des possibilités d'embauche en région.

POUR ALLER PLUS LOIN

- **Conseil canadien des techniciens et technologues :** www.cctt.ca
- **Ingénieurs Canada :** www.engineerscanada.ca
- **Ordre des ingénieurs du Québec :** www.oiq.qc.ca
- **Ordre des technologues professionnels du Québec :** www.otpq.qc.ca
- **Réseau des ingénieurs du Québec :** www.reseauiq.qc.ca

Santé et services sociaux

Le manque de main-d'œuvre dans le secteur de la santé et des services sociaux devrait s'alourdir au cours des prochaines années. Le vieillissement de la population et l'accroissement démographique accentueront la demande de soins.

> par Maxime Beauregard-Martin

EMPLOI

Le ministère de la Santé et des Services sociaux (MSSS) estime qu'il faudra embaucher 60 000 travailleurs d'ici 2017-2018 pour assurer le remplacement de personnel et répondre aux nouveaux besoins. Il prévoit notamment engager 1 000 travailleurs sociaux, plus de 400 psychologues et au-delà de 4 200 infirmières. Les médecins seront aussi prisés, surtout les psychiatres, les internistes et les médecins de famille.

En excluant les médecins, près de 32 500 employés du réseau prendront leur retraite d'ici 2018. François Bournival, de la Direction générale du personnel réseau du MSSS, soutient qu'il faudra encore plus d'employés pour les remplacer, compte tenu des exigences de la nouvelle génération. «Les jeunes souhaitent avoir des horaires flexibles et demandent fréquemment à être transférés d'un établissement à un autre», précise-t-il. Le Dr Charles Bernard, président-directeur général du Collège des médecins du Québec, observe la même tendance. «Les jeunes médecins accordent plus d'importance à la conciliation travail-famille et effectuent moins d'heures que leurs aînés», note-t-il.

À plus long terme, la croissance démographique poussera aussi à la hausse les besoins en personnel.

RELÈVE

Malgré l'ajout record de 542 nouveaux médecins au Québec en 2012, les efforts pour assurer la relève doivent se poursuivre. Plus du tiers des médecins en pratique sont âgés de 55 ans ou plus. De nombreux départs à la retraite sont donc à prévoir. Le Dr Bernard prédit que, malgré l'admission de 850 à 900 étudiants par année dans les facultés de médecine, «la pénurie de main-d'œuvre devrait persister encore deux décennies».

En 2013, 13 300 infirmières étaient âgées de 55 ans ou plus. «On prévoit planifier environ 2 200 retraites par année jusqu'en 2018», estime Daniel Marleau, chef du Service des statistiques sur l'effectif à l'Ordre des infirmières et infirmiers du Québec.

PORTRAIT STATISTIQUE

Les travailleurs du réseau de la santé représentent 6,8 % de la population active québécoise. Au 31 mars 2012, le MSSS comptait 266 100 employés, soit 5 000 travailleurs de plus que l'année précédente. Plus de la moitié d'entre eux étaient répartis dans les centres de santé et de services sociaux.

RECHERCHÉS

- Audiologistes
- Ergothérapeutes
- Infirmiers
- Infirmiers auxiliaires
- Médecins de famille
- Médecins internistes
- Orthophonistes
- Pharmaciens d'établissement
- Physiothérapeutes
- Préposés aux bénéficiaires
- Psychiatres
- Psychologues
- Travailleurs sociaux

Ces chiffres excluent les médecins, qui étaient au nombre de 19 400. 2013-10

OÙ TRAVAILLER?

Tant les régions que les grandes villes sont à la recherche de travailleurs de la santé et des services sociaux. Les établissements ont mis en place plusieurs incitatifs pour les attirer, notamment des indemnités d'éloignement et des congés sans solde, ainsi que des bourses aux étudiants qui promettent de s'établir en région.

POUR ALLER PLUS LOIN

- **Agence de la santé et des services sociaux de Montréal :** www.santemontreal.qc.ca
- **Avenir en santé :** www.avenirensante.com
- **Collège des médecins du Québec :** www.cmq.org
- **Ministère de la Santé et des Services sociaux :** www.msss.gouv.qc.ca

Tourisme

L'industrie touristique au Québec, c'est le gagne-pain d'environ 416 000 personnes. Et selon les experts, des dizaines de milliers d'autres postes verront le jour d'ici 2020. Reste à trouver qui pourra les occuper, car une pénurie de main-d'œuvre est à prévoir.

> par Mélanie Marquis

EMPLOI

Après avoir connu une baisse en raison de la crise économique de 2008-2009, les recettes touristiques ont renoué avec la croissance. Tourisme Québec estimait cette croissance à près de 5 % en 2013, un taux qui devrait se maintenir au cours des prochaines années. Cette situation se traduira par la création de nombreux emplois, selon le Conseil québécois des ressources humaines en tourisme (CQRHT).

Les années à venir sont prometteuses. Par exemple, en 2017, Montréal célébrera son 375e anniversaire. Le CQRHT prévoit une hausse du nombre de touristes dans la métropole, mais aussi dans d'autres régions du Québec.

Par ailleurs, en 2012, le ministère du Tourisme du Québec s'est fixé comme objectif de créer 50 000 nouveaux emplois dans le domaine d'ici 2020. Le gouvernement espère ainsi augmenter les recettes touristiques de sept milliards de dollars et accueillir sept millions de visiteurs supplémentaires pendant cette période. De nouveaux créneaux seront mis en valeur, comme les croisières sur le fleuve Saint-Laurent ou le tourisme nature-aventure.

«L'industrie du tourisme est encore jeune, elle existe seulement depuis environ 30 ou 40 ans au Québec. Mais on a l'impression que le gouvernement et les investisseurs nous perçoivent comme un secteur d'avenir», se réjouit Isabelle Girard, directrice générale du CQRHT.

RELÈVE

Le secteur du tourisme a toujours fait beaucoup de place aux jeunes. En 2010, 30 % des travailleurs du domaine avaient de 15 à 24 ans. Par contre, dans certains sous-secteurs comme le transport de personnes ou l'entretien ménager, la main-d'œuvre est vieillissante, selon Isabelle Girard.

PORTRAIT STATISTIQUE

En 2013, environ 29 500 entreprises œuvraient dans le domaine touristique aux quatre coins de la province, selon le CQRHT. Elles sont réparties dans cinq sous-secteurs : hébergement, transport, services de voyage, restauration et loisirs. Près des deux tiers emploient 10 personnes et moins.

Le besoin de main-d'œuvre est particulièrement criant en restauration et en hébergement, qui regroupaient à eux seuls environ 70 % des quelque 416 000 emplois dans l'industrie en 2013, selon le CQRHT. 2013-10

RECHERCHÉS

- Cuisiniers
- Gestionnaires d'établissements de restauration
- Préposés à l'entretien ménager
- Préposés au transport de personnes (aérien, terrestre, ferroviaire, maritime)

OÙ TRAVAILLER?

Des emplois en tourisme sont disponibles partout au Québec. Si les régions de Québec et de Montréal représentent des pôles de développement importants (environ 40 % des travailleurs y gagnent leur vie), près de la moitié des postes se trouvent en périphérie de ces grands centres, notamment dans les Laurentides, à Laval, en Montérégie ou dans le Centre-du-Québec.

POUR ALLER PLUS LOIN

- **Association de l'industrie touristique du Canada :** tiac.travel
- **Association des hôteliers du Québec :** www.hoteliers-quebec.org
- **Association des restaurateurs du Québec :** www.restaurateurs.ca
- **Association québécoise de l'industrie touristique :** www.aqit.ca
- **Conseil québécois des ressources humaines en tourisme :** www.cqrht.qc.ca

Transport

Quand l'économie va, tout va. C'est particulièrement vrai pour le secteur du transport, qui suit les hauts et les bas des échanges commerciaux. Avec des exportations en pleine croissance, il semble promis à un bel avenir.

> par Josianne Haspeck

EMPLOI

L'industrie du transport connaît une phase de croissance après un ralentissement causé par la récession de 2008-2009. Emploi-Québec prévoyait la création de 9 000 postes pour la période 2012-2016. À terme, le nombre total d'emplois devrait ainsi dépasser le sommet atteint avant la crise. Dans le transport routier, principale activité de l'industrie, on estime qu'environ 1 220 nouveaux emplois s'ajouteront en 2014, sans compter les départs à la retraite et le roulement de personnel, qui alimenteront aussi la demande.

Le transport ferroviaire n'est cependant pas complètement sur les rails. L'emploi a connu un fort recul dans ce sous-secteur en 2012. «À moyen terme cependant, le développement du Nord devrait aider à faire croître l'emploi», estime Louis-Philippe Tessier-Parent, économiste à Emploi-Québec. Selon lui, les ressources naturelles seront exploitées tôt ou tard, et le transport ferroviaire en profitera.

Par ailleurs, l'incertitude concernant le nouveau régime minier a nui au développement du transport aérien. «Les entreprises ont pris du recul pour évaluer la situation, ce qui a réduit le nombre de vols. Mais on sait que les projets miniers vont apporter de l'eau au moulin dans les années à venir, ce qui sera positif pour les transporteurs aériens», précise Éric Lippé, directeur général du Comité sectoriel de main-d'œuvre en aérospatiale.

RELÈVE

Le vieillissement de la main-d'œuvre se fait sentir dans tout le secteur. Un employé sur deux est âgé de plus de 45 ans. Dans le transport aérien, on craint même une pénurie de pilotes en raison du manque de relève formée. Dans le domaine maritime, le recrutement de personnel navigant est aussi un défi particulièrement préoccupant, car près de 50 % des capitaines et des chefs mécaniciens ont plus de 50 ans. En transport routier, les travaux d'infrastructure du réseau contribuent, entre autres, à la forte demande de conducteurs de classe 3.

PORTRAIT STATISTIQUE

Le transport routier de marchandises et de personnes emploie plus de 100 000 travailleurs dans la province[1]. Le domaine aérien compte 15 000 travailleurs et le transport ferroviaire, 3 600[2]. L'industrie maritime regroupe, quant à elle, 13 200 personnes au service de quelque 360 entreprises[3]. 2013-10

RECHERCHÉS

- Agents de bord
- Chefs de train
- Conducteurs de véhicules lourds et d'autobus
- Directeurs de vol
- Officiers de mécanique de navire
- Officiers de navigation
- Pilotes
- Répartiteurs de vol
- Techniciens en entretien d'aéronefs
- Wagonniers

OÙ TRAVAILLER?

Les emplois sont concentrés à Montréal et à Québec. À preuve, la grande région de Montréal comptait, à elle seule, 53 % de la main-d'œuvre de l'industrie du transport et de l'entreposage en 2012. Des travailleurs sont aussi recherchés en Outaouais, en Abitibi, sur la Côte-Nord et en Montérégie.

1. et 2. Statistique Canada. *Enquête sur la population active*, 2012.

3. Comité sectoriel de main-d'œuvre de l'industrie maritime. *Étude sectorielle sur les effectifs maritimes au Québec*, 2013.

POUR ALLER PLUS LOIN

- **Camo-route :** www.camo-route.com
- **Comité sectoriel de main-d'œuvre de l'industrie maritime :** www.csmoim.qc.ca
- **Comité sectoriel de main-d'œuvre en aérospatiale :** www.camaq.org

Tour d'horizon

Le défi démographique

Le vieillissement de la population et les départs massifs à la retraite prévus dans de nombreux secteurs d'activité représentent des défis de taille pour plusieurs régions du Québec, particulièrement à l'extérieur des grands centres.

Pourcentage des emplois qui proviendront des départs à la retraite d'ici 2016

Bas-Saint-Laurent	91,7 %
Saguenay–Lac-Saint-Jean	91,6 %
Mauricie	89,7 %
Ensemble du Québec	74,8 %

Les régions les plus âgées (selon l'âge médian en 2012)

Gaspésie–Îles-de-la-Madeleine	49,5 ans
Bas-Saint-Laurent et Mauricie	47,5 ans
Saguenay–Lac-Saint-Jean	45,6 ans
Ensemble du Québec	41,5 ans

La croissance portée par les services

C'est dans la Capitale-Nationale et dans la couronne nord de Montréal que l'emploi a connu sa plus forte croissance au cours des dernières années. Ces bons résultats ont notamment été soutenus par le développement du secteur des services dans ces régions où l'arrivée de nouvelles familles entraîne la construction d'écoles, d'hôpitaux et de centres commerciaux.

Plus forte croissance de l'emploi entre 2008 et 2012

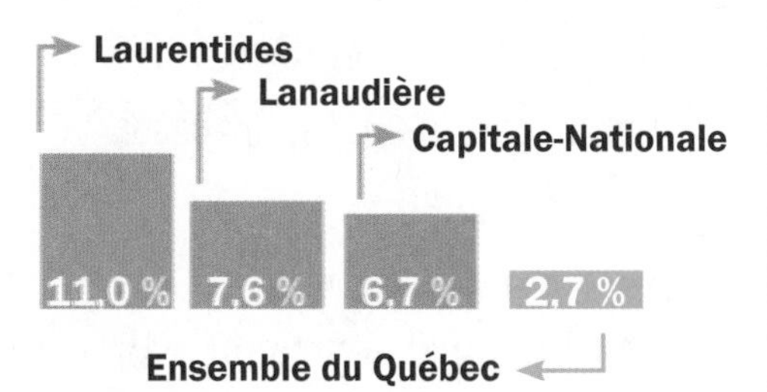

La capitale ne chôme pas

La Capitale-Nationale jouit d'un dynamisme qu'elle doit à la diversification de son économie, menée par les secteurs des TIC et des sciences de la vie. La région de la Chaudière-Appalaches suit non loin derrière, entre autres grâce à la croissance effrénée de la ville de Lévis, de l'autre côté du fleuve.

Les plus bas taux de chômage
(pour les trois premiers trimestres de 2013)

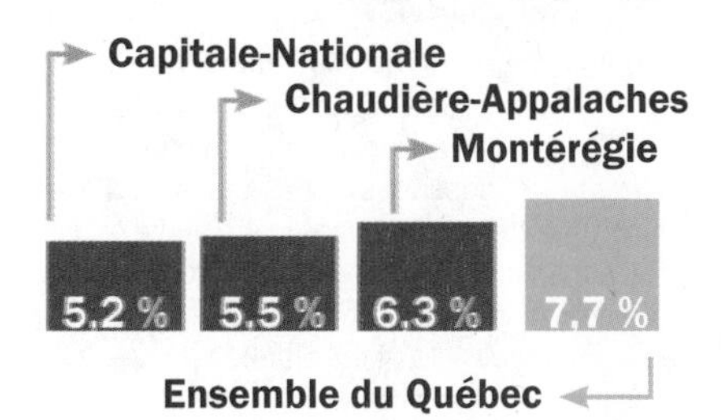

La région métropolitaine de Montréal en chiffres

L'emploi enregistre une croissance soutenue dans la région métropolitaine de Montréal grâce au développement de certains secteurs de pointe (TIC, finances, aéronautique) et à l'essor des régions périphériques. Le taux de chômage de l'île de Montréal est toutefois l'un des plus élevés du Québec.

	Région métropolitaine de Montréal	Île de Montréal seulement	Ensemble du Québec
Croissance de l'emploi entre 2008 et 2012 →	3,2 %	-0,9 %	2,7 %
Taux de chômage (pour les trois premiers trimestres de 2013) →	8,1 %	10 %	7,7 %

Source : Institut de la statistique du Québec

Abitibi-Témiscamingue

Région minière et forestière par excellence, l'Abitibi-Témiscamingue en a vu d'autres... Le ralentissement actuel dans le secteur minier ne lui fait pas peur, car cette terre de bâtisseurs a plus d'une corde à son arc.

> par Jean-François Barbe

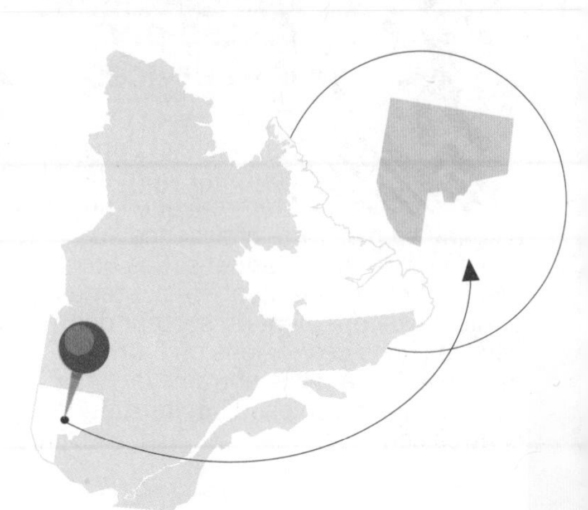

LES PERSPECTIVES

En Abitibi-Témiscamingue, l'impact du ralentissement des activités minières se fait sentir. La diminution de la demande mondiale de métaux a poussé les prix à la baisse. «Il y a moins d'exploration minière, car elle est devenue moins rentable», dit Sandra Lafleur, directrice du bureau d'affaires Abitibi-Témiscamingue – Nord-du-Québec à l'Agence de développement économique du Canada pour les régions du Québec.

La survie de certaines mines est même compromise. C'est le cas de la mine d'or Lac Herbin, à Val-d'Or. Son promoteur, la compagnie QMX Gold, a suspendu ses activités en juillet 2013, entraînant la mise à pied progressive d'une centaine d'employés.

En revanche, de nombreux sites miniers demeurent en activité grâce à des gisements plus riches ou plus accessibles qui ont de meilleurs seuils de rentabilité. Par exemple, Agnico Eagle injectera 100 millions de dollars dans la mine Goldex à Val-d'Or en 2014 afin d'agrandir ses installations. Cent nouveaux emplois seront ainsi créés. Gold Bullion Development Corporation investira 250 millions de dollars d'ici juin 2014 en vue d'exploiter le gisement Granada à Rouyn-Noranda. À Malartic, Osisko a débloqué 220 millions de dollars en 2013 pour agrandir sa mine d'or.

POPULATION

146 753 habitants

DES SECTEURS QUI RECRUTENT

- Construction
- Extraction minière
- Hébergement et restauration
- Services aux entreprises
- Services professionnels, scientifiques et techniques

Source : Ann Brunet Beaudry, Emploi-Québec.

PRINCIPALES VILLES

- Amos
- La Sarre
- Malartic
- Rouyn-Noranda
- Val-d'Or
- Ville-Marie

DIVERSIFICATION DES MARCHÉS

Par ailleurs, le secteur minier se diversifie. Ainsi, Canada Lithium Corporation construira une usine pilote à La Corne pour tester la rentabilité de la production de lithium métal, qui entre dans la fabrication des batteries électriques de voitures. Les travaux, qui ont débuté à l'automne 2013, ont généré 30 emplois. Et à Launay, Royal Nickel Corporation pourrait entamer en 2016 l'exploitation d'immenses gisements de nickel, de cobalt, de palladium et de platine. «Cette diversification des minéraux procurera des bénéfices à toute la région», selon Ann Brunet Beaudry, analyste du marché du travail à Emploi-Québec.

Mais ce n'est pas tout, car plus de 375 millions de dollars pourraient aussi être investis pour l'exploitation des terres rares, des minéraux utilisés dans les produits de haute technologie. À terme, la mine projetée par Matamec Explorations, située à Kipawa, fournirait de l'emploi à 220 personnes.

SUR LE TERRAIN

Le géant minier Osisko a investi la somme colossale de 1,4 milliard de dollars afin d'exploiter l'or à Malartic. Au 31 juillet 2013, la compagnie employait 675 personnes. Ces emplois sont convoités, puisque le salaire annuel moyen se situe à 87 000 $, soit 66 % de plus que le salaire moyen des résidents de la MRC de La Vallée-de-l'Or.

La plupart des emplois se trouvent dans les opérations minières et à l'usine de traitement : ingénieurs et techniciens miniers, journaliers et conducteurs d'équipement lourd.

«Notre taux de roulement est très bas et nous avons très peu de départs à la retraite en vue, signale Hélène Thibault, directrice des communications. Mais lorsque nous embauchons, nous recherchons des gens dynamiques, créatifs, innovateurs, passionnés et qui aiment relever des défis.»

Le boum minier a créé une pénurie chez les ingénieurs miniers, techniciens et géologues. «Il nous faut, à l'occasion, recruter à l'extérieur de l'Abitibi-Témiscamingue», affirme Hélène Thibault.

RECHERCHÉS

- Ingénieurs civils
- Machinistes et vérificateurs d'usinage et d'outillage
- Mécaniciens d'équipement lourd
- Mécaniciens et réparateurs d'automobiles, de camions et d'autobus
- Soudeurs et opérateurs de machines à souder et à braser
- Techniciens en géologie et en minéralogie
- Technologues en radiation médicale
- Technologues et techniciens en sciences forestières
- Tôliers
- Vérificateurs et comptables

Source : Emploi-Québec. *Le marché du travail dans la région de l'Abitibi-Témiscamingue, Perspectives d'emploi par profession 2012-2016*, 2012.

La diversification économique de la région dépasse l'exploitation des minéraux. De plus en plus de PME ayant développé des produits et services pour l'industrie minière exportent maintenant leur savoir-faire à l'étranger. «Par exemple, la compagnie ASDR Industries, installée à Malartic, a maintenant un bureau au Maroc», signale Ann Brunet Beaudry. Cette compagnie de 150 employés offre, notamment, des services en ingénierie et gestion de projet dans le secteur minier.

Enfin, le secteur forestier reprend de la vigueur. Tembec investit 355 millions de dollars dans son usine de Témiscaming afin de se moderniser, d'augmenter sa production de cellulose et d'assurer la pérennité des quelque 900 emplois existants. D'ici 2018, environ 240 employés de l'usine partiront à la retraite, et il faudra les remplacer. «Cela fait longtemps que les perspectives d'emploi en foresterie n'ont pas été aussi bonnes», se réjouit Guy Trépanier, directeur général de la Société de développement du Témiscamingue. 2013-09

À SIGNALER

- Annoncée en mars 2013, la création du parc national d'Opémican générera une trentaine d'emplois. Environ 26 millions de dollars seront investis. D'une superficie de quelque 250 km², le parc sera bordé à l'ouest par le lac Témiscamingue et à l'est par le lac Kipawa. L'inauguration est prévue pour 2017.
- Située au cœur de Rouyn-Noranda, la Fonderie Horne consacrera 150 millions de dollars à rénover et agrandir son usine de recyclage. Les travaux, qui emploieront 35 personnes, débuteront en 2014.
- L'aménagement et l'agrandissement du pavillon Sainte-Famille du Centre de santé et de services sociaux du Témiscamingue occuperont 200 personnes jusqu'à la fin des travaux, prévue pour 2015. Les investissements atteignent 24,5 millions de dollars.

Perspectives 2012-2016 d'Emploi-Québec		
Région Abitibi-Témiscamingue		**Ensemble du Québec**
Création d'emplois	2 900	174 800
Départs à la retraite	9 500	519 700

Source : Emploi-Québec. *Marché du travail et emploi par industrie au Québec 2012-2016*, 2012.

LES TENDANCES DÉMOGRAPHIQUES

Depuis 2006, la population de l'Abitibi-Témiscamingue est en légère hausse. «Cela ne faisait pas partie des prévisions des démographes des années 1990», rappelle Ann Brunet Beaudry, d'Emploi-Québec.

De fait, la population de la région avait baissé chaque année entre 1996 et 2005. Mais depuis 2006, l'arrivée de 1 900 nouveaux habitants, soit environ 315 personnes annuellement, fait grimper les chiffres.

Comme le fait remarquer l'Observatoire de l'Abitibi-Témiscamingue, parmi les régions-ressources, seules l'Abitibi-Témiscamingue et le Nord-du-Québec affichent une hausse ininterrompue de leur nombre d'habitants depuis 2006.

En effet, le Bas-Saint-Laurent, le Saguenay–Lac-Saint-Jean et la Gaspésie–Îles-de-la-Madeleine enregistrent une baisse constante de la population.

Par ailleurs, l'Abitibi-Témiscamingue exerce une attraction de plus en plus forte sur les immigrants internationaux. Entre 2006 et 2010, 394 nouveaux arrivants l'ont adoptée, une hausse de 50 % par rapport à 2001-2005. En 2012, 110 immigrants ont indiqué avoir l'intention de s'établir dans la région.

Taux de chômage			
En novembre 2013†	7,7 % Québec : 7,9 %		
Moyennes annuelles††	**2012**	**2011**	**2010**
Population de 15 ans et plus	6,4 % Québec : 7,8 %	7,5 % Québec : 7,8 %	8,5 % Québec : 8,0 %
Population de 15 à 29 ans	9,7 % Québec : 11,3 %	9,7 % Québec : 11,3 %	10,3 % Québec : 11,4 %

† Source : Institut de la statistique du Québec, Statistique Canada, données désaisonnalisées, moyenne mobile sur trois mois.

†† Source : Statistique Canada. *Enquête sur la population active*, compilations de l'Institut de la statistique du Québec, 2010, 2011 et 2012.

Bas-Saint-Laurent

L'embauche dans l'industrie éolienne est au ralenti et la situation demeure difficile en foresterie. En revanche, la fabrication des trains et wagons de métro est repartie de plus belle à La Pocatière, et le Bas-Saint-Laurent continue à prendre le virage de l'économie du savoir.

> par Jean-François Barbe

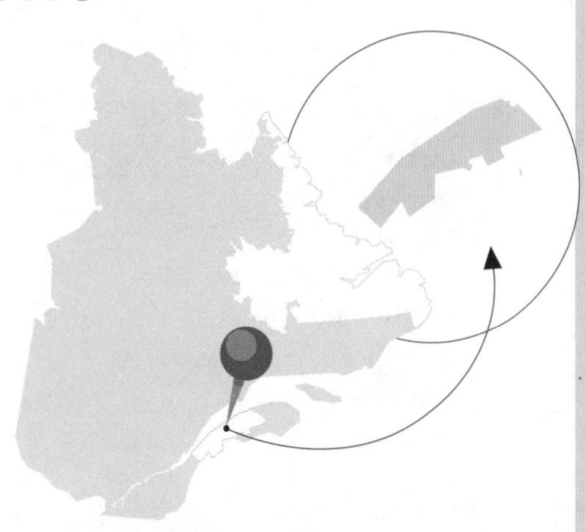

POPULATION

199 834 habitants

DES SECTEURS QUI RECRUTENT

- Construction
- Fabrication de produits métalliques
- Finance, assurances et immobilier
- Hébergement et restauration
- Santé et services sociaux
- Technologies de l'information et des communications
- Transport

Source : Alexandre Gauthier Belzile, Emploi-Québec.

PRINCIPALES VILLES

- Amqui
- Matane
- Mont-Joli
- Rimouski
- Rivière-du-Loup

LES PERSPECTIVES

Au Québec, la construction d'éoliennes a ralenti et l'impact s'en fait sentir dans le Bas-Saint-Laurent. «Après une croissance fulgurante au cours des dernières années, le volume d'emplois ne devrait pas augmenter. Des postes seront toutefois disponibles à cause des départs à la retraite et du roulement de la main-d'œuvre», affirme Alexandre Gauthier Belzile, économiste à Emploi-Québec.

Pour faire tourner les usines et maintenir les quelque 600 emplois dans la région, les fabricants devront augmenter leurs exportations et développer d'autres marchés comme l'éolien marin ou l'éolien en milieu nordique. Ils espèrent aussi pouvoir bénéficier du dernier appel d'offres pour l'achat de 450 mégawatts d'énergie éolienne par Hydro-Québec, annoncé en août 2013.

Un bloc de 300 mégawatts devra provenir du Bas-Saint-Laurent et de la Gaspésie–Îles-de-la-Madeleine. «Ce bloc fera tourner les usines des fabricants de la MRC de La Matanie jusqu'en 2019», prévoit Alexandre Gauthier Belzile.

C'est en 2025 que les premiers parcs éoliens du Québec atteindront leur fin de vie utile. Leurs équipements devront alors être remplacés, ce qui remplira à nouveau les carnets de commandes des fabricants. «Le défi consiste à tenir le coup jusque-là», dit l'économiste d'Emploi-Québec.

RECHERCHÉS

- Agents et courtiers d'assurance
- Aides de maintien à domicile
- Ambulanciers
- Analystes et consultants en informatique
- Commis à la comptabilité
- Commis à la paye
- Conducteurs de camions
- Designers graphiques
- Éducateurs de la petite enfance
- Électromécaniciens
- Ergothérapeutes
- Infirmiers
- Inhalothérapeutes
- Machinistes
- Médecins spécialistes
- Omnipraticiens
- Pharmaciens
- Physiothérapeutes
- Secrétaires et agents administratifs
- Soudeurs
- Techniciens en dessin et en architecture
- Techniciens en informatique
- Travailleurs sociaux
- Vérificateurs et comptables

Source : Emploi-Québec. *Le marché du travail dans la région du Bas-Saint-Laurent, Perspectives d'emploi par profession 2012-2016*, 2012.

LA CRISE DU BOIS SE POURSUIT

Lourdement frappée par la récession de 2008-2009, l'industrie du bois se relève peu à peu. «La crise continue, mais les entreprises qui ont survécu sont devenues plus efficaces. Elles ont amélioré leur productivité», souligne Pierre Roberge, directeur régional du bureau d'affaires Bas-Saint-Laurent à l'Agence de développement économique du Canada pour les régions du Québec.

Quelques producteurs de bois ont ainsi élargi leurs marchés à l'extérieur du Québec et des États-Unis. «L'industrie développe aussi d'autres produits, comme la biomasse forestière», ajoute Alexandre Gauthier Belzile.

Par ailleurs, les autorités gouvernementales ont augmenté de près de 50 % la portion de la forêt publique accessible aux usines de sciage. Cela devrait favoriser des entreprises qui manquent de matière première, par exemple le Groupe Lebel de Rivière-du-Loup. Cette compagnie, qui emploie 350 personnes, fabrique notamment des cabanons de bois prêts à assembler.

À LA POCATIÈRE, C'EST REPARTI!

Au printemps 2013, le Centre Bombardier de La Pocatière a embauché une vingtaine d'employés pour réaliser les contrats des métros de Montréal et de New York. Au total, l'usine emploie environ 600 personnes.

Une grappe industrielle axée sur le matériel de transport se développe aussi dans la région. «Certains sous-traitants de Bombardier exportent maintenant leurs produits un peu partout dans le monde», dit Gilles Gagnon, adjoint à la direction, volet Innovation et développement économique à la Conférence régionale des éluEs du Bas-Saint-Laurent. Technologies Axion, un fabricant de systèmes audio et vidéo pour les

SUR LE TERRAIN

Situé à Rivière-du-Loup, le fabricant de portes et fenêtres Lepage Millwork est en expansion depuis 2002. «Nous avons réussi à traverser la crise de 2008-2009, car nous fabriquons des produits haut de gamme et sur mesure», dit Mélanie Binette, directrice des ressources humaines. Les choses vont si bien que cette entreprise de 300 employés est en train d'agrandir ses installations. Une trentaine de nouveaux postes seront créés à la fin des travaux, au début de 2014.

Certains types d'emplois sont difficiles à pourvoir. «Les soudeurs, les mécaniciens industriels et les électromécaniciens sont très demandés. Il faut parfois recruter à l'extérieur de la région», précise Mélanie Binette. Dans les bureaux, les spécialistes en marketing et les personnes chargées du service à la clientèle doivent avoir une très bonne maîtrise de l'anglais, puisque Lepage Millwork exporte la moitié de sa production aux États-Unis. «Là aussi, nous avons des difficultés de recrutement», convient la directrice des ressources humaines.

transports, exporte en Grande-Bretagne, en Finlande et au Mexique.

Ces entreprises basées sur la «matière grise» sont de plus en plus nombreuses. «La recherche et développement dans les domaines de la forêt, de la tourbe et de l'agriculture jouent un rôle grandissant dans la région», confirme Gilles Gagnon. 2013-09

LES TENDANCES DÉMOGRAPHIQUES

La population du Bas-Saint-Laurent vieillit rapidement. En 2002, les plus de 45 ans représentaient près de 40 % de la population de la région. Dix ans plus tard, cette proportion avait grimpé à 47 %. «Cela favorise le pouvoir de négociation des jeunes travailleurs», affirme Alexandre Gauthier Belzile, économiste à Emploi-Québec.

Par exemple, il y a quelques années, les offres d'emploi qualifié suscitaient souvent plus de 10 candidatures. «Aujourd'hui, on recevrait seulement deux ou trois curriculum vitæ», dit-il. Les occasions d'emploi sont aussi plus nombreuses en raison des départs à la retraite. Selon ses dernières prévisions, Emploi-Québec évaluait que 18 000 postes seraient disponibles entre 2012 et 2016, dont 16 500 liés aux départs à la retraite. «Et cette vague ne s'arrêtera pas en 2016», prévoit Alexandre Gauthier Belzile.

À SIGNALER

> Fermée en février 2012, la cartonnerie RockTenn de Matane sera transformée en centrale électrique. On y produira l'énergie à partir de matières résiduelles organiques. La construction de la centrale permettra l'embauche d'une centaine de personnes. Par la suite, une quarantaine de travailleurs seront affectés à son exploitation. Les premiers mégawatts seront produits à l'été 2015.

> Gaudreau Environnement investira cinq millions de dollars à Rimouski afin de construire un centre administratif. Spécialisée dans la gestion des matières résiduelles, la compagnie a choisi Rimouski comme lieu de gestion de ses activités du Bas-Saint-Laurent et de la Gaspésie. Le projet consolide une trentaine d'emplois existants et en créera cinq autres.

> Canac s'implante à Rimouski et injecte cinq millions de dollars pour la construction d'un magasin de quincaillerie et de matériaux de construction. Le commerce devait ouvrir ses portes à la fin de 2013 et offrir de 75 à 80 emplois.

Perspectives 2012-2016 d'Emploi-Québec

Région Bas-Saint-Laurent		Ensemble du Québec
Création d'emplois	1 500	174 800
Départs à la retraite	16 500	519 700

Source : Emploi-Québec. *Marché du travail et emploi par industrie au Québec 2012-2016*, 2012.

Taux de chômage

En novembre 2013†	8,5 % Québec : 7,9 %		
Moyennes annuelles††	**2012**	**2011**	**2010**
Population de 15 ans et plus	8,1 % Québec : 7,8 %	8,0 % Québec : 7,8 %	10,0 % Québec : 8,0 %
Population de 15 à 29 ans	10,0 % Québec : 11,3 %	11,3 % Québec : 11,3 %	10,7 % Québec : 11,4 %

† Source : Institut de la statistique du Québec, Statistique Canada, données désaisonnalisées, moyenne mobile sur trois mois.

†† Source : Statistique Canada. *Enquête sur la population active*, compilations de l'Institut de la statistique du Québec, 2010, 2011 et 2012.

Capitale-Nationale

La concentration du secteur public dans la Capitale-Nationale stabilise l'économie de la région. Parallèlement, la diversification dans des secteurs de pointe comme les sciences de la vie ou les technologies de l'information lui confère du dynamisme. C'est le meilleur des deux mondes!

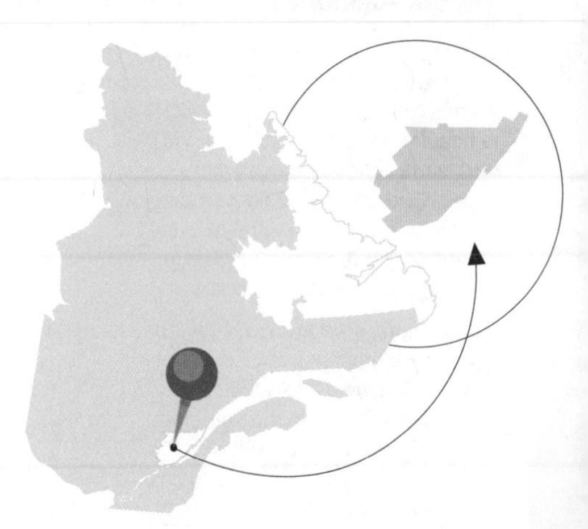

> par Jean-François Venne

POPULATION

707 984 habitants

DES SECTEURS QUI RECRUTENT

- Aliments et boissons
- Assurances
- Commerce de détail
- Construction
- Hébergement et restauration
- Information, culture et loisirs
- Santé et services sociaux
- Services professionnels, scientifiques et techniques

Source : Guy Faucher, Emploi-Québec.

PRINCIPALES VILLES

- La Malbaie
- L'Ancienne-Lorette
- L'Ange-Gardien
- Pont-Rouge
- Québec
- Saint-Augustin-de-Desmaures

LES PERSPECTIVES

En 2012, la croissance de l'emploi a été limitée dans la région en raison de la faible demande liée à une économie mondiale au ralenti. Malgré tout, le taux d'activité a augmenté dans la Capitale-Nationale, atteignant même un record pour la région. Celle-ci a également maintenu un taux chômage très bas, 5,7 %, qui la classe au deuxième rang à l'échelle de la province, derrière la Chaudière-Appalaches.

Guy Faucher, économiste à Emploi-Québec, note que l'industrie des services occupe une place de choix dans la capitale provinciale. «Environ 88 % des emplois de la région se trouvent dans ce secteur, comparativement à 78 % pour l'ensemble du Québec», dit-il. De fait, en 2012, le secteur des biens a perdu 9 200 emplois, alors que celui des services en a gagné 15 200.

La fonction publique est un joueur important dans la région, notamment dans les soins de santé et l'enseignement; elle englobe près de neuf emplois sur dix. Selon l'Institut de la statistique du Québec, l'investissement dans les services publics a grimpé de 21 % en 2013. «Depuis 2008, la population de Québec a augmenté de façon constante, chaque année, en raison d'un boum des naissances et d'un afflux d'immigrants, ce qui crée une demande supplémentaire de services sociaux et éducatifs», souligne Louis Gagnon, économiste à Québec International.

DES SECTEURS CLÉS

Québec International a recensé six industries clés contribuant à la croissance économique de la région : assurances et services financiers, sciences de la vie, technologies de l'information et des communications (TIC) et électronique, transformation alimentaire, bâtiment vert et intelligent, matériaux à valeur ajoutée et matériel de transport.

Certaines sont particulièrement porteuses d'emplois comme celle des TIC et de l'électronique (32 500 emplois directs et indirects), ainsi que celle des assurances et services financiers (45 300 emplois directs et indirects).

D'autres sont plus modestes mais s'étendent à l'ensemble de la région. C'est le cas du tourisme, qui touche les zones de Charlevoix, de Portneuf et de l'île d'Orléans. D'importants projets, comme la construction d'un hôtel dans le Massif de Charlevoix grâce à une entente avec le Club Med, pourraient générer de nombreux emplois.

SUR LE TERRAIN

L'entreprise de biotechnologie Medicago développe des vaccins, notamment contre l'influenza, à partir de plantes. Elle emploie environ 130 personnes à ses installations du Parc technologique du Québec métropolitain, dont 10 ont été embauchées en 2012.

Axée sur la recherche et le développement, Medicago emploie principalement des diplômés universitaires de 1er ou 2e cycle en biochimie, des techniciens en chimie-biologie, des diplômés du certificat universitaire en biotechnologie ou de l'attestation d'études collégiales en production pharmaceutique. La majorité sont de la région, et quelques-uns de Montréal ou de Toronto.

Pour garder ses travailleurs, l'entreprise mise sur les horaires flexibles. «Il n'y a pas d'heures fixes d'entrée et de sortie, mais plutôt un nombre d'heures à effectuer par semaine», explique la directrice principale administration et ressources humaines, Joanne Roberge.

Medicago est en discussion avec une autre entreprise au sujet d'une entente qui permettrait de créer plusieurs nouveaux emplois pour la production en usine, indique Frédéric Ors, vice-président, développement des affaires.

RECHERCHÉS

- Analystes et consultants en informatique
- Architectes
- Biologistes et autres scientifiques
- Chimistes
- Directeurs financiers
- Ergothérapeutes
- Gestionnaires de systèmes informatiques
- Infirmiers autorisés et auxiliaires
- Ingénieurs civils, mécaniciens, chimistes, industriels et de fabrication
- Ingénieurs informaticiens
- Inhalothérapeutes, perfusionnistes cardiovasculaires et technologues cardiopulmonaires
- Machinistes et vérificateurs d'usinage et d'outillage
- Omnipraticiens et médecins en médecine familiale
- Pharmaciens
- Programmeurs et développeurs en médias interactifs
- Serveurs d'aliments et de boissons
- Techniciens de laboratoire médical
- Technologistes médicaux et assistants en anatomopathologie
- Vendeurs et commis-vendeurs – commerce de détail
- Vérificateurs et comptables

Source : Emploi-Québec. *Le marché du travail dans la région de la Capitale-Nationale, Perspectives d'emploi par profession 2012-2016*, 2012.

FIBRE ENTREPRENEURIALE

L'esprit d'entreprise est très présent dans la région, selon Jacques Fiset, directeur général du Centre local de développement de Québec. «Nous recevons entre 300 et 400 projets de démarrage d'entreprise par année, dont la moitié est initiée par des jeunes de moins de 35 ans», note-t-il.

Il donne en exemple Nyx Hemera Technologies. Cette PME de huit employés située à Québec est spécialisée dans la mise au point de systèmes d'éclairage intelligents pour les tunnels routiers. Depuis 2010, elle a décroché des contrats auprès de clients dans les marchés canadien, américain et asiatique, et elle en courtise d'autres en Océanie à l'heure actuelle. Elle a notamment réalisé l'éclairage du plus gros tunnel du sud de l'Asie, le Kallang Paya Lebar Expressway de Singapour. 2013-09

À SIGNALER

> Avec 175 éoliennes, le parc d'EDF Énergies Nouvelles dans Charlevoix deviendra le plus important au pays. Sa construction, qui devrait démarrer en 2014, créera près de 200 emplois, et ses activités en généreront une vingtaine d'autres. Il s'agit d'un investissement de 800 millions de dollars.

> Des chantiers routiers sont en cours à Québec. L'intersection de l'autoroute Duplessis et du chemin des Quatre-Bourgeois sera complètement réaménagée, de même que le viaduc de la rue Soumande. L'autoroute Félix-Leclerc sera élargie entre Duplessis et Henri-IV. Tout cela avant le démarrage, en 2015, du chantier majeur d'élargissement de l'autoroute Henri-IV.

> L'agrandissement de l'aéroport Jean-Lesage se poursuivra jusqu'en 2017. Une première étape prévoit la construction d'un stationnement à étages, un investissement de 40 millions de dollars. L'agrandissement de la section des vols internationaux, au coût de 225 millions de dollars, permettra de doubler la superficie actuelle de 25 000 m^2. Environ 9 000 emplois directs et indirects devraient être créés.

LES TENDANCES DÉMOGRAPHIQUES

À 43 ans, l'âge médian de la région dépasse la moyenne québécoise (41,5 ans). En revanche, la Capitale-Nationale n'a aucun problème à retenir ses jeunes; au contraire, elle en attire! «Les cégeps et l'Université Laval leur permettent d'étudier ici, et attirent même des jeunes d'autres régions», note Christian Audet, directeur régional du bureau d'affaires Québec – Chaudière-Appalaches à l'Agence de développement économique du Canada pour les régions du Québec. Ainsi, en 2011-2012, la région a connu un solde migratoire interrégional positif chez les 20-24 ans (+ 1 287), selon l'Institut de la statistique du Québec. Elle constitue également la quatrième région d'établissement des immigrants, après Montréal, la Montérégie et Laval.

La population de la Capitale-Nationale n'a cessé de croître depuis les années 1990. Depuis 1996, son taux de croissance a presque quadruplé, ce qui a permis à la région de dépasser la moyenne québécoise pour la première fois en 15 ans.

Perspectives 2012-2016 d'Emploi-Québec

Région Capitale-Nationale		Ensemble du Québec
Création d'emplois	14 600	174 800
Départs à la retraite	51 200	519 700

Source : Emploi-Québec. *Marché du travail et emploi par industrie au Québec 2012-2016*, 2012.

Taux de chômage

En novembre 2013†	5,4 % Québec : 7,9 %		
Moyennes annuelles††	**2012**	**2011**	**2010**
Population de 15 ans et plus	5,7 % Québec : 7,8 %	5,8 % Québec : 7,8 %	5,1 % Québec : 8,0 %
Population de 15 à 29 ans	7,5 % Québec : 11,3 %	8,0 % Québec : 11,3 %	8,0 % Québec : 11,4 %

† Source : Institut de la statistique du Québec, Statistique Canada, données désaisonnalisées, moyenne mobile sur trois mois.

†† Source : Statistique Canada. *Enquête sur la population active*, compilations de l'Institut de la statistique du Québec, 2010, 2011 et 2012.

Centre-du-Québec

Grâce à l'ambition de ses entrepreneurs et à la présence de grandes entreprises étrangères, le Centre-du-Québec profite d'une économie qui carbure à la production manufacturière. Et l'arrivée d'un nouveau campus universitaire rendra bientôt la région encore plus compétitive.

> par Jean-François Barbe

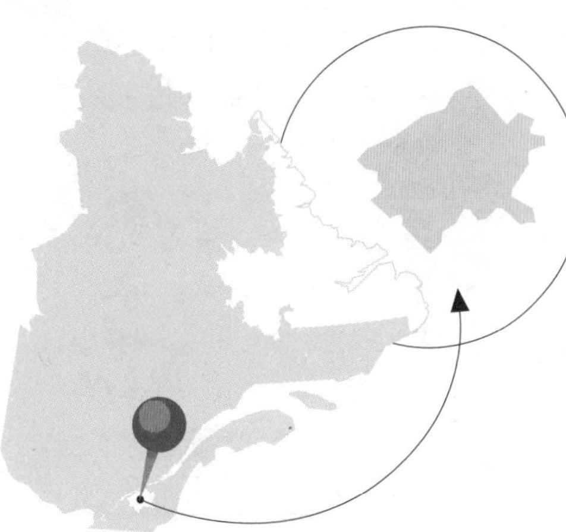

POPULATION

235 005 habitants

DES SECTEURS QUI RECRUTENT

- Agriculture
- Commerce de gros et de détail
- Fabrication
- Finance et assurances
- Hébergement et restauration
- Santé et services sociaux
- Services professionnels, scientifiques et techniques

Source : Éric Lampron, Emploi-Québec.

PRINCIPALES VILLES

- Bécancour
- Drummondville
- Nicolet
- Plessisville
- Princeville
- Victoriaville

LES PERSPECTIVES

«Le Centre-du-Québec est le champion de la fabrication manufacturière», souligne Éric Lampron, analyste du marché du travail à Emploi-Québec. Ce secteur représente près d'un emploi sur quatre, la proportion la plus élevée parmi les dix-sept régions du Québec.

Une place que le Centre-du-Québec n'abandonnera pas de sitôt, d'autant plus que ses parcs industriels continuent de s'étendre. La MRC d'Arthabaska en a ouvert deux en 2013, et la municipalité de Plessisville agrandira le sien de 278 700 m^2.

Et les projets d'investissement se succèdent à bon rythme. Soprema, filiale d'une multinationale française, injectera 43 millions de dollars pour la construction d'une usine spécialisée en fabrication de matériaux d'étanchéité. Une fois terminée, fin 2014 ou début 2015, l'usine emploiera 55 personnes.

Le fabricant d'échangeurs d'air Aldes Canada, quant à lui, doublera sa production et créera une centaine d'emplois en 2014 grâce à un investissement de 3,1 millions de dollars.

À Bécancour, la compagnie indienne IFFCO Canada pourrait investir 1,2 milliard de dollars dans la construction d'une usine d'engrais. Ce projet, qui mènerait à la création de 200 à

RECHERCHÉS

- Comptables
- Conducteurs de camions
- Infirmiers et aides-infirmiers
- Ingénieurs en génie mécanique
- Machinistes
- Mécaniciens d'équipement lourd
- Ouvriers agricoles
- Soudeurs

Source : Emploi-Québec. *Le marché du travail dans la région du Centre-du-Québec, Perspectives d'emploi par profession, 2012-2016*, 2012.

SUR LE TERRAIN

Sixpro, un fabricant en revêtement de surfaces métalliques, emploie 190 personnes. Environ 80 % du personnel – peintres industriels, journaliers et superviseurs – travaille à l'usine. Les 20 % restants – service à la clientèle, personnel administratif et informaticiens – exercent leurs fonctions dans les bureaux.

«Depuis 2011, il est devenu difficile de recruter parce que la région a presque atteint le plein emploi. On demande à nos employés de nous proposer des candidatures, et si on embauche parmi ces personnes, les employés qui nous les ont envoyées reçoivent alors des bonis», dit Richard Bourbeau, PDG et propriétaire de l'entreprise.

La compagnie Sixpro préfère former elle-même ses futurs représentants et spécialistes du service à la clientèle. «Ce que l'on fait n'est pas enseigné dans les écoles. Par exemple, un représentant doit connaître à fond les propriétés des différents métaux. Ce qui ne s'apprend qu'à l'usine», dit Richard Bourbeau.

À l'usine même, Sixpro favorise la formule du compagnonnage. C'est ainsi que les peintres industriels transmettent leurs connaissances à ceux qui veulent exercer ce métier.

300 emplois, ira de l'avant en 2017 s'il obtient les autorisations environnementales nécessaires et si l'étude de faisabilité est positive.

Toujours à Bécancour, Innovation Metals Corp. envisage d'implanter une usine de traitement de terres rares, des minéraux qui entrent dans la fabrication de produits de haute technologie. La réalisation de ce projet de 300 millions de dollars pourrait créer 300 emplois. La mise en chantier repose toutefois sur l'évolution de la demande de terres rares à l'échelle mondiale.

DYNAMISME LOCAL

La région regorge aussi d'entrepreneurs dynamiques. «Plusieurs compagnies régionales ont débuté comme sous-traitantes. Avec le temps, elles ont développé leurs propres produits et elles ont élargi leur clientèle», dit Georges Arseneau, directeur du bureau d'affaires Centre-du-Québec à l'Agence de développement économique du Canada pour les régions du Québec.

C'est le cas du Groupe Soucy. À l'origine fabricante de pièces pour Bombardier, la compagnie a lancé en 2012 un projet de modernisation et de diversification de ses usines. Quelque 300 nouveaux emplois vont s'ajouter progressivement aux 1 325 existants.

Un autre ancien sous-traitant, Annexair, a acquis un terrain de 157 930 m² à Saint-Germain-de-Grantham pour la construction d'une nouvelle usine, ce qui créera des emplois.

«La région a dix secteurs industriels. Quand un secteur va moins bien, d'autres prennent le relais», dit Martin Dupont, directeur général de la Société de développement économique de Drummondville.

Par ailleurs, l'Université du Québec à Trois-Rivières ouvrira un campus à Drummondville à l'automne 2015. Au cours de ses deux premières années d'activité, le campus accueillera annuellement 500 étudiants, puis 1 000 par la suite. «La région gardera davantage ses jeunes et deviendra encore plus compétitive», dit Éric Lampron. 2013-09

À SIGNALER

> Situé à Drummondville, le constructeur de charpentes métalliques Structure d'acier BRL 2000 a investi 5 millions de dollars pour l'aménagement d'une usine de 3 900 m². Au début de 2014, de 15 à 20 nouveaux emplois s'ajouteront aux 45 existants.

LES TENDANCES DÉMOGRAPHIQUES

Comme ailleurs dans la province, la population du Centre-du-Québec vieillit. Par conséquent, les jeunes sont moins nombreux. En 2012, les jeunes de 0 à 29 ans formaient le tiers (33,9 %) de la population régionale, comparativement à 40,2 % en 1996, selon les dernières données de l'Institut de la statistique du Québec. La proportion des 65 ans et plus a grimpé à 17,8 % de la population, comparativement à 12,7 % en 1996.

Ce vieillissement a de profonds effets sur le marché du travail. «Une enquête réalisée en 2013 auprès des entreprises du Centre-du-Québec montre que 49 % d'entre elles anticipent des difficultés de recrutement. C'est notamment lié au nombre important de départs à la retraite qui surviendront au cours des prochaines années», signale Éric Lampron, d'Emploi-Québec.

Toutefois, par rapport aux autres régions, il y a plus de naissances dans le Centre-du-Québec. L'indice de fécondité y est de 1,97 enfant, comparativement à 1,68 pour la moyenne québécoise. Et l'âge moyen de la maternité, 28,8 ans, est également plus bas que la moyenne à l'échelle de la province, qui est de 30,2 ans.

À SIGNALER (SUITE)

- L'entreprise Planchers de bois franc Wickham a injecté quatre millions de dollars pour l'agrandissement de son usine de Wickham et l'achat de nouveaux équipements. La centaine d'emplois existants sera consolidée.
- L'entreprise RER Hydro a lancé un projet de 130 millions de dollars pour construire la première fabrique d'hydroliennes au monde à Bécancour. Plus de 600 emplois directs et indirects pourraient être créés au cours des cinq prochaines années. L'usine pourra produire 500 hydroliennes annuellement.
- Minéraux rares Quest installera un complexe de 1,3 milliard de dollars à Bécancour pour traiter des terres rares. L'entreprise prévoit la création de 500 emplois pendant la construction de l'usine, et de 300 postes lors de son entrée en fonction, en 2017.

Perspectives 2012-2016 d'Emploi-Québec		
Région Centre-du-Québec		**Ensemble du Québec**
Création d'emplois	2 900	174 800
Départs à la retraite	18 000	519 700

Source : Emploi-Québec. *Marché du travail et emploi par industrie au Québec 2012-2016*, 2012.

Taux de chômage			
En novembre 2013†		7,9 % Québec : 7,9 %	
Moyennes annuelles††	**2012**	**2011**	**2010**
Population de 15 ans et plus	8,3 % Québec : 7,8 %	7,2 % Québec : 7,8 %	6,5 % Québec : 8,0 %
Population de 15 à 29 ans	9,4 % Québec : 11,3 %	10,0 % Québec : 11,3 %	11,1 % Québec : 11,4 %

† Source : Institut de la statistique du Québec, Statistique Canada, données désaisonnalisées, moyenne mobile sur trois mois.

†† Source : Statistique Canada. *Enquête sur la population active*, compilations de l'Institut de la statistique du Québec, 2010, 2011 et 2012.

Chaudière-Appalaches

Avec un centre urbain axé sur les services, et des régions plus rurales où l'agriculture et la fabrication de biens demeurent des moteurs économiques importants, la Chaudière-Appalaches offre un paysage contrasté. Un bassin de main-d'œuvre limité pourrait toutefois ralentir la croissance.

> par Jean-François Venne

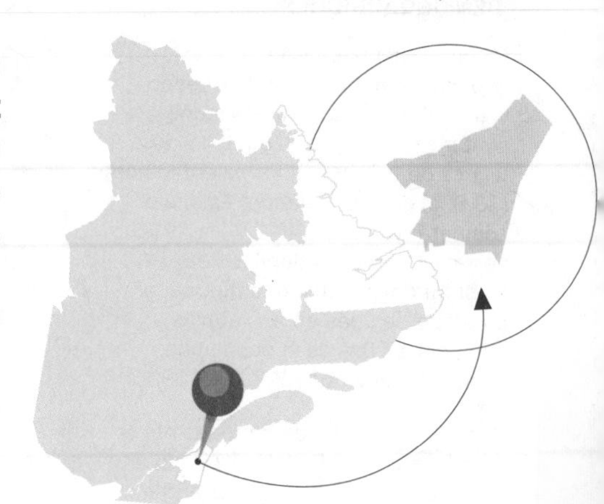

LES PERSPECTIVES

Depuis 10 ans, la région de la Chaudière-Appalaches figure parmi les premiers de classe au Québec, tant pour son haut taux d'activité (66,7 % en 2012) que pour son bas taux de chômage (4,6 % en 2012). «Mais les chiffres ne disent pas tout. Lévis connaît une croissance fulgurante, mais l'économie de municipalités plus excentrées et rurales va un peu moins bien», note Christian Audet, directeur régional du bureau d'affaires Québec – Chaudière-Appalaches à l'Agence de développement économique du Canada pour les régions du Québec.

En 2012, la région a perdu 6 200 emplois, selon l'Institut de la statistique du Québec (ISQ). «Toutefois, comme la population active a diminué davantage que le nombre d'emplois, le taux de chômage a continué de chuter», fait remarquer Dominique Bois, économiste à Emploi-Québec.

LÉVIS, VILLE DE SERVICES

Le secteur des services représente plus des deux tiers des emplois dans la région, d'après l'ISQ. De 2008 à 2012, il s'est créé plus de 12 000 postes dans ce domaine, alors que celui de la production de biens en perdait 5 300. Cela tient beaucoup à Lévis, «où les services représentent environ 80 % de l'emploi total», note Michel Caseault, conseiller en développement économique à la Direction du développement,

POPULATION

408 188 habitants

DES SECTEURS QUI RECRUTENT

- Caoutchouc et plastique
- Commerce de gros
- Fabrication de machines
- Fabrication de produits métalliques
- Finance, assurances et immobilier
- Hébergement et restauration
- Santé et services sociaux
- Transport et entreposage

Source : Dominique Bois, Emploi-Québec.

PRINCIPALES VILLES

- Lévis
- Montmagny
- Sainte-Marie
- Saint-Georges
- Thetford Mines

Service du développement commercial, du tourisme et de la promotion à la Ville de Lévis.

La finance et les assurances représentent environ 8 000 emplois, uniquement à Lévis, soutient Michel Caseault. À l'échelle de la région, la proportion d'emplois dans ce domaine a fait un bond de 14 % en 2012, selon l'ISQ. À lui seul, le Mouvement Desjardins, qui construit un nouvel immeuble LEED de 15 étages à Lévis, en crée environ 200 à 250 par an. Ce champ d'activité est aussi soutenu par l'arrivée d'un nouvel immeuble de l'assureur Promutuel à Lotbinière.

COURSE À LA MAIN-D'ŒUVRE

Après des années de vaches maigres, le secteur manufacturier a redressé la tête en 2013. «Après avoir perdu 10 600 emplois de 2002 à 2012, il en a gagné 4 000 dans les 6 premiers mois de 2013», note Dominique Bois. Signe de ce renouveau, le chantier maritime Davie a embauché 540 travailleurs en 2013 et en emploiera près de 500 autres en 2014.

SUR LE TERRAIN

Avec ses usines à Saint-Georges, Saint-Victor et Beauceville, en plus d'une autre à Fall River aux États-Unis, Groupe Victor fabrique des panneaux de tissu pour les bureaux à cloisons, du tissu pour recouvrir des chaises et des rideaux d'hôpital.

«En 2012, l'entreprise a rapatrié la fabrication de tous les tissus commerciaux de Fall River à l'usine de Saint-Georges, jugée plus performante», explique Jason Henry, coordonnateur des ressources humaines. Cela a créé 25 nouveaux postes. La PME compte plus de 210 employés, dont la plupart travaillent en usine (mécaniciens, opérateurs, journaliers).

Jason Henry admet que ce type de main-d'œuvre se fait rare. Pour recruter, Groupe Victor a eu recours à Emploi-Québec, aux sites Web, aux journaux, aux publicités distribuées de porte en porte et aux journées carrières, mais aussi à d'autres méthodes plus inusitées. Ainsi, l'entreprise a demandé à l'annonceur officiel de l'aréna local de communiquer ses offres d'emploi entre les périodes des matchs d'une équipe de hockey, le CRS Express de Saint-Georges!

RECHERCHÉS

- Agents et courtiers d'assurance
- Analystes et consultants en informatique
- Architectes
- Électromécaniciens
- Ergothérapeutes
- Gestionnaires de systèmes informatiques
- Infirmiers autorisés
- Ingénieurs civils
- Ingénieurs mécaniciens
- Machinistes et vérificateurs d'usinage et d'outillage
- Manœuvres dans la transformation des aliments, des boissons et du tabac
- Omnipraticiens et médecins en médecine familiale
- Opérateurs de machines d'usinage
- Ouvriers agricoles
- Pharmaciens
- Soudeurs et opérateurs de machines à souder et à braser
- Techniciens de laboratoire médical
- Technologistes médicaux et assistants en anatomopathologie
- Technologues en radiation médicale

Source : Emploi-Québec. *Le marché du travail dans la région de la Chaudière-Appalaches, Perspectives d'emploi par profession 2012-2016*, 2012.

Cependant, la situation demeure fragile. L'entreprise s'affaire actuellement à construire trois navires, mais nul ne sait si elle réussira à remplir suffisamment son carnet de commandes pour assurer sa survie.

Le plus gros défi de la région demeure cependant de trouver de la main-d'œuvre. En Beauce, soudeurs, usineurs, machinistes et monteurs d'acier de structure se font rares. À tel point que certaines entreprises hésitent avant d'investir dans un agrandissement ou de nouveaux équipements, de peur de manquer de personnel, explique Claude Morin, directeur général du Conseil économique de Beauce.

Une piste de solution est explorée : la filière française. Une mission en France, dans le cadre de la campagne Viens te souder au Québec, a permis de recruter 24 travailleurs français. Ils seront formés en soudure dans la région et pourront commencer à travailler dès 2014. Au printemps prochain, la région pourrait tenter une aventure similaire, mais dans l'industrie du bois. 2013-09

À SIGNALER

> Texel, un fabricant de matériaux techniques, a agrandi son usine de Sainte-Marie, ce qui permettra de créer de 25 à 30 postes.

> PhasOptx Telecom, spécialisé dans la fabrication et la commercialisation de produits liés à la fibre optique, s'est implanté dans le parc industriel de Disraeli. L'entreprise a généré une soixantaine d'emplois en 2013 et pourrait en créer 40 autres entre 2014 et 2016.

> La phase 1 du parc technologique Innoparc, à Lévis, créera 1 200 emplois au cours des 5 à 7 prochaines années grâce à des investissements de 100 millions de dollars.

> L'ouverture du Carrefour Saint-Romuald est prévue pour 2014-2015 et devrait générer environ 500 emplois. On y trouvera notamment des grandes surfaces comme Costco, des immeubles de bureaux, des restaurants, des commerces et des logements.

> Innoventé a commencé à vendre l'électricité qu'elle produit à sa toute nouvelle usine de cogénération de Saint-Patrice-de-Beaurivage. Elle alimentera 8 000 foyers au cours des 25 prochaines années, en plus de créer une soixantaine d'emplois.

LES TENDANCES DÉMOGRAPHIQUES

Selon l'Institut de la statistique du Québec, la croissance démographique de la région reste inférieure à la moyenne québécoise, en dépit d'une accélération à la fin des années 1990, principalement due à une hausse des naissances.

La population augmente principalement à Lévis et dans les MRC voisines. Ainsi, de 2006 à 2012, Lévis, La Nouvelle-Beauce et Lotbinière ont connu un taux d'accroissement avoisinant les 10 personnes par tranche de 1 000 individus, alors que la population des MRC des Etchemins et de L'Islet ont diminué respectivement de 7,1 et 5,2 personnes sur 1 000 habitants.

À 43,4 ans, l'âge médian est plus élevé dans cette région que dans l'ensemble de la province (41,5 ans). Toutefois, la MRC de La Nouvelle-Beauce (38,9 ans), la région de Lévis (40,9 ans) et la MRC Robert-Cliche (40,8 ans) sont beaucoup moins touchées par le vieillissement de la population que les MRC des Appalaches (49,9 ans), de L'Islet (48,7 ans) ou de Montmagny (48,6 ans).

Perspectives 2012-2016 d'Emploi-Québec

Région Chaudière-Appalaches		Ensemble du Québec
Création d'emplois	5 100	174 800
Départs à la retraite	32 000	519 700

Source : Emploi-Québec. *Marché du travail et emploi par industrie au Québec 2012-2016*, 2012.

Taux de chômage

En novembre 2013†	5,6 % Québec : 7,9 %		
Moyennes annuelles††	**2012**	**2011**	**2010**
Population de 15 ans et plus	4,6 % Québec : 7,8 %	4,8 % Québec : 7,8 %	5,2 % Québec : 8,0 %
Population de 15 à 29 ans	6,5 % Québec : 11,3 %	7,1 % Québec : 11,3 %	8,7 % Québec : 11,4 %

† Source : Institut de la statistique du Québec, Statistique Canada, données désaisonnalisées, moyenne mobile sur trois mois.

†† Source : Statistique Canada. *Enquête sur la population active*, compilations de l'Institut de la statistique du Québec, 2010, 2011 et 2012.

Côte-Nord

La Côte-Nord connaît un ralentissement après quelques années de frénésie que certains ont qualifiée de ruée vers le fer. L'industrie de l'aluminium vit également une pause, mais de son côté, le secteur forestier remonte la pente et l'activité atteint son paroxysme sur le mégachantier de la Romaine.

> par Pierre St-Arnaud

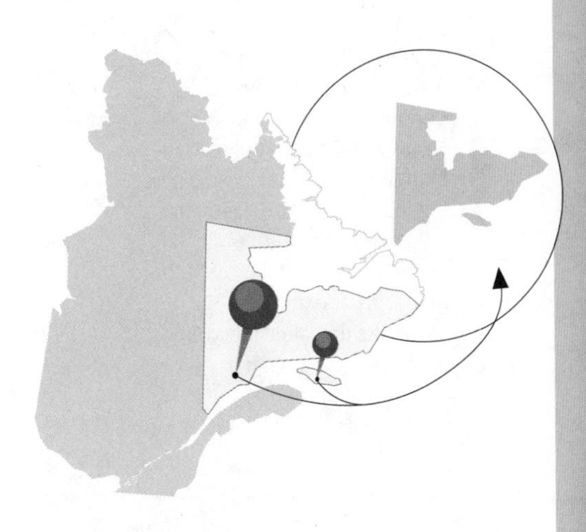

POPULATION

95 647 habitants

DES SECTEURS QUI RECRUTENT

- Commerce
- Construction
- Extraction minière
- Finance, assurances et immobilier
- Hébergement et restauration
- Services professionnels, scientifiques et techniques
- Transport et entreposage

Source : André LePage, Emploi-Québec.

PRINCIPALES VILLES

- Baie-Comeau
- Port-Cartier
- Sept-Îles

LES PERSPECTIVES

La baisse du prix du fer a entraîné un ralentissement de l'activité minière sur la Côte-Nord et le report de certains projets. Mais cela n'inquiète pas les observateurs. «Le cours des matières premières est appelé à fluctuer, et il faut observer la situation sur le moyen et le long terme», rappelle Stéphane Lacroix, directeur régional du bureau d'affaires Côte-Nord à l'Agence de développement économique du Canada pour les régions du Québec.

Il souligne que la situation est identique du côté de l'aluminium. Le prix de la ressource s'est considérablement déprécié, ce qui a amené l'usine Alcoa de Baie-Comeau à annoncer, en mai 2013, un nouveau report de trois ans de son projet de modernisation de 1,2 milliard de dollars. Cette décision se traduira par une perte de 500 emplois. La phase 3 de l'aluminerie Alouette de Sept-Îles, un investissement de 1,5 milliard de dollars, demeure aussi sur la glace jusqu'à nouvel ordre.

Toutefois, on ne parle pas de décroissance, mais plutôt de ralentissement de la croissance, particulièrement du côté minier, souligne André LePage, économiste à Emploi-Québec. «Il s'agit d'une baisse par rapport à des périodes de

RECHERCHÉS

- Ambulanciers
- Arpenteurs-géomètres
- Conducteurs de camions et d'équipement lourd
- Infirmiers et infirmiers auxiliaires
- Ingénieurs (en génie des mines, mécanique, électrique)
- Mécaniciens d'équipement lourd
- Médecins spécialistes
- Monteurs de lignes électriques et de câbles
- Omnipraticiens
- Spécialistes des ressources humaines
- Techniciens en génie civil, en sciences forestières
- Travailleurs sociaux

Source : Emploi-Québec. *Le marché du travail dans les régions de la Côte-Nord et du Nord-du-Québec, Perspectives professionnelles 2012-2016*, 2012.

SUR LE TERRAIN

ArcelorMittal exploite deux mines et un concentrateur de fer dans le secteur de Fermont. Un chemin de fer les relie à ses installations portuaires et à son usine de bouletage à Port-Cartier. Entre 2006 et 2010, l'entreprise a été aux prises avec des départs à la retraite massifs. Elle a dû embaucher de 500 à 550 personnes annuellement en 2011-2012, faisant passer le nombre de ses employés de 2 000 à tout près de 3 000.

«Nous nous attendons encore à embaucher une soixantaine de cadres et environ 150 employés par année sur une base continue, en fonction du roulement de personnel», explique le directeur du recrutement, Denis Carrier. Les besoins sont multiples : ingénieurs, mécaniciens, métallurgistes, opérateurs, contremaîtres, planificateurs. «La région ne fournit pas assez de candidats. Nous ne recrutons presque plus sur la Côte-Nord», dit-il. D'où le recours à des employés qui font la navette. «Mais ce n'est pas ce que nous voulons favoriser. Nous avons limité le nombre d'accès à des postes "*fly-in fly-out*" parce que nous voulons accorder la priorité à des résidents qui vont s'attacher à l'entreprise et à leur milieu.»

pointe inédites. L'emploi dans les mines est encore en croissance de façon globale et les minières embauchent tout de même.»

D'ailleurs, les besoins sont tels, que plusieurs employeurs ont désormais recours à la formule «*fly-in, fly-out*» : des employés viennent travailler 10, 12 ou 14 jours consécutifs, puis retournent chez eux aux frais de l'employeur pour une durée équivalente, en rotation. Ce phénomène est une source de préoccupation, souligne André LePage. «Ces emplois n'ont pas les mêmes retombées économiques dans la région que ceux occupés par les résidents de la Côte-Nord.»

MANQUE DE MAIN-D'ŒUVRE

Cette situation démontre également que le nombre de travailleurs de la région est insuffisant pour répondre à la demande des entreprises. «Il y a quelques années, on parlait de manque de main-d'œuvre spécialisée. Aujourd'hui, on a enlevé le mot "spécialisée"...», note Patrick Hamelin, directeur général de la Conférence régionale des élus de la Côte-Nord.

Cet état de choses place les PME et les commerces, incapables d'offrir les salaires généreux des minières, dans une position difficile. Ils doivent rivaliser d'ingéniosité pour attirer et retenir des employés – certains offrant du logement, le partage des bénéfices, etc. – ou restreindre le nombre de contrats qu'ils acceptent et limiter leurs heures d'ouverture.

Hydro-Québec offre aussi des conditions avantageuses à ses employés, et l'activité est loin de ralentir sur son immense chantier à la Romaine. Celui-ci entre d'ailleurs dans sa période de pointe, alors que le nombre de travailleurs nécessaires au barrage et à la ligne de transport électrique devrait atteindre entre 2 000 et 2 500 en 2014-2015.

Quant à l'industrie forestière, celle-ci voit enfin une lueur au bout du long tunnel. Sans parler de reprise, le secteur profite d'un raffermissement des prix et s'attend à une croissance de la demande, au point qu'on recommence à former des jeunes travailleurs. 2013-09

À SIGNALER

> La compagnie Cliffs Natural Resources a annoncé en mars 2013 la fermeture de son usine de bouletage à Sept-Îles, entraînant la perte de 165 emplois.

LES TENDANCES DÉMOGRAPHIQUES

La Côte-Nord continue de perdre des résidents au profit des autres régions, mais le phénomène diminue. Alors qu'on note un solde migratoire négatif chez les 15 à 24 ans, il est toutefois positif chez les 25 à 54 ans, ce qui laisse croire que les jeunes quittent la région pour suivre des formations postsecondaires – la Côte-Nord n'a pas d'université –, mais reviennent une fois formés.

«Le solde migratoire s'est amélioré. Il est même devenu positif au cours des dernières années, avant de redevenir négatif en 2011-2012. Mais cela n'a rien à voir avec le début des années 2000, alors que l'on perdait de 1 000 à 2 000 personnes annuellement», note André LePage, d'Emploi-Québec.

«On sent le retour des jeunes. J'ai vu différents postes pourvus par des gens de l'extérieur, des jeunes familles», ajoute Stéphane Lacroix, directeur régional du bureau d'affaires Côte-Nord à l'Agence de développement économique du Canada pour les régions du Québec. Il se dit encouragé par cette tendance, d'autant plus que la région est aux prises avec un vieillissement de la main-d'œuvre, en particulier dans certains corps de métiers de la construction.

À SIGNALER (SUITE)

> En septembre 2013, le Cégep de Baie-Comeau a relancé, avec l'aide des entreprises du secteur, son programme de technologie forestière qui était fermé depuis 2009 : 21 étudiants se sont inscrits.

> Alouette a investi 10 millions de dollars dans la construction d'un premier pavillon universitaire sur la Côte-Nord, à Sept-Îles, qui doit ouvrir ses portes en 2014 et accueillir 400 étudiants. La formation sera offerte par l'Université du Québec à Chicoutimi.

> Le BAPE a amorcé en août 2013 des audiences publiques sur le projet de la mine d'apatite Arnaud, dans la baie de Sept-Îles. Le projet de 750 millions de dollars doit créer 330 emplois directs et 425 emplois indirects. La construction s'amorcera en 2014 et la mise en exploitation est prévue pour 2016.

Perspectives 2012-2016 d'Emploi-Québec

Régions Côte-Nord et Nord-du-Québec		Ensemble du Québec
Création d'emplois	2 800	174 800
Départs à la retraite	7 400	519 700

Source : Emploi-Québec. *Marché du travail et emploi par industrie au Québec 2012-2016*, 2012.

Taux de chômage

En novembre 2013†	11,1 % Québec : 7,9 %		
Moyennes annuelles††	**2012**	**2011**	**2010**
Population de 15 ans et plus	7,6 % Québec : 7,8 %	7,8 % Québec : 7,8 %	6,9 % Québec : 8,0 %
Population de 15 à 29 ans	n.d. Québec : 11,3 %	n.d. Québec : 11,3 %	n.d. Québec : 11,4 %

† Source : Institut de la statistique du Québec, Statistique Canada, données désaisonnalisées, moyenne mobile sur trois mois. Incluant le Nord-du-Québec.

†† Source : Statistique Canada. *Enquête sur la population active*, compilations de l'Institut de la statistique du Québec, 2010, 2011 et 2012.

Estrie

Le secteur manufacturier est l'un des principaux moteurs de l'emploi en Estrie. Cependant, ce sont les services qui semblent les plus porteurs pour l'avenir de la région, tandis que les technologies de pointe continuent de se tailler une place de choix.

> par Josianne Haspeck

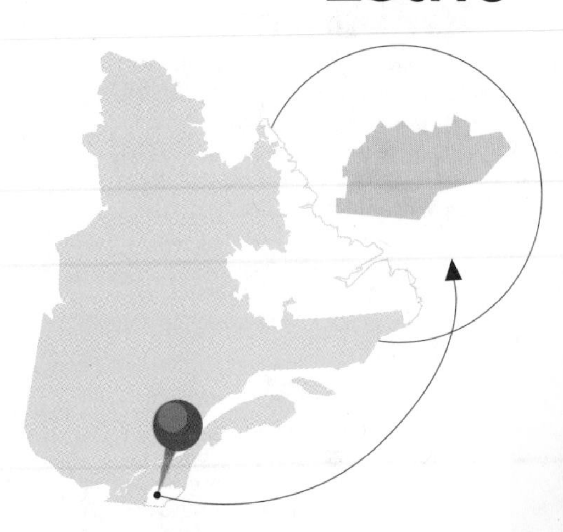

LES PERSPECTIVES

Le secteur des services se porte bien en Estrie et fournira beaucoup d'emplois au cours des prochaines années, selon Hubert Létourneau, économiste à Emploi-Québec. Les sous-secteurs de l'assurance et de l'immobilier, de la santé, des services aux entreprises et des services professionnels sont les plus dynamiques.

Dans le secteur manufacturier, la fabrication de produits métallurgiques et de machines contribue fortement à la croissance économique régionale. Les investissements ont d'ailleurs augmenté de 8 % pour l'ensemble du secteur de la fabrication en 2013 par rapport à 2012, selon Hubert Létourneau.

L'année 2012-2013 a toutefois été marquée par de tristes événements, notamment la fermeture définitive de la mine Jeffrey à Asbestos, l'explosion à l'usine Neptune Technologies & Bioressources à Sherbrooke et le drame survenu à Lac-Mégantic. Ces événements ont eu un impact négatif sur l'emploi en Estrie dans les secteurs manufacturier et des services, selon Mariette Larochelle, directrice régionale du bureau d'affaires Estrie à l'Agence de développement économique du Canada pour les régions du Québec.

De plus, les effets de la plus récente récession se font encore sentir. Puisque 18 % des emplois

POPULATION

315 487 habitants

DES SECTEURS QUI RECRUTENT

- Caoutchouc et plastique
- Commerce de détail
- Fabrication de produits métalliques
- Fabrication de machines
- Hébergement et restauration
- Santé et services sociaux
- Services professionnels, scientifiques et techniques

Source : Hubert Létourneau, Emploi-Québec.

PRINCIPALES VILLES

- Asbestos
- Coaticook
- Lac-Mégantic
- Magog
- Sherbrooke

de la région sont concentrés dans le secteur manufacturier, comparativement à 12 % au Québec, le ralentissement de la croissance économique crée des inquiétudes. «La santé économique des États-Unis a un impact direct sur notre industrie manufacturière, puisque nos entreprises exportent dans ce pays, confirme Hubert Létourneau. Au cours des dernières années, elles ont toutefois diversifié leur marché d'exportation en se tournant vers l'Europe. Par ailleurs, le retour de la croissance économique au Québec et au Canada a aidé à récupérer tous les emplois qui avaient été perdus dans la région.»

Selon Mariette Larochelle, l'Estrie amorce aussi un virage important vers l'économie du savoir. «Avec des infrastructures comme l'Accélérateur de création d'entreprises technologiques [ACET] de Sherbrooke, créé en 2011, la région génère de plus en plus de démarrages d'entreprises dans des secteurs porteurs», estime-t-elle. Louise Bourgault, vice-présidente et directrice générale de la Chambre de commerce de Sherbrooke, abonde dans ce sens. Elle cite en exemple la compagnie Immune Biosolutions, une entreprise spécialisée dans la fabrication d'anticorps à partir d'œufs destinés à la recherche biomédicale. Cette firme, qui a vu le jour grâce au soutien de l'ACET, devrait générer une vingtaine d'emplois sur cinq ans.

RECHERCHÉS

- Aides-infirmiers, aides-soignants et préposés aux bénéficiaires
- Caissiers
- Commis d'épicerie – commerce de détail
- Conducteurs de machinerie d'entretien public
- Designers graphiques et illustrateurs
- Entrepreneurs et contremaîtres en mécanique
- Estimateurs en construction
- Infirmiers autorisés
- Infirmiers auxiliaires
- Professionnels des services aux entreprises de gestion
- Serveurs au comptoir, aides de cuisine et personnel assimilé
- Technologues et techniciens en dessin
- Technologues et techniciens en génie industriel, de fabrication et mécanique

Source : Emploi-Québec. *Le marché du travail dans la région de l'Estrie, Perspectives professionnelles 2012-2016*, 2012.

SUR LE TERRAIN

Située à Sherbrooke, l'entreprise Les Aciers Orford est spécialisée dans la fabrication et la pose d'acier d'armature et de treillis métalliques. À la fin de 2013, l'entreprise a terminé l'agrandissement de son usine de fabrication et l'ajout d'une chaîne de production.

La directrice générale, Catherine Marquis, mentionne qu'au moins 20 postes seront créés en 2014. Ce nombre pourrait tripler si le carnet de commandes est bien rempli. L'entreprise recherche des techniciens en génie civil, des estimateurs et des dessinateurs en bâtiment ou en génie civil. «Le recrutement de techniciens, quel que soit le poste, est plus difficile, affirme-t-elle. Il nous arrive d'aller chercher des stagiaires à l'extérieur de la région, à Montréal et à Québec.»

D'ici le printemps 2014, l'entreprise aura terminé la construction d'un nouveau bâtiment qui comprendra une cafétéria, une salle d'entraînement et une garderie. Ces services devraient favoriser l'attraction et la rétention du personnel, selon Catherine Marquis.

RARETÉ DE MAIN-D'ŒUVRE EN VUE?

La région ne manque pas de main-d'œuvre qualifiée pour répondre aux besoins des entreprises, compte tenu des nombreux établissements d'enseignement présents sur son territoire. Les départs à la retraite restent toutefois une réalité préoccupante pour l'industrie des pâtes et papiers – regroupant les entreprises Kruger, Cascades et Domtar –, qui aura besoin de quelque 400 opérateurs d'ici 2017. Or, les inscriptions aux programmes de formation menant à des emplois dans le secteur sont insuffisantes.

L'Estrie fait déjà face à une rareté de main-d'œuvre pour certaines professions du domaine de la santé, comme les infirmiers et les préposés aux bénéficiaires. «La région fait d'ailleurs de la promotion à Montréal pour attirer les gens ici», indique Louise Bourgault. 2013-10

À SIGNALER

> Tout en demeurant à Magog, Boréalis a déménagé son siège social en avril 2013 afin de pouvoir réunir sa centaine d'employés sous un même toit, créant du même coup une cinquantaine de postes. Cette firme est spécialisée en service-conseil et en conception de logiciels de gestion dans les domaines minier, pétrolier et gazier.

> Le parc éco-industriel Valoris comprendra bientôt un centre de tri ainsi qu'une usine de biométhanisation visant à valoriser les matières résiduelles et minimiser leurs effets sur l'environnement. Le centre de tri devrait être en activité au début de 2014 et créer une trentaine d'emplois.

> Les travaux d'agrandissement du Centre de recherche clinique Étienne-Le Bel, un projet de 31,7 millions de dollars, devraient être finalisés en 2014. La construction du nouveau bâtiment de trois étages, adjacent à l'ancien, permettra de doubler la superficie du centre de recherche.

LES TENDANCES DÉMOGRAPHIQUES

Comme dans les autres régions du Québec, le vieillissement de la population est un enjeu en Estrie. D'ici 2031, le nombre de personnes âgées de 65 ans ou plus devrait augmenter de 80 % et représenter près du quart de la population. Cette situation poussera probablement à la hausse les taux d'activité et d'emploi des personnes de 55 ans et plus. «On constate déjà que le taux d'activité des 55-59 ans a augmenté de 14,7 % de 2000 à 2012», précise Hubert Létourneau, économiste à Emploi-Québec. Par ailleurs, la population des 15-64 ans a décru de 17 000 individus entre 2012 et 2013, selon l'Institut de la statistique du Québec. Cette baisse pourrait compliquer le recrutement de main-d'œuvre pour les employeurs de la région. En 2012, l'âge médian des Estriens était de 42,7 ans, comparativement à 41,5 ans pour l'ensemble du Québec. Le solde migratoire interrégional demeure positif, puisque les jeunes disposent d'un bon réseau d'enseignement postsecondaire, et les retraités apprécient la région et viennent s'y installer.

Perspectives 2012-2016 d'Emploi-Québec

Région	Estrie	Ensemble du Québec
Création d'emplois	4 900	174 800
Départs à la retraite	23 800	519 700

Source : Emploi-Québec. *Marché du travail et emploi par industrie au Québec 2012-2016*, 2012.

Taux de chômage

En novembre 2013†	6,1 % Québec : 7,9 %		
Moyennes annuelles††	**2012**	**2011**	**2010**
Population de 15 ans et plus	8,0 % Québec : 7,8 %	6,7 % Québec : 7,8 %	8,1 % Québec : 8,0 %
Population de 15 à 29 ans	12,8 % Québec : 11,3 %	10,1 % Québec : 11,3 %	13,5 % Québec : 11,4 %

† Source : Institut de la statistique du Québec, Statistique Canada, données désaisonnalisées, moyenne mobile sur trois mois.

†† Source : Statistique Canada. *Enquête sur la population active*, compilations de l'Institut de la statistique du Québec, 2010, 2011 et 2012.

Gaspésie – Îles-de-la-Madeleine

Le développement de l'industrie éolienne donne un bon coup de pouce à ce coin de pays traditionnellement dépendant des ressources naturelles et du tourisme. Il faudra malgré tout faire preuve d'imagination pour former les nombreux travailleurs sans emploi, qui peinent à décrocher les postes spécialisés disponibles dans la région.

> par Jean-François Venne

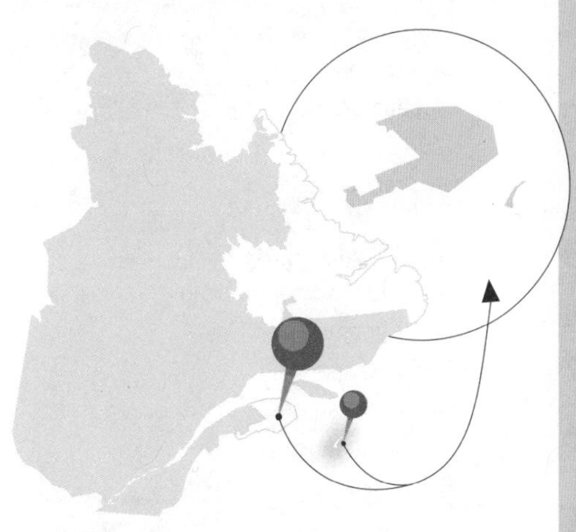

LES PERSPECTIVES

«L'éolien est le fer de lance de la diversification économique dans la région», indique Gilbert Scantland, directeur général de la Conférence régionale des élus Gaspésie–Îles-de-la-Madeleine. Il souligne l'annonce, en août 2013, d'un appel d'offres par Hydro-Québec pour l'achat de 450 mégawatts d'énergie éolienne, dont 300 devront provenir de la Gaspésie–Îles-de-la-Madeleine et du Bas-Saint-Laurent, ce qui contribuera à maintenir les quelque 800 emplois qui y sont liés. La construction de nouveaux parcs devrait aussi occuper 1 000 travailleurs.

«L'éolien fait beaucoup parler de lui, mais il est encore jeune, tempère toutefois France Simard, directrice régionale du bureau d'affaires Gaspésie – Îles-de-la-Madeleine à l'Agence de développement économique du Canada pour les régions du Québec. Il crée beaucoup d'emplois pendant la phase de construction des parcs, mais beaucoup moins pour leur exploitation.» Pour soutenir ce secteur, il faudra donc compter sur des contrats comme celui obtenu par l'usine LM Glasfiber de Gaspé, qui fabriquera 1 400 pales d'éoliennes pour la société REpower Canada. Ce projet consolidera pour cinq ans les emplois existants, en plus d'en générer une vingtaine d'autres.

POPULATION

92 536 habitants

DES SECTEURS QUI RECRUTENT

- Administration publique
- Commerce de détail
- Construction
- Éducation
- Hébergement et restauration
- Santé et services sociaux
- Transport et entreposage

Source : Alexandra Chabot, Emploi-Québec.

PRINCIPALES VILLES

- Carleton-sur-Mer
- Chandler
- Gaspé
- Les Îles-de-la-Madeleine
- Sainte-Anne-des-Monts

RECHERCHÉS

- Agents d'administration
- Aides familiaux
- Arpenteurs-géomètres
- Audiologistes et orthophonistes
- Avocats et notaires
- Biologistes et autres scientifiques
- Constructeurs et rénovateurs en construction résidentielle
- Enseignants au collégial
- Ergothérapeutes
- Infirmiers autorisés et auxiliaires
- Ingénieurs mécaniciens
- Médecins spécialistes
- Omnipraticiens
- Pharmaciens
- Physiothérapeutes
- Policiers
- Professionnels des sciences forestières
- Psychologues
- Spécialistes des ressources humaines
- Techniciens en laboratoire médical
- Technologues en génie électronique et électrique
- Technologues en radiation médicale
- Vérificateurs et comptables

Source : Emploi-Québec. *Le marché du travail dans la région de la Gaspésie–Îles-de-la-Madeleine, Perspectives d'emploi par profession 2012-2016*, 2012.

Entre 2012 et 2016, Emploi-Québec évaluait que 8 600 personnes prendraient leur retraite et que près de 1 100 nouveaux emplois devraient être créés dans la région. «En plus de l'éolien, la croissance devrait venir de l'exploration du pétrole, de l'extraction minière et de l'argile alumineuse», prévoit Alexandra Chabot, économiste à Emploi-Québec.

LA PÊCHE 2.0

«Le secteur primaire représente 8,9 % des emplois dans la région, comparativement à 2,3 % dans l'ensemble du Québec», indique Alexandra Chabot. Si le secteur forestier continue d'éprouver de grandes difficultés, la pêche va mieux grâce à des solutions novatrices. Ainsi, les pêcheurs font des efforts pour obtenir des écocertifications. Il s'agit d'une démarche cruciale parce que certains pays, comme la France, commencent à fermer leur marché aux produits qui ne possèdent pas cette reconnaissance. La crevette nordique, par exemple, se distingue déjà des crevettes de Terre-Neuve ou de la Norvège en raison de ces labels, et le homard est en voie d'obtenir une certification. En transformation, les usines créent de nouveaux produits innovateurs. Depuis juillet 2013, par exemple, Crevette du Nord Atlantique et Pêcheries Marinard produisent de la poudre de carapaces de crevettes destinée à l'alimentation humaine, plutôt que d'enfouir les carapaces.

REDÉFINIR LE TOURISME

Le tourisme est très important pour la région, mais offre surtout des emplois saisonniers. Or, «avec la réforme de l'assurance-emploi visant à forcer les travailleurs saisonniers à occuper tout emploi libre à une certaine distance de chez soi, les entrepreneurs du tourisme ont peur de voir leur main-d'œuvre changer de secteur, ou carrément quitter la région», relève Gilbert Scantland.

SUR LE TERRAIN

La cimenterie de Ciment McInnis, à Port-Daniel–Gascons, est en construction et devrait commencer à produire en 2016. Dotée d'une carrière, d'une usine à la fine pointe de la technologie et d'un terminal de réception en eau profonde, elle créera jusqu'à 500 emplois pendant la construction, et environ 150 emplois directs par la suite.

«Nous offrons un très large éventail de postes», explique le PDG, Christian Gagnon. La liste est longue : opérateurs de machinerie lourde, usineurs, soudeurs ou monteurs pour l'entretien de la mécanique fixe ou mobile, techniciens en électricité, ingénieurs miniers, en génie mécanique ou chimique, gestionnaires, et même directeur de l'usine!

Les travailleurs qui produiront le ciment seront formés par l'entreprise. «Pour ces postes, nous recherchons moins des diplômes qu'une volonté d'apprendre», note Christian Gagnon. Ces employés suivront une formation de six mois à temps plein, en plus d'un stage d'un mois dans une autre entreprise.

LES TENDANCES DÉMOGRAPHIQUES

L'âge moyen en Gaspésie est plus élevé qu'ailleurs au Québec (45,7 ans comparativement à 41,1) et la région voit sa population diminuer (6 063 habitants de moins qu'en 2001). La proportion de personnes en âge de travailler (15-64 ans) se maintient à 66,5 %, mais plus de la moitié a au-dessus de 45 ans. Malgré tout, le solde migratoire de la région a été positif en 2009-2010 et 2010-2011, avant d'afficher un léger recul en 2011-2012. On assiste aussi à une diminution de l'exode des jeunes.

Deux tendances influencent l'emploi dans la région. Selon Gilbert Scantland, directeur général de la Conférence régionale des élus Gaspésie–Îles-de-la-Madeleine, les travailleurs de plus de 45 ans ayant perdu des emplois peu qualifiés ces dernières années peinent à pourvoir les postes qui se présentent, par manque de formation. Cependant, les jeunes qui ont étudié dans les grands centres reviennent au bercail et décrochent des emplois qualifiés assortis de conditions intéressantes.

Perspectives 2012-2016 d'Emploi-Québec		
Région Gaspésie–Îles-de-la-Madeleine		**Ensemble du Québec**
Création d'emplois	1 100	174 800
Départs à la retraite	8 600	519 700

Source : Emploi-Québec. *Marché du travail et emploi par industrie au Québec 2012-2016*, 2012.

Toutefois, l'industrie des croisières contribue à prolonger la saison. Environ 40 000 visiteurs débarquent sur la pointe de Gaspé, principalement en septembre et en octobre. Tourisme Québec a d'ailleurs accordé une aide financière de 6,9 millions de dollars à la région pour le développement de croisières internationales. 2013-09

À SIGNALER

> EDF Énergies Nouvelles réalisera un parc éolien d'une puissance de 74 mégawatts à Murdochville. Cet investissement de 175 millions de dollars devrait générer 150 emplois durant la construction.

> L'augmentation substantielle des coûts de construction de l'usine d'Orbite Aluminae, passés de 50 à 106 millions de dollars en quelques mois, a ralenti la réalisation de ce projet. En 2013, 20 personnes travaillaient dans cette usine inachevée, et 15 autres étaient en formation.

> Transports Canada draguera le fond de la baie de Gaspé pour recueillir les sédiments contaminés au cuivre et aux hydrocarbures. Ce projet de 36 millions de dollars pourrait toutefois provoquer des pertes d'emplois temporaires dans le secteur des pêches si les sédiments contaminent les mollusques ou si le quai devient inaccessible.

Taux de chômage			
En novembre 2013†	13,9 % Québec : 7,9 %		
Moyennes annuelles††	**2012**	**2011**	**2010**
Population de 15 ans et plus	12,9 % Québec : 7,8 %	12,4 % Québec : 7,8 %	14,8 % Québec : 8,0 %
Population de 15 à 29 ans	n.d. Québec : 11,3 %	n.d. Québec : 11,3 %	n.d. Québec : 11,4 %

† Source : Institut de la statistique du Québec, Statistique Canada, données désaisonnalisées, moyenne mobile sur trois mois.

†† Source : Statistique Canada. *Enquête sur la population active*, compilations de l'Institut de la statistique du Québec, 2010, 2011 et 2012.

Lanaudière

Avec un bon taux de croissance de l'emploi et une population en augmentation, la région de Lanaudière se taille une place de plus en plus remarquée dans le paysage économique du Québec.

> par Josianne Haspeck

LES PERSPECTIVES

Lanaudière affiche, avec les Laurentides, le taux de croissance annuel moyen de l'emploi le plus élevé de la province (1,5 %). Le secteur tertiaire occupe une place importante dans la région, principalement grâce à l'essor démographique. Il s'agit de la deuxième région dont la croissance de la population est la plus rapide après Laval, ce qui accentue les besoins en services, comme en santé et en éducation.

Pierre Lacoursière, directeur régional à l'Agence de développement économique du Canada pour les régions du Québec, indique d'ailleurs que 72 % de la main-d'œuvre de Lanaudière travaille dans ce secteur d'activité, qui n'est pas près de se tarir. En effet, celui-ci devrait croître en moyenne de 1,8 % chaque année d'ici 2016.

L'augmentation de la population génère aussi un boum dans le domaine de la construction. Le taux de croissance annuel moyen de l'emploi prévu dans ce champ d'activité est de 1,5 % pour la période 2012-2016. «Un travailleur de Lanaudière sur dix travaille dans la construction, et la majorité des investissements annoncés en 2013 concernent ce secteur», souligne Corinne Desfossés, économiste à Emploi-Québec.

Signe que la croissance démographique contribue à alimenter ce domaine, le Cégep régional de Lanaudière à Terrebonne agrandit ses locaux, tandis que la Commission scolaire des Affluents fera construire 4 gymnases et 63 classes répartis dans 7 écoles en 2014-2015.

POPULATION

476 941 habitants

DES SECTEURS QUI RECRUTENT

- Aliments et boissons
- Construction
- Fabrication de produits métalliques
- Finance, assurances et immobilier
- Hébergement et restauration
- Santé et services sociaux
- Transport et entreposage

Source : Corinne Desfossés, Emploi-Québec.

PRINCIPALES VILLES

- Joliette
- L'Assomption
- Mascouche
- Repentigny
- Saint-Lin–Laurentides
- Terrebonne

UNE ÉCONOMIE SOLIDE ET DIVERSIFIÉE

La dernière récession a eu peu d'effets sur l'économie régionale, bien que les industries du plastique et de la forêt aient été fragilisées et aient subi des pertes d'emplois. «Cependant, la reprise de la construction aux États-Unis laisse croire que les pires moments sont derrière nous et qu'une certaine activité va reprendre en foresterie, un secteur important dans le nord de Lanaudière», estime Pierre Lacoursière.

«L'économie de la région est diversifiée. Par conséquent, si un secteur perd un contrat, cela n'a pas d'impact sur le marché du travail global, souligne Corinne Desfossés. Ainsi, malgré le ralentissement économique, les investissements ont atteint un sommet historique à 3,6 milliards de dollars en 2012 dans Lanaudière.»

L'absence de centres collégiaux de transfert de technologie, à l'image du Centre de développement des composites du Québec, à Saint-Jérôme, dans les Laurentides, nuit toutefois à la région, déplore Pierre Lacoursière. Selon lui, la mise sur pied d'un établissement de ce genre permettrait de créer de l'emploi dans Lanaudière, d'améliorer la productivité des entreprises et d'assurer leur pérennité. «Pour décrocher un contrat, il faut que nos entreprises offrent des prix concurrentiels. Certains produits sont en compétition avec ceux de la Chine et du Brésil. La solution est de réduire les coûts de production des entreprises et d'augmenter leur productivité par l'innovation, notamment», estime-t-il. Néanmoins, cela demeure encore à l'état de projet et rien ne semble indiquer une concrétisation à court terme. 2013-09

SUR LE TERRAIN

La chaîne de rôtisseries Benny&Co. possède 30 restaurants un peu partout au Québec, dont 8 dans Lanaudière, région d'origine des frères Benny. En 2013, 250 personnes travaillaient dans les succursales lanaudoises.

La vice-présidente aux ressources humaines, Andrée Tousignant, affirme que chaque ouverture de restaurant permet de créer 25 emplois (gestionnaires, chefs d'équipe, rôtisseurs, aides-cuisiniers et caissiers). «D'ici trois ans, nous prévoyons inaugurer deux autres restaurants dans la région», dit-elle.

Même si elle parvient à mettre la main sur des travailleurs qualifiés, l'entreprise leur fournit une formation complémentaire, débouchant sur une attestation de reconnaissance professionnelle.

Pour favoriser la rétention de ses employés, la chaîne de restauration rapide propose, entre autres, des horaires flexibles et des possibilités d'avancement intéressantes. «Nous offrons également une prime aux employés lorsqu'une personne qu'ils nous ont envoyée est embauchée», précise Andrée Tousignant.

RECHERCHÉS

- Aides-infirmiers, aides-soignants et préposés aux bénéficiaires
- Ambulanciers et autre personnel paramédical
- Bouchers, coupeurs de viande et poissonniers - commerce de gros et de détail
- Directeurs - commerce de détail
- Éducateurs et aides-éducateurs de la petite enfance
- Éducateurs spécialisés
- Infirmiers autorisés
- Infirmiers auxiliaires
- Ingénieurs civils
- Mécaniciens de chantier et mécaniciens industriels (sauf industrie du textile)
- Médecins spécialistes
- Omnipraticiens et médecins en médecine familiale
- Pharmaciens
- Physiothérapeutes
- Psychologues
- Techniciens de laboratoire médical
- Technologistes médicaux et assistants en anatomopathologie
- Technologues en radiation médicale
- Thérapeutes conjugaux, thérapeutes familiaux et personnel assimilé
- Travailleurs sociaux

Source : Emploi-Québec. *Le marché du travail dans la région de Lanaudière, Perspectives d'emploi par profession 2012-2016*, 2012.

À SIGNALER

- Le Train de l'Est devrait être mis en service à la fin de 2014. Il permettra de combler le manque d'infrastructures permanentes de transport collectif desservant l'est de Montréal et la banlieue nord-est de la région métropolitaine. Ce projet d'envergure pour l'Agence métropolitaine de transport comporte notamment la construction de 10 nouvelles gares. Cette ligne pourra accueillir 5 500 passagers en période de pointe.
- Le quartier écoresponsable Urbanova, formé d'îlots et situé à Terrebonne, pourra accueillir jusqu'à 35 000 nouveaux résidents d'ici 20 ans.
- Un nouveau CHSLD devrait ouvrir ses portes à l'été 2014 à Terrebonne. Le Centre d'hébergement des Moulins, qui représente un investissement de 20 millions de dollars, aura une capacité de 100 lits et créera plus de 150 emplois.
- La construction d'un supermarché Metro Plus et d'une dizaine d'autres commerces s'achèvera au début de 2014 dans la MRC de L'Assomption. À lui seul, le Metro Plus entraînera la création d'une centaine d'emplois.
- Le fabricant de pneus Bridgestone Canada investira 38,4 millions de dollars pour accroître la productivité des installations de son usine de Joliette. Ce plan consolidera les 1 300 emplois de l'usine et contribuera au maintien des activités de ses fournisseurs de la région et de partout au Québec.

LES TENDANCES DÉMOGRAPHIQUES

Entre 2006 et 2011, le nombre d'habitants a augmenté de 10 % dans Lanaudière. Cette croissance représente plus du double de celle observée à travers la province, qui s'élève à 4,7 %. «Notre solde migratoire est positif, note Corinne Desfossés, économiste à Emploi-Québec. Ce sont souvent de jeunes familles qui viennent s'établir chez nous. Nous sommes l'une des régions où le poids démographique des moins de 20 ans est le plus élevé au Québec. Les retraités sont également nombreux à s'installer.»

«Les gens restent parce qu'il y a de l'emploi chez nous, ce qui améliore notre développement économique par rapport à d'autres régions du Québec», mentionne pour sa part Guy Raynault, directeur général de la Conférence régionale des élus(es) Lanaudière. Toutefois, le solde migratoire positif tend à s'amenuiser. Selon l'Institut de la statistique du Québec, le taux net de nouveaux arrivants a diminué de façon constante au cours des dernières années, passant de 1,23 % en 2007-2008 à 0,88 % en 2011-2012.

Perspectives 2012-2016 d'Emploi-Québec

Région Lanaudière		Ensemble du Québec
Création d'emplois	18 600	174 800
Départs à la retraite	32 100	519 700

Source : Emploi-Québec. *Marché du travail et emploi par industrie au Québec 2012-2016*, 2012.

Taux de chômage

En novembre 2013†	8,9 % Québec : 7,9 %		
Moyennes annuelles††	**2012**	**2011**	**2010**
Population de 15 ans et plus	7,9 % Québec : 7,8 %	7,7 % Québec : 7,8 %	7,3 % Québec : 8,0 %
Population de 15 à 29 ans	15,2 % Québec : 11,3 %	14,6 % Québec : 11,3 %	11,7 % Québec : 11,4 %

† Source : Institut de la statistique du Québec, Statistique Canada, données désaisonnalisées, moyenne mobile sur trois mois.

†† Source : Statistique Canada. *Enquête sur la population active*, compilations de l'Institut de la statistique du Québec, 2010, 2011 et 2012.

Laurentides

Les Laurentides offrent un paysage aussi varié que leur économie est diversifiée. La croissance démographique multiplie les besoins en main-d'œuvre dans le secteur des services et favorise la construction résidentielle et commerciale.

> par Josianne Haspeck

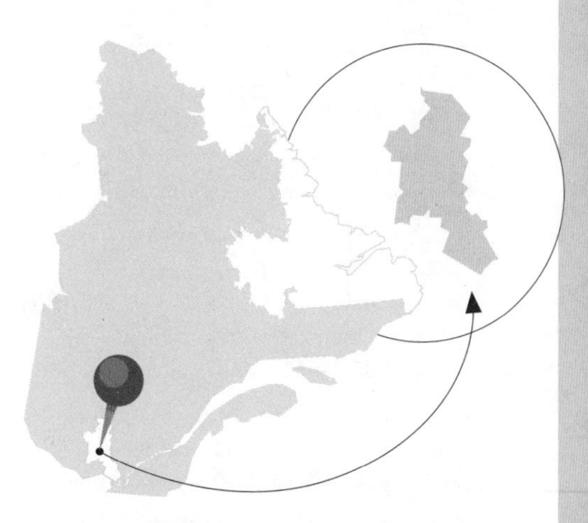

LES PERSPECTIVES

L'économie des Laurentides est diversifiée, ce qui a aidé la région à traverser la dernière récession. «Nous ne sommes pas dépendants d'un seul secteur d'activité», confirme Roger Hotte, directeur général de la Conférence régionale des élus des Laurentides.

À preuve, le nombre de personnes en emploi a crû en 2012, et le chômage a atteint son plus faible taux des 25 dernières années. Les choses se profilent également assez bien pour 2013. «Sur la base des neuf premiers mois, la moyenne de l'effectif en emploi s'est établie à 303 500, soit une croissance de 1,1 % par rapport à la même période en 2012», signale Robert Gareau, économiste à Emploi-Québec. Et la situation de l'emploi devrait continuer d'être favorable d'ici 2016. De nombreux postes seront à pourvoir, tant à cause des départs à la retraite que de la création d'emplois.

De plus en plus de familles et de travailleurs viennent s'établir dans les Laurentides, ce qui a des effets directs sur l'économie régionale. Car qui dit augmentation de la population dit aussi accroissement des besoins en services. «Pour la période 2012-2016, plus de 80 % des emplois proviendront du secteur tertiaire», mentionne Robert Gareau. Les emplois en santé et services sociaux progresseront au fur et à mesure que la population prendra de l'âge.

POPULATION

563 139 habitants

DES SECTEURS QUI RECRUTENT

- Aérospatiale
- Commerce de détail et de gros
- Hébergement et restauration
- Santé et services sociaux
- Services professionnels, scientifiques et techniques

Source : Robert Gareau, Emploi-Québec.

PRINCIPALES VILLES

- Blainville
- Boisbriand
- Mirabel
- Sainte-Thérèse
- Saint-Eustache
- Saint-Jérôme

RECHERCHÉS

- Caissiers
- Commis d'épicerie
- Cuisiniers
- Infirmiers autorisés
- Ingénieurs en aérospatiale
- Mécaniciens d'automobiles
- Mécaniciens, techniciens et contrôleurs d'avionique et d'instruments et d'appareillages électriques d'aéronefs
- Médecins spécialistes
- Monteurs d'aéronefs et contrôleurs de montage d'aéronefs
- Omnipraticiens et médecins en médecine familiale
- Pharmaciens
- Préposés aux bénéficiaires
- Serveurs au comptoir, aides de cuisine et personnel assimilé
- Serveurs d'aliments et de boissons
- Soudeurs et opérateurs de machines à souder et à braser
- Vendeurs et commis-vendeurs

Source : Emploi-Québec. *Le marché du travail dans la région des Laurentides, Perspectives d'emploi par profession 2012-2016*, 2012.

UN ATOUT POUR LA CONSTRUCTION

La croissance démographique fait en sorte que l'industrie de la construction tourne rondement. Plusieurs projets se sont concrétisés en 2013 ou sont en cours de réalisation. Par exemple, le géant américain du commerce de détail Target a inauguré quelques magasins dans la région, dont une succursale à Saint-Jérôme. À Mirabel, on a commencé la construction d'un centre commercial comprenant 80 magasins d'usine, un investissement évalué entre 80 et 100 millions de dollars. L'ouverture est prévue pour l'été 2014. À cela s'ajoutent tous les projets résidentiels nécessaires pour répondre à l'arrivée de nouvelles familles.

L'AÉROSPATIALE MÈNE LE BAL

Le secteur manufacturier n'est pas en reste grâce à la présence de gros joueurs de l'industrie aérospatiale comme Bell Helicopter, Messier-Dowty et Mecachrome. De son côté, Bombardier Aéronautique agrandit ses installations pour intégrer la chaîne d'assemblage des appareils de la CSeries, ce qui entraînera la création d'un très grand nombre d'emplois dans les prochaines années. Le maintien de ces emplois dépendra toutefois du carnet de commandes pour les appareils.

«En aéronautique, nous n'avons pas de problème pour trouver une main-d'œuvre spécialisée, notamment grâce à l'Institut de formation aérospatiale, situé à Mirabel, qui nous fournit des diplômés», mentionne Lyne Deschamps, directrice générale de Laurentides Économique, un organisme régional qui offre des services aux PME. En cas de manque, un service d'accompagnement, Laurentides Immigration Économique, aide à trouver de la main-d'œuvre spécialisée à l'extérieur de la région ou du pays, par exemple en Russie, en France et au Mexique.

SUR LE TERRAIN

À Boisbriand, l'entreprise spécialisée dans la fabrication d'aliments O'Sole Mio devrait ouvrir en janvier 2014 sa toute nouvelle usine de 18 580 m^2, triplant ainsi la superficie de ses installations. L'entreprise passera de 100 à environ 175 employés et de nouveaux besoins en main-d'œuvre se feront probablement sentir au cours des prochaines années.

Selon le directeur des ressources humaines, Stéphane Pépin, certains postes sont pourvus plus facilement que d'autres. «Nous n'avons pas de mal à trouver du personnel de bureau. Ce sont les électromécaniciens qui sont difficiles à dénicher», remarque-t-il.

Quant au vieillissement de la population, loin de compliquer le recrutement, il permet une meilleure rétention du personnel. «Les travailleurs d'âge mûr ont tendance à rester plus longtemps que les jeunes au sein de l'entreprise», soutient Stéphane Pépin.

LES TENDANCES DÉMOGRAPHIQUES

La région des Laurentides est l'une des grandes gagnantes de la migration interrégionale au Québec. Au cours de l'année 2011-2012, elle a arraché 5 534 résidents aux autres régions. «Les Laurentides ont connu et continuent de connaître une forte croissance démographique. C'est la deuxième plus forte augmentation prévue, derrière Lanaudière, d'ici 2031», affirme Robert Gareau, économiste à Emploi-Québec. «C'est un excellent indicateur que l'économie va bien et qu'il y a des emplois de qualité», ajoute pour sa part Roger Hotte, directeur général de la Conférence régionale des élus des Laurentides.

Au sein de la population active, la région compte une proportion majoritaire de personnes âgées de 45 à 64 ans. «En 2014, la population des 15-64 ans devrait commencer à décroître au Québec, mais ce ne sera pas le cas dans les Laurentides. La progression démographique s'affaiblira toutefois vers 2020», mentionne l'économiste.

Perspectives 2012-2016 d'Emploi-Québec		
Région Laurentides		**Ensemble du Québec**
Création d'emplois	22 400	174 800
Départs à la retraite	37 500	519 700

Source : Emploi-Québec. *Marché du travail et emploi par industrie au Québec 2012-2016*, 2012.

Roger Hotte estime d'ailleurs que la région ne souffre pas de pénurie de main-d'œuvre, mais seulement de difficultés ponctuelles. «C'est vrai dans les secteurs de la vente et des services, des transports et de la machinerie, de la santé et des sciences naturelles et appliquées», dit-il. 2013-09

À SIGNALER

> La construction du M-Hôtel Mirabel, au coût de 10 millions de dollars, a permis l'embauche d'une soixantaine de personnes à temps plein.

> À Boisbriand, l'entreprise Industries KPM, spécialisée dans la fabrication de produits cimentiers pour le marché de la construction, a inauguré sa nouvelle usine en juin 2013, un investissement de 16 millions de dollars. Six emplois s'ajoutent aux 35 existants.

> Le centre de tri Tricentris, en partenariat avec l'Université de Sherbrooke et la Société des alcools du Québec, a commencé en mai 2013 la construction d'une usine de micronisation du verre, à Lachute, pour en faire une poudre à incorporer au ciment.

> À Lachute, l'entreprise Cascades-Groupe Carton Plat a fermé ses portes au premier trimestre de 2013, entraînant 151 licenciements.

Taux de chômage			
En novembre 2013†	7,8 % Québec : 7,9 %		
Moyennes annuelles††	**2012**	**2011**	**2010**
Population de 15 ans et plus	6,8 % Québec : 7,8 %	8,1 % Québec : 7,8 %	7,8 % Québec : 8,0 %
Population de 15 à 29 ans	12,7 % Québec : 11,3 %	14,1 % Québec : 11,3 %	11,5 % Québec : 11,4 %

† Source : Institut de la statistique du Québec, Statistique Canada, données désaisonnalisées, moyenne mobile sur trois mois.

†† Source : Statistique Canada. *Enquête sur la population active*, compilations de l'Institut de la statistique du Québec, 2010, 2011 et 2012.

Laval

La croissance économique de Laval se heurte à une contrainte majeure : il y a de moins en moins d'espace disponible sur l'île Jésus, de sorte que les décideurs doivent repenser la nature du développement à venir.

> par Pierre St-Arnaud

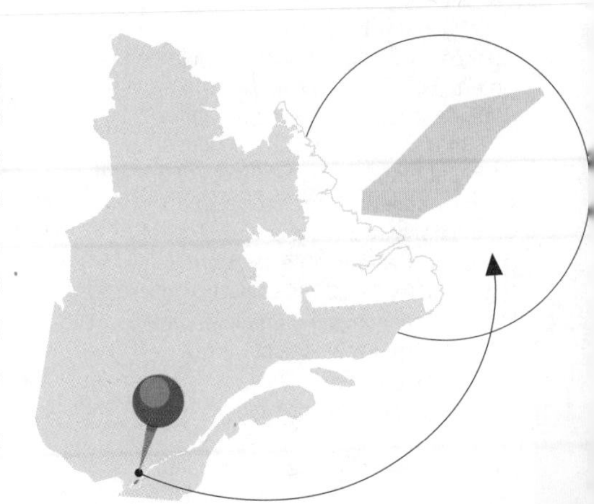

LES PERSPECTIVES

La croissance lavalloise connaît une certaine baisse de régime après des années fastes marquées par des investissements qui atteignaient 1,5 milliard de dollars en 2012. La construction ralentit, en particulier dans les secteurs résidentiel et institutionnel. «Le marché du condo s'essouffle un peu», explique Gilbert LeBlanc, vice-président – Développement, investissement et immobilier à Laval Technopole, d'où la baisse du côté résidentiel. Quant au secteur institutionnel, la fin de la réfection des quatre usines d'épuration des eaux de la ville vient plomber les chiffres.

Il faut toutefois préciser que l'on parle seulement d'un ralentissement de la croissance. En d'autres termes, celle-ci est toujours au rendez-vous, même si elle ralentit un peu, souligne Jean-Olivier Guillemette, économiste à Emploi-Québec. «Nous avions atteint en 2012 un sommet historique du nombre de personnes en emploi à Laval, à 213 200. Les données du premier semestre de 2013 indiquent que la hausse se poursuit, avec 216 900 Lavallois en emploi, et que le taux de chômage diminue à 6,4 %, ce qui est très bas.»

Mais les acteurs économiques savent bien que le territoire n'est pas élastique et qu'il ne reste plus beaucoup de place pour le développement industriel, qui exige davantage de surface. Laval Technopole, qui concentrait ses efforts sur cinq pôles de développement – agroalimentaire, biotechnologies et pharmaceutique, technologies de l'information et des communications,

POPULATION

409 718 habitants

DES SECTEURS QUI RECRUTENT

- Commerce de gros et de détail
- Construction
- Fabrication de machines
- Fabrication de produits métalliques
- Finance, assurances et immobilier
- Hébergement et restauration
- Santé et services sociaux
- Services professionnels, scientifiques et techniques
- Technologies de l'information et des communications
- Transformation alimentaire
- Transport et entreposage

Source : Jean-Olivier Guillemette, Emploi-Québec.

PRINCIPALE VILLE

- Laval

manufacturier, récréotouristique – a élargi son champ d'activité en ajoutant un sixième pôle en 2013 : entreprises de services et sièges sociaux.

«On sent que Laval est un joueur des ligues majeures du côté des sièges sociaux», souligne Marie-José Reid, directrice régionale du bureau d'affaires Grand Montréal à l'Agence de développement économique du Canada pour les régions du Québec. À cet effet, elle estime judicieuse la décision de la Ville de développer des espaces agréables à fréquenter, notamment le Centropolis. «Les entreprises peuvent proposer à leurs employés un milieu de vie qui offre aussi la possibilité de sortir sans devoir se rendre au centre-ville de Montréal.»

DE GROS JOUEURS

Le commerce de gros et de détail demeure cependant l'un des secteurs les plus importants à Laval, employant un travailleur sur cinq. Néanmoins, dans ce domaine, la concurrence est féroce. «Il fut un temps où il était impossible de se garer au Carrefour Laval. C'est moins le cas maintenant avec les centres commerciaux qui se sont développés un peu partout», souligne Marie-José Reid. Les résidents de la couronne nord ont donc moins d'intérêt à aller magasiner à Laval, puisqu'ils trouvent désormais la même chose près de chez eux.

À l'opposé, le secteur de la fabrication, qui s'est adapté aux taux de change élevés, connaît une effervescence, entre autres dans le domaine de l'aéronautique, note Jean-Olivier Guillemette. «La CSeries de Bombardier a un impact certain

SUR LE TERRAIN

RTI Claro, une entreprise spécialisée dans l'usinage de précision, emploie un peu plus de 310 personnes et fournit l'industrie aérospatiale, notamment Bell Helicopter, Airbus, Boeing et, bien sûr, Bombardier, avec qui la firme vient de signer un contrat sur plusieurs années.

«La CSeries ainsi que d'autres clients génèrent de la demande, et nous avons eu une croissance des opérations extraordinaire qui nécessitait l'ajout de personnel», souligne Marie-Christine Vernier, chef de service des ressources humaines chez RTI Claro. Ainsi, durant la première moitié de 2013, RTI Claro a embauché pas moins de 47 employés, et la chef de service s'attend à ce que la compagnie soit en embauche sur une base constante au cours des prochaines années.

«Nous avons eu du mal à trouver des employés, c'est très difficile surtout en usine pour les postes de machinistes, d'ébavureurs et d'aides généraux», dit-elle. L'entreprise doit sillonner écoles et foires d'emploi, scruter les sites spécialisés, faire du bouche-à-oreille et consacrer beaucoup d'efforts à la formation des employés à l'interne.

RECHERCHÉS

- Architectes
- Bouchers
- Caissiers
- Dentistes
- Directeurs des ventes, du marketing et de la publicité
- Éducateurs de la petite enfance
- Ergothérapeutes
- Estimateurs en construction
- Infirmiers
- Ingénieurs civils, mécaniciens, en aérospatiale, en informatique
- Inhalothérapeutes
- Manœuvres dans la transformation des aliments
- Mécaniciens d'aéronefs
- Médecins spécialistes
- Omnipraticiens
- Opérateurs en informatique et techniciens Web
- Ouvriers de pépinières et de serres
- Pharmaciens
- Physiothérapeutes
- Programmeurs en médias interactifs
- Représentants (commerces)
- Serveurs
- Soudeurs
- Techniciens en aménagement paysager et horticulture (saisonniers)
- Technologues et techniciens en santé animale
- Technologues médicaux
- Vendeurs (commerce de détail)

Source : Emploi-Québec. *Le marché du travail dans la région de Laval, Perspectives d'emploi par profession 2012-2016*, 2012.

et il y a aussi beaucoup d'activité chez Bell Helicopter et les autres gros donneurs d'ordres. Cela se répercute chez les sous-traitants de Laval, notamment dans la fabrication de produits métalliques.» 2013-09

À SIGNALER

> Les Produits alimentaires Viau ont annoncé en mai 2013 l'agrandissement et la modernisation de leurs installations de Laval et de Montréal-Nord, un investissement de 61 millions de dollars qui créera 105 nouveaux emplois, tout en consolidant les 285 existants.

> La pharmaceutique Boehringer Ingelheim a fermé son centre de recherche et développement en mars 2013, entraînant la perte de 170 emplois.

> Deux magasins Target ont ouvert leurs portes à Laval en 2013, dans le quartier Sainte-Dorothée et au Centre Laval. Chacun de ces commerces emploie environ 150 personnes.

> La pharmaceutique Valeant a inauguré en mai 2013 son nouveau siège social à Laval, un investissement de 70 millions de dollars qui créera une cinquantaine d'emplois.

> Ivanhoé Cambridge a amorcé en février 2013 la construction d'un immeuble de bureaux de 30 millions de dollars dans le secteur Centropolis; l'ouverture est prévue pour le printemps 2014.

LES TENDANCES DÉMOGRAPHIQUES

Laval a une situation particulière du point de vue démographique : les jeunes d'âge universitaire (de 20 à 29 ans) tendent à quitter le territoire, les jeunes familles (de 30 à 44 ans) viennent s'y installer en grand nombre puis, curieusement, s'en vont à l'approche de la retraite (les 55 à 69 ans), selon l'Institut de la statistique du Québec. Même si les retraités quittent la région, Laval n'est pas pour autant à l'abri des effets du vieillissement de la population, avertit Jean-Olivier Guillemette, économiste à Emploi-Québec. En raison de leur nombre, la proportion des 65 ans et plus augmente davantage que celle des 15-64 ans. Toutefois, le fait que Laval attire des jeunes familles et des immigrants contrebalance le vieillissement et en atténue l'impact. Par ailleurs, même si les entreprises trouvent sans difficulté des travailleurs, «il faut faire en sorte d'intégrer les groupes moins présents sur le marché de l'emploi», comme les travailleurs expérimentés, les nouveaux arrivants, les jeunes et les personnes handicapées, soutient l'économiste.

Perspectives 2012-2016 d'Emploi-Québec

Région Laval		Ensemble du Québec
Création d'emplois	13 500	174 800
Départs à la retraite	22 100	519 700

Source : Emploi-Québec. *Marché du travail et emploi par industrie au Québec 2012-2016*, 2012.

Taux de chômage

En novembre 2013†	7,3 % Québec : 7,9 %		
Moyennes annuelles††	**2012**	**2011**	**2010**
Population de 15 ans et plus	8,1 % Québec : 7,8 %	7,1 % Québec : 7,8 %	8,0 % Québec : 8,0 %
Population de 15 à 29 ans	11,1 % Québec : 11,3 %	7,1 % Québec : 11,3 %	10,6 % Québec : 11,4 %

† Source : Institut de la statistique du Québec, Statistique Canada, données désaisonnalisées, moyenne mobile sur trois mois.

†† Source : Statistique Canada. *Enquête sur la population active*, compilations de l'Institut de la statistique du Québec, 2010, 2011 et 2012.

Mauricie

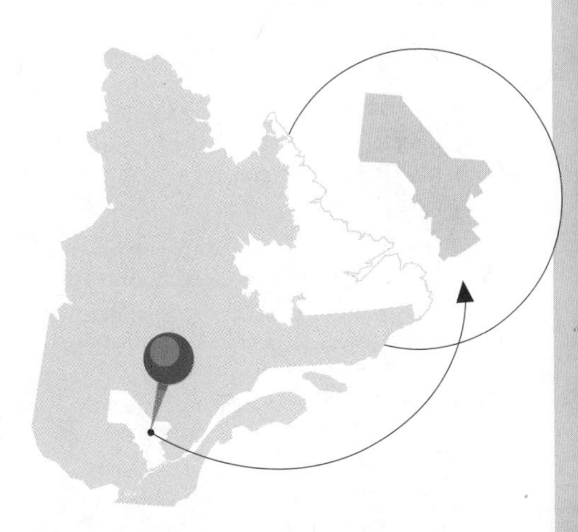

La Mauricie poursuit ses efforts de diversification économique en misant notamment sur l'aérospatiale, l'agroalimentaire et le tourisme. Elle doit toutefois faire face à un vieillissement accéléré de sa population et à une inadéquation entre la formation des personnes sans emploi et les postes disponibles.

> par Jean-François Venne

LES PERSPECTIVES

«Pour tirer son épingle du jeu, la région doit poursuivre sa diversification économique en misant sur des secteurs tels que l'agroalimentaire, l'aérospatiale, le tourisme et la filière métallique», affirme Christian Savard, directeur général de la Conférence régionale des élus de la Mauricie.

D'ores et déjà, 3 700 personnes travaillent dans l'agriculture et la transformation des aliments et boissons. Jules Bergeron, économiste à Emploi-Québec, constate que l'entrepreneuriat est vigoureux dans ce domaine. «On voit apparaître et grossir beaucoup de microbrasseries, comme Le Trou du Diable à Shawinigan, ou de petites entreprises innovatrices, par exemple Nutra Canada, qui fabrique des extraits de fruits et de légumes», dit-il.

Par ailleurs, la filière métallique permet au secteur de la fabrication de tenir le coup en Mauricie. Elle occupe 3 800 travailleurs dans les sous-secteurs de la première transformation, des produits métalliques et de la machinerie. «Des entreprises comme Marmen, spécialisée dans l'usinage, la fabrication et l'assemblage mécanique, et Avant-Garde Technologie, manufacturier d'équipement industriel, sont des employeurs importants et font travailler beaucoup de sous-traitants», souligne Pierre Lacoursière, directeur régional du bureau d'affaires Mauricie à l'Agence de développement économique du Canada pour les régions du Québec.

POPULATION

263 269 habitants

DES SECTEURS QUI RECRUTENT

- Construction
- Fabrication de produits métalliques
- Hébergement et restauration
- Matériel de transport
- Santé et services sociaux
- Services professionnels, scientifiques et techniques
- Technologies de l'information et des communications
- Transport

Source : Jules Bergeron, Emploi-Québec.

PRINCIPALES VILLES

- La Tuque
- Louiseville
- Shawinigan
- Trois-Rivières

RECHERCHÉS

- Agronomes, conseillers et spécialistes en agriculture
- Dentistes
- Directeurs de la construction
- Directeurs de la fabrication
- Ergothérapeutes
- Infirmiers autorisés et auxiliaires
- Infirmiers en chef et superviseurs
- Ingénieurs en génie civil, mécanique, électrique et électronique, d'industrie et de fabrication
- Inhalothérapeutes, perfusionnistes cardiovasculaires et technologues cardiopulmonaires
- Médecins spécialistes
- Omnipraticiens et médecins en médecine familiale
- Optométristes
- Pharmaciens
- Physiothérapeutes
- Professionnels des sciences forestières
- Programmeurs et développeurs en médias interactifs
- Secrétaires médicaux
- Techniciens de laboratoire médical
- Techniciens de réseau informatique
- Technologues en radiation médicale
- Vérificateurs et comptables
- Vétérinaires

Source : Emploi-Québec. *Le marché du travail dans la région de la Mauricie, Perspectives d'emploi par profession, 2012-2016*, 2012.

La situation est moins rose pour le secteur de la transformation du bois, qui a connu sa part de difficultés au cours des dernières années. Il ne représente plus que 15 % des emplois de la région, comparativement à 23 % en 2002. C'est tout de même un peu mieux que la moyenne québécoise, qui se situe à 13 %.

ATTIRER LES NAVIRES... ET LES AVIONS

Plus de 9 700 personnes travaillent dans l'industrie de l'hébergement et de la restauration en Mauricie. Idéalement située entre Montréal et Québec, la région est en bonne position pour attirer les touristes, croit Jules Bergeron. «Elle s'efforce notamment de développer le tourisme d'affaires et d'attirer davantage la clientèle internationale», précise-t-il. L'arrivée de bateaux de croisière à Trois-Rivières met la région en vitrine, tout en ayant un impact économique intéressant grâce aux dépenses effectuées par les passagers. En 2014 et 2015, Trois-Rivières accueillera un total de 7 bateaux de croisière, dont 2 avec plus de 2 000 personnes à bord.

La région ne courtise pas que des croisiéristes; elle souhaite aussi attirer des compagnies d'aviation. Avec ses 600 travailleurs, l'aérospatiale représente un créneau d'avenir pour la Mauricie. L'allongement de la piste de l'aéroport de Trois-Rivières, qui peut désormais accueillir les gros porteurs, aidera les entreprises d'entretien d'aéronefs comme Premier Aviation, employeur de 320 personnes et comptant parmi ses clients Air Canada, West Jet et Sunwing. Ce secteur, qui est encore en développement, comprend aussi des fabricants de pièces d'aéronefs et d'hélicoptères comme Placeteco et Delastek. Toutefois, ceux-ci dépendent fortement de la fabrication de la CSeries de Bombardier pour remplir leurs carnets de commandes. 2013-09

SUR LE TERRAIN

Kongsberg Automotive, une entreprise de renommée mondiale, compte deux usines et un centre de recherche à Grand-Mère. Plus de 400 employés y travaillent au design, au développement et à la fabrication de produits électroniques et électriques haut de gamme destinés aux véhicules commerciaux, routiers et hors route (VTT, motoneiges, motomarines). À lui seul, son centre de recherche emploie une quarantaine d'ingénieurs et de techniciens en génie mécanique, électrique et logiciel.

La région répond aux besoins de main-d'œuvre pour ce qui est des journaliers, des techniciens en génie mécanique et électrique ou du personnel administratif. «Toutefois, il est très difficile de trouver des ingénieurs et du personnel spécialisé, notamment en électronique, qui soient bilingues», soutient Diane Allain, spécialiste des communications chez Kongsberg. Pour les attirer, la compagnie mise beaucoup sur la qualité de vie qu'offre la région et des conditions de travail très compétitives.

LES TENDANCES DÉMOGRAPHIQUES

En 2012, l'âge médian était de 47,5 ans en Mauricie, soit 6 ans de plus que la moyenne québécoise. La région affichait un solde migratoire négatif chez les 20-24 ans et les 25-29 ans, mais positif chez les 55-59 ans et les 60-64 ans, qui sont nombreux à revenir s'y installer à l'aube de leur retraite. Cela contribue au vieillissement de la population de la région, «la plus âgée du Québec après celle de la Gaspésie–Îles-de-la-Madeleine», rappelle Jules Bergeron, économiste à Emploi-Québec. La quasi-totalité des emplois disponibles d'ici 2016 proviendra des départs à la retraite. «Nous serons donc davantage dans une logique de remplacement pour faire face à ces départs, que dans la création de nouveaux emplois en tant que tels», explique Pierre Lacoursière, directeur régional du bureau d'affaires Mauricie à l'Agence de développement économique du Canada pour les régions du Québec. Malheureusement, «la population sans emploi manque de qualification pour décrocher les emplois offerts», précise Jules Bergeron.

Perspectives 2012-2016 d'Emploi-Québec		
Région Mauricie		**Ensemble du Québec**
Création d'emplois	2 400	174 800
Départs à la retraite	20 900	519 700

Source : Emploi-Québec. *Marché du travail et emploi par industrie au Québec 2012-2016*, 2012.

À SIGNALER

- La construction du District 55, un mégacentre de 929 000 m² qui sera situé au bas du pont Laviolette, débutera au printemps 2014. On y trouvera 2 000 unités résidentielles et des commerces. À terme, ce projet aura mené à la création de 1 500 emplois.
- L'agrandissement des installations de Marmen à Trois-Rivières et l'achat de plusieurs machines-outils par l'entreprise en 2014 généreront une centaine de postes.
- Rio Tinto Alcan a devancé d'un an le licenciement des 425 employés à son aluminerie de Shawinigan. Seul le centre de coulée doit rester ouvert jusqu'en décembre 2014, ce qui occupera 60 employés.
- En juillet 2013, le chenal de navigation balisé entre Shawinigan et La Tuque a été inauguré. Cet investissement de 1,8 million de dollars vise à attirer 2 000 plaisanciers de plus sur la rivière Saint-Maurice entre 2014 et 2016.
- L'Entente de partenariat régional en tourisme a été renouvelée en avril 2013. Au terme de celle-ci, en 2015, 1,3 million de dollars auront été investis dans divers projets touristiques, comme l'expansion de la Ferme La Bisonnière, qui souhaite accueillir des touristes toute l'année.

AVEC LA FORMATION PROFESSIONNELLE ET TECHNIQUE, J'AI TOUT POUR RÉUSSIR EN MAURICIE.
JE VISITE TOUTPOURREUSSIR.COM.

Taux de chômage			
En novembre 2013†	9,4 % Québec : 7,9 %		
Moyennes annuelles††	**2012**	**2011**	**2010**
Population de 15 ans et plus	9,7 % Québec : 7,8 %	7,8 % Québec : 7,8 %	9,1 % Québec : 8,0 %
Population de 15 à 29 ans	11,9 % Québec : 11,3 %	11,0 % Québec : 11,3 %	13,1 % Québec : 11,4 %

† Source : Institut de la statistique du Québec, Statistique Canada, données désaisonnalisées, moyenne mobile sur trois mois.

†† Source : Statistique Canada. *Enquête sur la population active*, compilations de l'Institut de la statistique du Québec, 2010, 2011 et 2012.

Montérégie

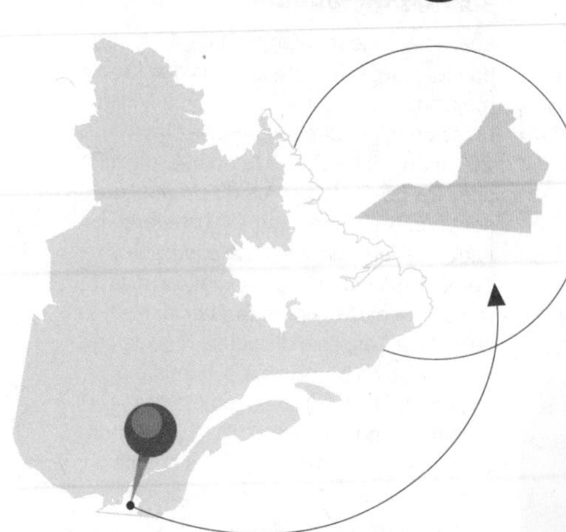

Étant l'une des régions du Québec où le secteur manufacturier est le plus important, la Montérégie table sur la reprise de l'économie américaine. À court et moyen terme, c'est toutefois le secteur des services qui contribuera le plus à la création d'emplois.

> par Josianne Haspeck

POPULATION

1 470 252 habitants

DES SECTEURS QUI RECRUTENT

- Bioalimentaire
- Commerce de gros et de détail
- Électronique de pointe
- Finance, assurances et immobilier
- Santé et services sociaux
- Services aux entreprises
- Services professionnels, scientifiques et techniques
- Transport

Source : Geneviève Morin, Emploi-Québec.

PRINCIPALES VILLES

- Châteauguay
- Granby
- Longueuil
- Saint-Hyacinthe
- Saint-Jean-sur-Richelieu

LES PERSPECTIVES

En Montérégie, la récession de 2008-2009 semble déjà appartenir au passé. «Nous avons récupéré rapidement les emplois qui avaient été perdus pendant la crise. En 2012, nous avons même atteint des sommets, avec 754 600 emplois au total dans la région», mentionne Geneviève Morin, économiste à Emploi-Québec.

Le secteur manufacturier de la région est tributaire de la demande américaine. «Nous avions perdu un avantage concurrentiel avec l'appréciation du dollar canadien sur notre principal marché, celui des États-Unis, et ce, au profit de la Chine», indique Geneviève Morin. La région a dû s'adapter à cette nouvelle situation en donnant une valeur ajoutée à ses produits ou en améliorant sa productivité. Par exemple, les entreprises du secteur du meuble se sont spécialisées dans le haut de gamme en mettant l'accent sur le design et la qualité des matériaux pour se distinguer, souligne Georges Arseneau, directeur régional du bureau d'affaires Centre-du-Québec à l'Agence de développement économique du Canada pour les régions du Québec.

DES SECTEURS VIGOUREUX

Plus des trois quarts des travailleurs de la Montérégie ont un poste dans le secteur des services. Un secteur qui assurera l'avenir économique de la région, selon Geneviève Morin. À preuve, deux centres hospitaliers de soins de longue durée se sont ajoutés sur le territoire au cours de la dernière année. Celui de Granby, notamment, qui a ouvert ses portes en novembre 2013, a créé 80 emplois. Par ailleurs, le vaste centre commercial Faubourg Châteauguay occupera 900 personnes lorsqu'il sera en activité, dans le courant de 2014.

L'industrie bioalimentaire continue d'être porteuse pour la région. Ainsi, l'entreprise Exceldor a ouvert son usine à Saint-Bruno-de-Montarville en février 2013, une réalisation de 31 millions de dollars qui devrait créer 250 emplois d'ici 2016. Pour sa part, Danone Canada investira environ 40 millions de dollars sur 5 ans pour agrandir ses installations et augmenter sa capacité de production. À la clé : une dizaine d'emplois directs et 250 emplois indirects.

SUR LE TERRAIN

À Granby, NSE Automatech devrait recruter de trois à cinq personnes par an d'ici 2016. Spécialisée dans l'usinage de précision et le câblage filaire, l'entreprise est passée de 90 à 120 employés depuis 2010.

Embauchant surtout des titulaires d'un DEP ou d'une ASP en usinage, NSE Automatech compte principalement sur le Centre régional intégré de formation, à Granby, et le Campus de Brome-Missisquoi, à Cowansville, pour lui fournir des travailleurs qualifiés. «Mais leur nombre ne suffit pas», soutient Patrick Demers, directeur des ressources humaines. Le problème de recrutement est moins aigu pour les techniciens et les bacheliers en génie mécanique, car les besoins de l'entreprise sont moindres dans ce domaine.

«Toutefois, si notre expansion continue au rythme actuel, le besoin d'employés va aussi se faire sentir pour des postes de contrôle de la qualité et de programmation», précise Patrick Demers. Cela concernera les diplômés de tous les ordres d'enseignement, de la formation professionnelle au baccalauréat.

RECHERCHÉS

- Acheteurs – commerce de gros et de détail
- Arpenteurs-géomètres
- Autre personnel élémentaire de la vente
- Caissiers
- Commis d'épicerie et autres garnisseurs de tablettes – commerce de détail
- Conducteurs de machinerie d'entretien public
- Électriciens (sauf électriciens industriels et de réseaux électriques)
- Manœuvres dans la transformation des aliments, des boissons et du tabac
- Serveurs au comptoir, aides de cuisine et personnel assimilé
- Superviseurs des services alimentaires
- Techniciens de laboratoire médical
- Technologues et techniciens en génie industriel, de fabrication et mécanique

Source : Emploi-Québec. *Le marché du travail dans la région de la Montérégie, Perspectives d'emploi par profession 2012-2016*, 2012.

MANQUE DE MAIN-D'ŒUVRE?

La Montérégie ne manque pas de travailleurs. Toutefois, les jeunes semblent bouder les formations professionnelles et techniques qui mènent à des emplois dans le secteur manufacturier. Une situation qui pourrait finir par nuire à la croissance des entreprises locales, soutient Geneviève Morin.

Heureusement, l'immigration devrait aider la région à surmonter les possibles pénuries de main-d'œuvre, croit Nathalie Ward, directrice générale de la Conférence régionale des élus de la Montérégie Est. Grâce à ses quatre pôles d'immigration (Granby, Saint-Hyacinthe, Sorel et Saint-Jean-sur-Richelieu) qui offrent des services pour faciliter l'intégration et l'insertion en emploi des nouveaux arrivants, la Montérégie figure au deuxième rang des destinations d'accueil au Québec, avec 100 000 immigrants vivant sur son territoire. 2013-09

À SIGNALER

> La firme de télécommunications Ericsson établira à Vaudreuil-Dorion un centre de technologies de l'information et des communications, qui devrait être en activité en 2015. Ce projet de 1,2 milliard de dollars mènera à la création de 150 emplois, dont environ une soixantaine de postes d'ingénieurs.

> GE Aviation a implanté, en juillet 2013, un centre de recherche et développement en robotique, automatisation et instrumentation à Bromont. L'investissement de 61,4 millions de dollars a généré 60 emplois. On y met au point des processus avancés de robotique et des applications logicielles, qui sont ensuite exportés vers d'autres filiales de l'entreprise.

> La construction du terminal intermodal à Salaberry-de-Valleyfield, un investissement de 120 millions de dollars, a généré 662 emplois, et 337 autres seront créés pour assurer le déroulement des activités dont le début est prévu pour 2015.

> Le motoriste Pratt & Whitney Canada investira 275 millions de dollars d'ici 5 ans pour moderniser ses installations de Longueuil. Ce projet permettra de créer 90 nouveaux postes et de maintenir les 166 emplois existants.

LES TENDANCES DÉMOGRAPHIQUES

La croissance démographique de la Montérégie devrait se poursuivre jusqu'en 2016. La tranche des 15 à 64 ans continuera de progresser, mais au ralenti. En 2017, on prévoit un recul de la population, ce qui devrait gonfler l'offre pour les chercheurs d'emploi, qui seront moins nombreux, selon Geneviève Morin, économiste à Emploi-Québec. Par ailleurs, le vieillissement de la population entraînera une diminution du nombre de personnes disponibles pour l'emploi. «En Montérégie, un établissement sur cinq dit déjà éprouver des difficultés à recruter une main-d'œuvre qualifiée», ajoute-t-elle. Toutefois, la Montérégie est favorisée par un solde migratoire interrégional positif, qui s'élève à environ 4 500 personnes annuellement. Les jeunes de 15 à 24 ans quittent souvent la région pour faire leurs études, mais l'exode n'est pas nécessairement définitif. Plusieurs d'entre eux rentrent au bercail par la suite, affirme Nathalie Ward, directrice générale de la Conférence régionale des élus de la Montérégie Est.

Perspectives 2012-2016 d'Emploi-Québec

	Région Montérégie	Ensemble du Québec
Création d'emplois	29 000	174 800
Départs à la retraite	96 500	519 700

Source : Emploi-Québec. *Marché du travail et emploi par industrie au Québec 2012-2016*, 2012.

Taux de chômage

En novembre 2013†	6,6 % Québec : 7,9 %		
Moyennes annuelles††	**2012**	**2011**	**2010**
Population de 15 ans et plus	6,5 % Québec : 7,8 %	7,0 % Québec : 7,8 %	7,7 % Québec : 8,0 %
Population de 15 à 29 ans	10,3 % Québec : 11,3 %	11,6 % Québec : 11,3 %	11,8 % Québec : 11,4 %

† Source : Institut de la statistique du Québec, Statistique Canada, données désaisonnalisées, moyenne mobile sur trois mois.

†† Source : Statistique Canada. *Enquête sur la population active*, compilations de l'Institut de la statistique du Québec, 2010, 2011 et 2012.

Montréal

Lieu de savoir et de créativité, Montréal attire de nombreux investissements dans les secteurs des technologies et de la finance. Les grues se multiplient et, plus que jamais, la métropole rayonne sur la scène internationale.

> par Jean-François Barbe

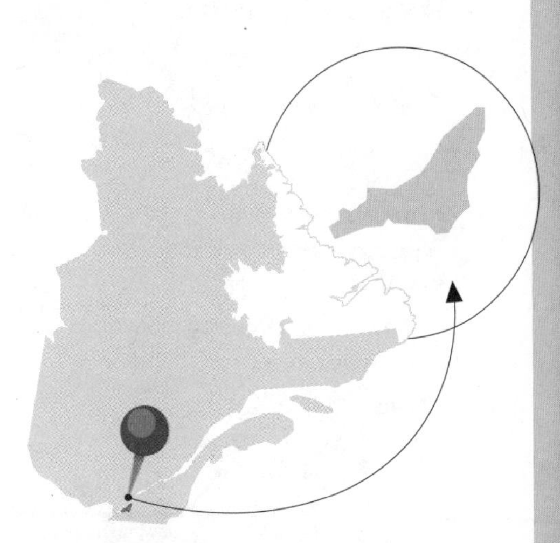

LES PERSPECTIVES

«Montréal est le moteur économique du Québec», constate Marie-Josée Reid, directrice régionale du bureau d'affaires Montréal à l'Agence de développement économique du Canada pour les régions du Québec. Un moteur qui tourne «plutôt bien» au chapitre de la création d'emplois, ajoute Chantal Routhier, économiste au Mouvement Desjardins.

Par exemple, la compagnie britannique Framestore a choisi la métropole pour l'implantation d'un studio d'effets spéciaux pour le cinéma et la télévision, en 2013. Environ 200 nouveaux emplois ont ainsi été créés.

«Le domaine de l'animation est en pleine expansion, tout comme l'aéronautique, les technologies des communications et des télécommunications, et les sciences de la vie. Ces secteurs sont très bien appuyés par les gouvernements. Et avec quatre universités et plusieurs cégeps dans la région, les entreprises disposent d'un bassin de main-d'œuvre spécialisée très important», précise Chantal Routhier.

DES SECTEURS VIGOUREUX

L'industrie financière a également le vent dans les voiles, comme le montre l'implantation de la compagnie On Screen Trading. En mars 2013, cette firme londonienne a

POPULATION

1 981 672 habitants

DES SECTEURS QUI RECRUTENT

- Construction
- Finance, assurances et immobilier
- Information, culture et loisirs
- Santé et services sociaux
- Services aux entreprises
- Services professionnels, scientifiques et techniques

Source : Hugues Leroux, Emploi-Québec.

PRINCIPALES VILLES

- Beaconsfield
- Côte-Saint-Luc
- Dollard-des-Ormeaux
- Kirkland
- Montréal
- Pointe-Claire

RECHERCHÉS

- Audiologistes
- Ergothérapeutes
- Gestionnaires de services informatiques
- Hygiénistes dentaires
- Infirmiers
- Ingénieurs en aérospatiale
- Ingénieurs en génie civil
- Inhalothérapeutes
- Pharmaciens
- Technologues et techniciens en génie civil

Source : Emploi-Québec. *Le marché du travail dans la région de Montréal, Perspectives d'emploi par profession 2012-2016*, 2012.

SUR LE TERRAIN

Employant près de 1 800 personnes, Standard Life est aussi l'un des plus grands joueurs du secteur financier à Montréal. Cette compagnie vend des produits d'assurances collectives, d'épargne et de retraite. Son centre d'appels compte environ 700 employés. Les autres travaillent en développement de produits, en relations avec la clientèle, en marketing et en administration.

On trouve également un bon nombre de spécialistes en technologies de l'information. «Les informaticiens sont si rares que nous allons régulièrement recruter des employés en Europe», dit Natacha McCrea, conseillère principale, dotation aux ressources humaines et communications. Dans les autres secteurs, les besoins ne sont pas aussi criants, mais la compagnie embauche constamment. «Il faut continuellement remplacer des gens qui changent d'employeur, prennent leur retraite ou ont des promotions», signale Natacha McCrea, qui dit rechercher des candidats créatifs et ouverts au changement.

embauché 25 négociants spécialisés en produits dérivés. Elle prévoit en engager une trentaine d'autres d'ici le printemps 2015.

Ces compagnies recherchent une main-d'œuvre spécialisée et bien formée, un environnement sain et une qualité de vie élevée en milieu urbain. Ce qu'elles trouvent à Montréal.

Signe de vitalité qui ne trompe pas : pour la première fois depuis dix ans, une nouvelle tour de bureaux sera érigée dans le centre-ville. Le promoteur Cadillac Fairview investira deux milliards de dollars dans la construction de la tour Deloitte, à deux pas du Centre Bell. Elle sera complétée en 2015.

Un Quartier de l'innovation se met aussi en place. Inauguré en mai 2013, il se situe dans la zone Griffintown, à l'ouest du Vieux-Montréal. Selon Yves Beauchamp, directeur général de l'École de technologie supérieure, on y trouve déjà la plus importante concentration d'employés et d'entreprises en technologies de l'information au Canada. Et c'est loin d'être terminé, car plus de six milliards de dollars pourraient y être investis au cours de la prochaine décennie. Si tout se déroule comme prévu, le Quartier de l'innovation abritera le Réseau de laboratoires de recherche en aérospatiale, le Réseau BioFuelNet Canada spécialisé en biocarburants et le Centre aérospatial de perfectionnement.

Pour sa part, l'Université de Montréal reconfigurera une portion du quartier Outremont, près de Parc-Extension. L'Université y bâtira notamment un complexe des sciences au coût de 350 millions de dollars. La construction des pavillons doit commencer en 2015 et se terminer à l'automne 2018.

Cependant, le projet le plus significatif sera celui de l'Éco-campus Hubert Reeves. Situé dans l'arrondissement Saint-Laurent, il regroupera 12 bâtiments. «Ils serviront de vitrines aux technologies propres de leurs locataires. Par exemple, l'une des entreprises de l'Éco-campus fabrique des panneaux solaires pour les abris d'autos. Nous en installerons dans les espaces de stationnement», explique Charles Lambert, directeur des technologies de l'information et des communications à Technoparc Montréal, le promoteur du projet. Ces bâtiments seront construits au fur et à mesure que les entreprises s'établiront dans l'Éco-campus. 2013-09

LES TENDANCES DÉMOGRAPHIQUES

«À Montréal, le vieillissement de la population est moins rapide que dans les autres régions du Québec», dit Guylaine Baril, économiste à Emploi-Québec. Mis à part la région du Nord-du-Québec, c'est à Montréal que l'âge médian est le plus bas, soit 38,6 ans en 2012, alors qu'il s'établit à 41,5 ans à l'échelle du Québec, selon l'Institut de la statistique du Québec (ISQ). Cette relative jeunesse de la métropole s'explique de deux façons. D'abord, «Montréal attire des jeunes de tout le Québec, qui viennent y faire leurs études. Plusieurs décident de rester», constate Guylaine Baril. Ensuite, Montréal reçoit environ les deux tiers des quelque 50 000 immigrants internationaux qui sont admis chaque année au Québec. Selon les données de l'ISQ, ces immigrants, à leur arrivée, sont majoritairement dans la vingtaine et la trentaine. Cette présence importante de jeunes, du Québec et d'ailleurs, explique pourquoi la proportion de personnes en âge de travailler (15-64 ans) atteint 65 %, la plus forte parmi toutes les régions du Québec.

Perspectives 2012-2016 d'Emploi-Québec		
Région Montréal		**Ensemble du Québec**
Création d'emplois	41 000	174 800
Départs à la retraite	100 800	519 700

Source : Emploi-Québec. *Marché du travail et emploi par industrie au Québec 2012-2016*, 2012.

À SIGNALER

> Le Groupe Alten établira son siège social nord-américain à Montréal. Cette entreprise française prévoit créer plus de 200 emplois d'ici 2017. Elle offrira des services en technologies de l'information.

> Moving Picture Company, qui appartient au géant français Groupe Technicolor, a annoncé l'investissement de sept millions de dollars afin d'agrandir son studio d'effets spéciaux et de postproduction du Vieux-Montréal. Quelque 200 emplois additionnels seront générés d'ici l'été 2016.

> Le producteur de café Green Mountain Coffee Roasters investira 55 millions de dollars pour moderniser son usine du quartier Saint-Michel, ce qui créera 180 emplois en 2014.

> L'éditeur de jeux vidéo Ubisoft investira 373 millions de dollars pour implanter un nouveau studio dans la métropole en vue d'y développer des jeux en ligne. Le projet créera 500 nouveaux emplois d'ici 2020.

> WB Games, une filiale de Warner Bros., a confirmé en octobre 2013 l'agrandissement de son studio de jeux vidéo de Montréal. L'investissement de 63 millions de dollars sur 5 ans prévoit également l'acquisition de nouveaux équipements informatiques. Une centaine de postes seront ainsi créés.

Taux de chômage			
En novembre 2013†	10,0 % Québec : 7,9 %		
Moyennes annuelles††	**2012**	**2011**	**2010**
Population de 15 ans et plus	10,2 % Québec : 7,8 %	9,7 % Québec : 7,8 %	9,7 % Québec : 8,0 %
Population de 15 à 29 ans	13,6 % Québec : 11,3 %	13,0 % Québec : 11,3 %	12,5 % Québec : 11,4 %

† Source : Institut de la statistique du Québec, Statistique Canada, données désaisonnalisées, moyenne mobile sur trois mois.

†† Source : Statistique Canada. *Enquête sur la population active*, compilations de l'Institut de la statistique du Québec, 2010, 2011 et 2012.

Nord-du-Québec

Le sous-sol du Nord-du-Québec regorge de richesses. Et malgré le ralentissement du marché des métaux, de nouvelles mines voient le jour. Pendant ce temps, l'industrie forestière reprend du poil de la bête et le secteur touristique continue à se développer.

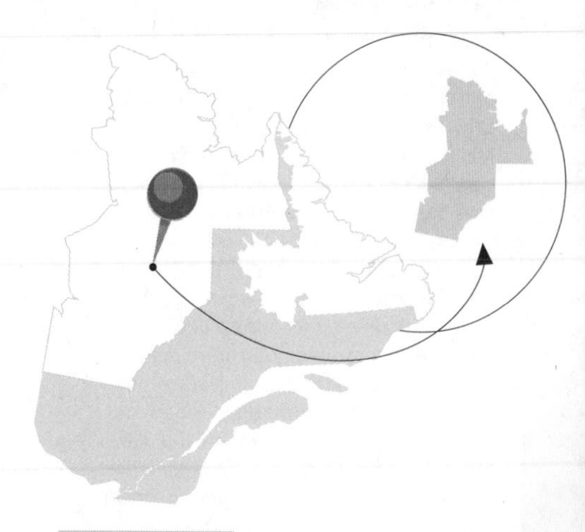

> par Jean-François Barbe

POPULATION

42 993 habitants

DES SECTEURS QUI RECRUTENT

- Construction
- Hébergement et restauration
- Mines
- Santé et services sociaux
- Transport et entreposage

Source : Cyrille Djoman, Emploi-Québec.

PRINCIPALES VILLES

- Chibougamau
- Chisasibi
- Kuujjuaq
- Lebel-sur-Quévillon
- Matagami

LES PERSPECTIVES

Le Nord-du-Québec compte sept mines en activité. Mais ce n'est qu'un début, indique Cyrille Djoman, économiste à Emploi-Québec. Car le sous-sol est si riche que la région devrait en avoir au moins 17 en développement ou en exploitation d'ici 2021, selon les prévisions du Comité sectoriel de main-d'œuvre de l'industrie des mines. Le Nord-du-Québec détrônerait alors l'Abitibi-Témiscamingue en tant que principale région minière du Québec.

Le secteur minier occupait 3 140 personnes en 2011. D'ici les sept prochaines années, on s'attend à ce que plus de 10 500 postes soient à pourvoir pour répondre aux besoins générés par les nouveaux projets, les départs à la retraite et le roulement de personnel.

Toutefois, le ralentissement de la demande de minerais à l'échelle mondiale se fait sentir, ce qui retarde quelques mises en chantier. Par exemple, le démarrage du mégaprojet du producteur de diamants Stornoway est plus complexe que prévu. La mine, qui sera située à 350 kilomètres au nord de Chibougamau, emploiera 450 personnes en 2015... dès que l'étape du financement sera bouclée.

«En tout et pour tout, les pertes d'emplois ont été peu nombreuses et elles ont surtout affecté les activités d'exploration.

Lorsque les prix des métaux repartiront à la hausse, l'exploration se remettra en marche», estime Chantal Routhier, économiste au Mouvement Desjardins.

Et signe que le ralentissement minier n'affecte pas tous les projets, la mine d'or Éléonore de Goldcorp inaugurera ses opérations, tel que prévu, à la fin de 2014. «Il y a déjà près de 600 travailleurs sur le chantier», dit Cyrille Djoman. Goldcorp prévoit augmenter ses effectifs à au moins 800 employés par la suite.

LA FORÊT REPREND SES COULEURS

Après des années de vaches maigres, l'industrie forestière s'est stabilisée. Rachetée par Fortress Paper, l'ancienne usine Domtar de Lebel-sur-Quévillon s'est reconvertie dans la production de pâte destinée à la fabrication de rayonne, un tissu synthétique utilisé dans la confection de vêtements. Elle a pu ainsi conserver ses 300 employés. Pour sa part, Produits forestiers Résolu a investi neuf millions de dollars dans son usine de Lebel-sur-Quévillon.

Par ailleurs, l'entreprise Chantiers Chibougamau s'est tirée d'affaires grâce à des contrats octroyés par des minières. Cette compagnie de plus de 600 employés a notamment construit une quinzaine de ponts en bois sur la route menant au site de Stornoway. Malgré cette embellie, rien n'est encore gagné, et les économistes demeurent prudents.

TOURISME NORDIQUE

«De plus en plus de gens du Sud veulent vivre des expériences nordiques. Que ce soit pour voir des ours polaires, des icebergs ou faire des excursions», dit Sandra Lafleur, directrice du bureau d'affaires Abitibi-Témiscamingue – Nord-du-Québec à l'Agence de développement économique du Canada pour les régions du Québec.

Afin de rehausser l'offre touristique de la Baie-James, Tourisme Québec, Tourisme Eeyou Istchee et l'Administration régionale crie ont conclu en août 2013 une importante entente, qui prévoit des investissements de 1 425 000 $ d'ici 2015. 2013-09

RECHERCHÉS

- Infirmiers auxiliaires
- Mécaniciens d'équipement lourd
- Mineurs d'extraction et de préparation
- Omnipraticiens
- Physiothérapeutes
- Préposés aux bénéficiaires
- Spécialistes des ressources humaines
- Technologues en génie civil et en minéralogie
- Travailleurs sociaux

Source : Emploi-Québec. *Le marché du travail dans les régions de la Côte-Nord et du Nord-du-Québec, Perspectives d'emploi par profession, 2012-2016*, 2012.

SUR LE TERRAIN

La compagnie Services métallurgiques Metchib est située à Chibougamau. Employant sept personnes à temps plein, la PME se spécialise dans l'analyse du minerai en laboratoire. «Par exemple, supposons qu'un site minier dispose de 500 000 tonnes de minerai. Nous chercherons à déterminer, en analysant des échantillons, comment il faut s'y prendre pour extraire les métaux précieux qui s'y trouvent, et aux meilleures conditions possible», explique le président, Jonathan Lapointe. La compagnie emploie des ingénieurs, un technicien d'analyse de minéraux et un diplômé du DEP en conduite de machines de traitement du minerai.

L'entreprise effectue des analyses pour des minières au Canada, aux États-Unis et même en Afrique. «Metchib prend de l'expansion», dit Jonathan Lapointe. Cependant, il n'est pas simple d'attirer de nouveaux employés à plus de 500 et 700 kilomètres de Québec et de Montréal. «Bien que Chibougamau offre beaucoup à ceux qui veulent une vie familiale et rester proches de la nature, nous pensons développer le travail à distance», indique le président.

À SIGNALER

> Tourisme Québec investira 521 000 $ pour la construction du bâtiment principal du relais routier du kilomètre 381 sur la route de la Baie-James. Le bâtiment aura une capacité d'hébergement de 20 chambres. Des emplois permanents seront créés, mais on ne sait pas encore combien. Ce relais, qui comprend un poste d'essence, est le seul entre Matagami et Radisson, sur une route de plus de 700 kilomètres.

> Métaux BlackRock envisage l'exploitation d'un gisement de fer et de vanadium – un métal rare qui augmente la résistance de l'acier –, situé à environ une heure de route de Chibougamau. Ce projet, qui nécessitera des investissements d'un milliard de dollars, pourrait être lancé d'ici l'été 2015 et créera de 250 à 320 emplois. BlackRock doit cependant obtenir les autorisations environnementales nécessaires.

> L'entreprise Chantiers Chibougamau fabriquera la structure en bois de la toiture du futur centre de soccer intérieur de Montréal et du nouveau centre d'entraînement des Sabres de Buffalo, de la Ligue nationale de hockey. Des contrats d'une valeur totale de 10 millions de dollars, qui consolident les quelque 600 emplois de la compagnie.

LES TENDANCES DÉMOGRAPHIQUES

Selon l'Institut de la statistique du Québec, 36,4 % des habitants de la région ont moins de 20 ans, comparativement à 21,4 % à l'échelle québécoise. Toutefois, avec 43 000 habitants, le Nord-du-Québec est également la région la moins peuplée du Québec. «Le bassin démographique est insuffisant pour répondre aux besoins en main-d'œuvre», constate Cyrille Djoman, économiste à Emploi-Québec. Par ailleurs, les travailleurs miniers qui exercent leur métier dans des zones éloignées ne font pas leur vie dans la région. Ils habitent dans des campements pendant un certain temps, puis retournent à la maison par avion afin d'y passer leurs vacances. Par contre, lorsque les sites miniers sont situés près des villes, les déménagements permanents sont favorisés. Avec ses 7 500 habitants, Chibougamau est la plus grande ville de la région. «Beaucoup de gens pourraient s'y établir afin d'ouvrir des commerces ou travailler dans les services de santé et d'éducation», dit Cyrille Djoman.

Perspectives 2012-2016 d'Emploi-Québec		
Régions Nord-du-Québec et Côte-Nord		**Ensemble du Québec**
Création d'emplois	2 800	174 800
Départs à la retraite	7 400	519 700

Source : Emploi-Québec. *Marché du travail et emploi par industrie au Québec 2012-2016*, 2012.

Taux de chômage			
En novembre 2013†	11,1 % Québec : 7,9 %		
Moyennes annuelles††	**2012**	**2011**	**2010**
Population de 15 ans et plus	7,6 % Québec : 7,8 %	7,8 % Québec : 7,8 %	6,9 % Québec : 8,0 %
Population de 15 à 29 ans	n.d. Québec : 11,3 %	n.d. Québec : 11,3 %	n.d. Québec : 11,4 %

† Source : Institut de la statistique du Québec, Statistique Canada, données désaisonnalisées, moyenne mobile sur trois mois. Incluant la Côte-Nord.

†† Source : Statistique Canada. *Enquête sur la population active*, compilations de l'Institut de la statistique du Québec, 2010, 2011 et 2012.

Outaouais

Les statistiques de l'emploi en 2013 ont reflété de façon significative les compressions effectuées par le gouvernement fédéral, de loin le plus important employeur de l'Outaouais. Pendant ce temps, après des années de vaches maigres, l'industrie forestière montre les signes d'une timide reprise.

> par Pierre St-Arnaud

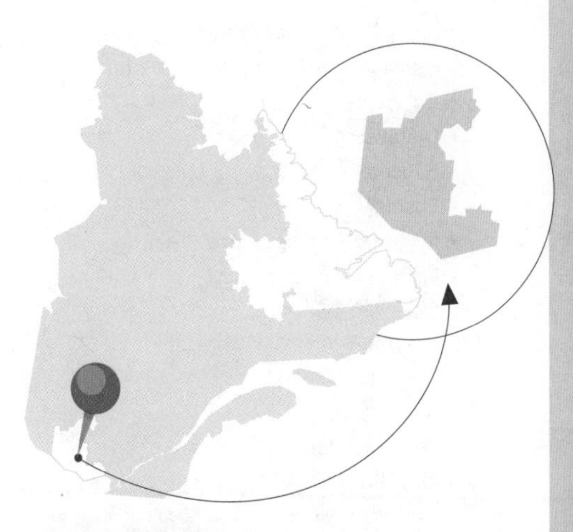

LES PERSPECTIVES

À la fin de 2012, le gouvernement fédéral avait atteint 85 % de son objectif de supprimer 19 200 postes dans la fonction publique avant 2015, et 16 390 employés avaient été remerciés. Or, une personne sur cinq travaille pour le fédéral en Outaouais. L'emploi a donc reculé de 2,7 % au premier semestre de 2013, comparativement à la même période en 2012, dans cette région qui affichait pourtant une croissance de l'emploi depuis quelques années. Sans surprise, c'est le secteur de l'administration publique qui a subi les pertes les plus importantes (8 %).

Une telle diminution a forcément un impact, note Marc Boily, directeur régional du bureau d'affaires Outaouais à l'Agence de développement économique du Canada pour les régions du Québec. «Cela se reflète dans les dépenses des ménages pour les biens de consommation, comme une voiture ou des meubles qu'on ne change pas, et plus encore dans l'immobilier, avec le report d'une décision d'acheter ou de faire des rénovations, par exemple.» Il s'attend toutefois à ce que la situation se stabilise à court terme, probablement dès 2014. D'autant plus qu'à ce rythme, l'objectif de réduction d'effectifs sera vraisemblablement atteint beaucoup plus tôt que prévu.

POPULATION

372 329 habitants

DES SECTEURS QUI RECRUTENT

- Commerce de gros et de détail
- Construction
- Éducation
- Finance, assurances et immobilier
- Santé et services sociaux
- Technologies de l'information et des communications

Source : Ghislain Régis Yoka, Emploi-Québec.

PRINCIPALES VILLES

- Cantley
- Chelsea
- Gatineau
- La Pêche
- Val-des-Monts

RECHERCHÉS

- Analystes en informatique
- Assistants dentaires et en pharmacie
- Cuisiniers
- Diététistes
- Éducateurs de la petite enfance
- Enseignants
- Infirmiers et infirmiers auxiliaires
- Ingénieurs en génie civil, informatique et logiciel
- Médecins spécialistes
- Omnipraticiens
- Soudeurs
- Technologues en arpentage et en techniques géodésiques

Source : Emploi-Québec. *Le marché du travail dans la région de l'Outaouais, Perspectives d'emploi par profession 2012-2016*, 2012.

SUR LE TERRAIN

Fortress Specialty Cellulose, de Thurso, a repris l'ancienne usine de Papiers Fraser au printemps 2010 et l'a convertie pour produire de la pâte à dissoudre destinée à fabriquer de la rayonne, un tissu synthétique. En d'autres termes, votre chemise pourrait provenir d'une papetière!

L'entreprise compte 317 employés, dont environ 225 en usine. «Lorsque nous avons ouvert, l'usine d'Abitibi-Bowater à Gatineau venait de fermer. Nous sommes allés chercher des gens de cette entreprise, en plus d'anciens employés de Papiers Fraser, ce qui nous a donné un sérieux coup de main», explique Marie-Ève Cormier, technicienne en ressources humaines chez Fortress.

L'entreprise est toujours en période d'embauche, en raison d'un roulement constant de personnel. Marie-Ève Cormier précise qu'il n'est jamais facile de trouver des techniciens en électrodynamique. «Le DEC n'est pas offert dans la région. Nous devons recruter à l'extérieur en passant par l'intermédiaire d'agences de placement, par Emploi-Québec ou en publiant des annonces dans les journaux», dit-elle.

Mais cet état de fait n'a pas que des conséquences négatives, puisqu'il atténue certaines difficultés de recrutement, souligne Ghislain Régis Yoka, économiste à Emploi-Québec. «Le resserrement de la fonction publique fédérale a permis à d'autres secteurs – le privé et le parapublic, notamment dans l'enseignement et l'administration – d'attirer davantage de candidats.»

De toute façon, fait-il valoir, les compressions fédérales sont un phénomène cyclique que la région a souvent surmonté dans le passé. Il souligne qu'une fois les compressions terminées, le personnel de l'administration publique recommence toujours à croître afin de pouvoir répondre aux besoins de la population, qui augmente sans cesse.

L'INDUSTRIE FORESTIÈRE SE STABILISE

L'Outaouais possède un statut unique au Québec : il est à la fois une région urbaine et une région-ressource. Quatre des cinq MRC du territoire sont essentiellement mono-industrielles, axées sur l'industrie forestière. Et cette dernière, qui a beaucoup souffert au cours des dernières années, semble enfin voir la lumière au bout du tunnel.

«Les industriels qui ont survécu à la tempête fonctionnent de façon rentable. Ils commencent à se diversifier et à investir un peu. La reprise est timide mais présente», indique Marc Boily.

Il note, par ailleurs, qu'au printemps 2013, le potentiel minier de la région a été mis en évidence lors d'un colloque sur le sujet. La MRC de Pontiac renferme notamment des gisements de terres rares, qui ont des applications en haute technologie.

Les secteurs du tourisme, de l'agroalimentaire et des technologies de l'information et des communications démontrent également une certaine vigueur et sont en croissance constante. 2013-09

À SIGNALER

> L'usine de papier Résolu de Gatineau a rouvert ses portes en mai 2013, après avoir été fermée durant trois ans. Parmi les 350 travailleurs mis à pied, 130 ont retrouvé leur emploi. Cette réouverture permet à la scierie de Résolu à Maniwaki d'ajouter un quart de travail pour fournir les copeaux nécessaires à la papetière.

LES TENDANCES DÉMOGRAPHIQUES

L'Outaouais se positionne quatrième parmi les régions du Québec quant à la croissance de sa population et occupe le troisième rang pour ce qui est de l'accueil d'immigrants.

Cependant, elle est aux prises avec un phénomène de migration interne : les jeunes tendent à quitter les MRC rurales pour se diriger vers Gatineau. Si plusieurs le font pour suivre une formation postsecondaire, un grand nombre d'entre eux sont partis à cause des difficultés de l'industrie forestière et ne sont pas revenus, car ils ont trouvé du travail en ville.

Des efforts considérables ont donc été faits pour attirer des immigrants en zone rurale, comme l'indique Chantal Belleau, agente de développement économique et emploi à la Conférence régionale des élus de l'Outaouais. «Nous travaillons à la régionalisation de l'immigration, et ça fonctionne. Plusieurs dizaines de nouveaux arrivants s'établissent chez nous chaque année avec leur famille. Il y a sur place des organismes qui les aident à s'installer et à trouver du travail pour les conjoints.»

À SIGNALER (SUITE)

- L'Université du Québec en Outaouais comptait terminer en décembre 2013 les travaux d'agrandissement de l'ISFORT (Institut des Sciences de la Forêt tempérée) à Ripon, un investissement de 9,5 millions de dollars qui permettra d'accueillir 12 nouveaux chercheurs.
- Un premier magasin Target a ouvert ses portes à l'automne 2013 dans l'est de Gatineau. Le géant américain du commerce de détail prévoit en ouvrir un deuxième dans le centre-ville en 2014. Ces deux commerces créeront chacun 150 emplois.
- Le ministère de l'Éducation, du Loisir et du Sport du Québec a amorcé la construction de deux nouvelles écoles primaires à Gatineau en 2013. Les deux établissements, qui doivent ouvrir leurs portes en septembre 2014, accueilleront au total 600 élèves.

Perspectives 2012-2016 d'Emploi-Québec		
Région Outaouais		**Ensemble du Québec**
Création d'emplois	10 600	174 800
Départs à la retraite	21 800	519 700

Source : Emploi-Québec. *Marché du travail et emploi par industrie au Québec 2012-2016*, 2012.

Taux de chômage			
En novembre 2013†	6,5 % Québec : 7,9 %		
Moyennes annuelles††	**2012**	**2011**	**2010**
Population de 15 ans et plus	6,5 % Québec : 7,8 %	7,4 % Québec : 7,8 %	6,9 % Québec : 8,0 %
Population de 15 à 29 ans	10,5 % Québec : 11,3 %	11,9 % Québec : 11,3 %	11,9 % Québec : 11,4 %

† Source : Institut de la statistique du Québec, Statistique Canada, données désaisonnalisées, moyenne mobile sur trois mois.

†† Source : Statistique Canada. *Enquête sur la population active*, compilations de l'Institut de la statistique du Québec, 2010, 2011 et 2012.

Saguenay–Lac-Saint-Jean

Le Saguenay–Lac-Saint-Jean vit un renversement des tendances dans les deux filières motrices de son économie : l'industrie forestière commence à voir la lumière au bout du tunnel, alors que celle de l'aluminium connaît un ralentissement en raison d'une chute de prix sur les marchés internationaux.

> par Jean-François Barbe

LES PERSPECTIVES

«Le sourire commence à revenir sur les visages des scieurs», souligne Donald Hudon, directeur régional du bureau d'affaires Saguenay–Lac-Saint-Jean à l'Agence de développement économique du Canada pour les régions du Québec. Bien qu'il ne soit pas encore question d'une relance de l'industrie forestière, les signes sont encourageants, confirme Marc-Antoine Tremblay, économiste à Emploi-Québec. «Le prix que nos scieries peuvent obtenir pour le bois de sciage a augmenté en 2013», dit-il, précisant que le nombre de mises en chantier aux États-Unis, principal marché pour le bois d'œuvre, avait dépassé le million dans les premiers mois de 2013.

Quant au papier, même si le prix du papier journal demeure en baisse, celui de la pâte kraft, utilisée pour les papiers d'emballage par exemple, est reparti à la hausse.

À l'opposé, l'industrie de l'aluminium subit les contrecoups de la chute des prix. La valeur d'une tonne de ce métal a dégringolé à environ 1 700 $ durant l'année 2013, comparativement à un sommet de 3 200 $ en 2008.

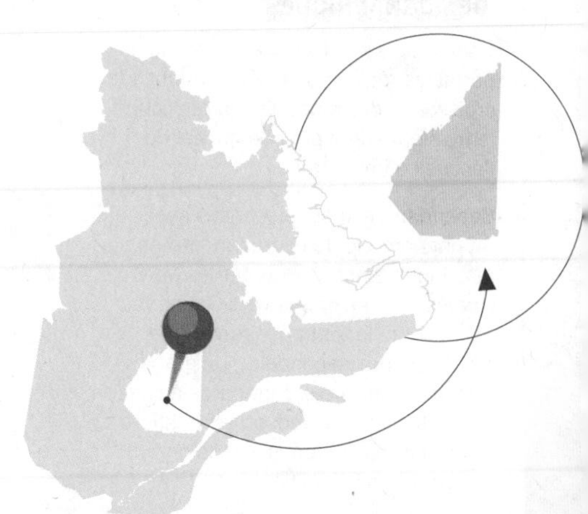

POPULATION

273 009 habitants

DES SECTEURS QUI RECRUTENT

- Commerce de gros et de détail
- Construction
- Fabrication de produits métalliques
- Finance, assurances et immobilier
- Santé et services sociaux
- Services professionnels, scientifiques et techniques
- Transport et entreposage

Source : Marc-Antoine Tremblay, Emploi-Québec.

PRINCIPALES VILLES

- Alma
- Dolbeau-Mistassini
- Roberval
- Saguenay
- Saint-Félicien

RALENTISSEMENT DANS LA FILIÈRE ALUMINIUM

Rio Tinto Alcan, qui avait des projets d'investissement de 3,6 milliards de dollars dans ses alumineries d'Alma et de Jonquière, a complété et mis en production en 2013 la première phase de l'usine AP60 de Jonquière, la plus moderne au monde. Toutefois, l'entreprise a aussi annoncé au cours de la même année la mise en veilleuse des phases 2 et 3. Le report de cet investissement de plus de 1 milliard de dollars s'ajoute à la mise sur la glace de l'agrandissement de 1,3 milliard de dollars de l'aluminerie AP30, à Alma.

Par conséquent, équipementiers et fournisseurs de ces alumineries subissent des dommages collatéraux que Marc-Antoine Tremblay décrit comme étant un essoufflement et un ralentissement, mais pas au point de créer des pertes d'emplois.

DE L'ESPOIR

L'avenir n'est pas sombre pour autant, fait cependant remarquer Claudia Fortin, directrice générale du Centre local de développement de la ville de Saguenay. «L'AP60 est une vitrine technologique et nos entreprises y ont développé une grande expertise qui leur permettra de participer à la construction d'usines similaires à l'extérieur.» Elle note aussi que, malgré ce ralentissement, les entreprises de construction ont su tirer leur épingle du jeu dans leur champ d'activité respectif en transportant l'expertise acquise durant la construction des barrages Péribonka et Eastmain-1-A vers le mégachantier de la Romaine, sur la Côte-Nord.

La région se découvre également un potentiel minier intéressant avec des projets d'investissement importants. IAMGOLD, qui exploite la mine de niobium Niobec à Saint-Honoré, prévoit ajouter 200 employés aux 400 déjà sur place grâce à des investissements de 1,4 milliard de dollars afin de tripler sa production. Un autre projet de mine de niobium de la compagnie MDN, qui créerait 125 emplois, est aussi dans les cartons à Girardville. Par ailleurs, le déboisement a commencé en marge du projet de la compagnie Arianne Phosphate pour la construction d'une mine de phosphate destiné à la production d'engrais minéraux, au lac Paul. Cet investissement de 1 milliard de dollars devrait générer 300 emplois, à terme. 2013-09

SUR LE TERRAIN

La Fromagerie Boivin, à Saguenay, a obtenu en 2013 un important contrat pour la fabrication des bâtonnets de fromage aMOOza!, de Kraft. Du coup, l'entreprise a dû porter le nombre de ses travailleurs de 110 à 125. «Nous n'avons pas de difficulté à trouver des employés. Nous sommes chanceux parce que Saguenay offre un bassin de population important, mais aussi parce que les fermetures dans le secteur du papier et des scieries nous ont fourni une réserve de travailleurs», explique le directeur général, Luc Boivin.

L'entreprise a à son service des préposés à la clientèle, des chauffeurs de camions, des opérateurs et mécaniciens de machines ainsi que différents professionnels en génie et en alimentation. Par ailleurs, la formation des employés recrutés ne suffit pas toujours. «Il faut donner beaucoup de formation à l'interne pour répondre aux normes alimentaires actuelles», précise Luc Boivin.

L'expertise est aussi très prisée, ajoute-t-il. L'entreprise a notamment embauché la fromagère de sa concurrente Les Bergeries du Fjord, lorsque celle-ci a fermé ses portes, en août 2013.

RECHERCHÉS

- Ambulanciers
- Architectes
- Comptables
- Conducteurs d'équipement lourd
- Ergothérapeutes
- Exploitants agricoles
- Mécaniciens d'équipement lourd
- Physiothérapeutes
- Professionnels des sciences forestières
- Soudeurs
- Spécialistes des ressources humaines
- Techniciens en dessin
- Technologues et techniciens en génie (civil, industriel, de l'électronique, mécanique)
- Travailleurs sociaux

Source : Emploi-Québec. *Le marché du travail dans la région du Saguenay–Lac-Saint-Jean, Perspectives professionnelles 2012-2016*, 2012.

À SIGNALER

- Amorcée à la fin de 2012, la construction du nouveau centre de détention de Roberval sera complétée en 2014. Cette infrastructure de 115 millions de dollars aura créé 250 emplois pendant sa construction, auxquels s'ajouteront une centaine de postes permanents par la suite.
- Les Serres Belle de jour de Saint-Nazaire ont investi 2,2 millions de dollars en efficacité énergétique en 2013, permettant des économies en frais de chauffage de 225 000 $ par année. Cette mesure aidera à consolider les 55 emplois.
- L'Université du Québec à Chicoutimi (UQAC) a inauguré en 2013 son Centre de transfert et de développement d'affaires, un investissement de 22 millions de dollars qui permet déjà aux entreprises d'utiliser un équipement ultramoderne de soudage par malaxage de l'aluminium.

Perspectives 2012-2016 d'Emploi-Québec		
Région Saguenay–Lac-Saint-Jean		**Ensemble du Québec**
Création d'emplois	1 900	174 800
Départs à la retraite	20 800	519 700

Source : Emploi-Québec. *Marché du travail et emploi par industrie au Québec 2012-2016*, 2012.

LES TENDANCES DÉMOGRAPHIQUES

Après des années d'érosion de sa population au profit des autres régions, le Saguenay–Lac-Saint-Jean a enfin vu le solde migratoire interrégional se stabiliser en 2010-2011, et même connaître une modeste hausse en 2011-2012.

Claudia Fortin, directrice générale du Centre local de développement de la ville de Saguenay, note qu'avec des taux d'emploi plus robustes, l'exode des jeunes s'est résorbé, exception faite de ceux qui quittent pour suivre des études postsecondaires. «Mais ils reviennent parce qu'il y a de l'emploi, et ils sont attirés par la qualité de vie», dit-elle. La région n'échappe toutefois pas au vieillissement. «Le Cégep de Jonquière dit avoir des difficultés à remplir les classes de ses programmes techniques, même si les taux de placement frôlent 100 %.

Au Cégep de Saint-Félicien, on sait qu'il va y avoir des débouchés en foresterie, mais on est incapable de recruter des étudiants pour le programme», dit Donald Hudon, directeur régional du bureau d'affaires Saguenay–Lac-Saint-Jean à l'Agence de développement économique du Canada pour les régions du Québec.

Taux de chômage			
En novembre 2013†	9,3 % Québec : 7,9 %		
Moyennes annuelles††	**2012**	**2011**	**2010**
Population de 15 ans et plus	8,1 % Québec : 7,8 %	8,3 % Québec : 7,8 %	8,1 % Québec : 8,0 %
Population de 15 à 29 ans	10,9 % Québec : 11,3 %	10,8 % Québec : 11,3 %	11,2 % Québec : 11,4 %

† Source : Institut de la statistique du Québec, Statistique Canada, données désaisonnalisées, moyenne mobile sur trois mois.

†† Source : Statistique Canada. *Enquête sur la population active*, compilations de l'Institut de la statistique du Québec, 2010, 2011 et 2012.

RÉPERTOIRE
des ressources en emploi

Pour en savoir davantage sur les possibilités d'emploi, voici un répertoire des principaux organismes d'emploi ayant des bureaux dans les 17 régions du Québec. Les liens suivants vous mèneront vers ces ressources.

ASSOCIATION DES CENTRES LOCAUX DE DÉVELOPPEMENT DU QUÉBEC

www.acldq.qc.ca

CENTRES LOCAUX D'EMPLOI

Pour consulter la liste des centres locaux d'emploi, rendez-vous sur le site du ministère de l'Emploi et de la Solidarité sociale du Québec et cliquez sur «Localisateur des centres locaux d'emploi» dans le menu de droite.

www.mess.gouv.qc.ca

CONFÉRENCES RÉGIONALES DES ÉLUS

Pour obtenir les coordonnées des Conférences régionales des élus, rendez-vous sur le site du ministère des Affaires municipales, des Régions et de l'Occupation du territoire, cliquez sur l'onglet «Développement régional et rural» dans le menu de gauche, et choisissez «Coordonnées» sous la rubrique «Conférences régionales des élus».

www.mamrot.gouv.qc.ca

DIRECTIONS RÉGIONALES D'EMPLOI-QUÉBEC

Pour consulter la liste des directions régionales d'Emploi-Québec, rendez-vous sur le site du ministère de l'Emploi et de la Solidarité sociale, cliquez sur l'onglet «Services à la clientèle» dans le menu de gauche, et choisissez «Directions régionales».

www.mess.gouv.qc.ca

IMMIGRATION QUÉBEC

La section «Où s'installer?» du site d'Immigration Québec vous donnera un aperçu, entre autres, des différents organismes d'accueil des immigrants.

www.immigration-quebec.gouv.qc.ca

PLACE AUX JEUNES EN RÉGION

www.placeauxjeunes.qc.ca

RÉSEAU DES CARREFOURS JEUNESSE-EMPLOI DU QUÉBEC

www.rcjeq.org

SERVICE CANADA

Pour accéder à la liste des bureaux du Québec, rendez-vous sur la page d'accueil de Service Canada et cliquez sur la section «Trouver un bureau de Service Canada», sous la rubrique «Contactez-nous».

www.servicecanada.gc.ca

Pour savoir quels établissements offrent les formations ci-dessous, repérez les numéros correspondants dans le répertoire, à la page 264.

FORMATION PROFESSIONNELLE

> SECTEUR 01 ADMINISTRATION, COMMERCE ET INFORMATIQUE

Vente-conseil (DEP)

1, 8, 10, 20, 26, 27, 44, 45, 51, 54, 67, 68, 70, 79, 83, 87, 88, 89, 90, 96, 97, 99, 110, 111, 112, 114, 115, 118, 124, 138, 139, 140, 142, 198, 206, 207, 208

> SECTEUR 03 ALIMENTATION ET TOURISME

Cuisine (DEP)

3, 8, 23, 24, 27, 44, 45, 51, 52, 60, 67, 77, 84, 88, 89, 96, 100, 113, 117, 118, 119, 138, 139, 142, 144, 162, 176, 194, 197, 199, 205

> SECTEUR 07 BÂTIMENT ET TRAVAUX PUBLICS

Charpenterie-menuiserie (DEP)

2, 8, 10, 11, 22, 24, 45, 51, 53, 61, 67, 68, 77, 79, 84, 89, 90, 91, 96, 100, 111, 112, 118, 123, 139, 194, 195, 196, 199, 200, 205

> SECTEUR 10 ENTRETIEN D'ÉQUIPEMENT MOTORISÉ

Mécanique d'engins de chantier (DEP)

3, 8, 24, 54, 61, 67, 79, 90, 99, 116, 139, 194, 195, 196, 208

> SECTEUR 11 FABRICATION MÉCANIQUE

Techniques d'usinage (DEP)

5, 8, 9, 24, 25, 45, 51, 52, 53, 60, 67, 69, 70, 77, 80, 83, 84, 87, 88, 99, 111, 113, 114, 116, 117, 118, 119, 138, 139, 140, 142, 200, 207

Usinage sur machines-outils à commande numérique (ASP)

5, 8, 24, 25, 45, 51, 52, 53, 67, 69, 83, 84, 88, 99, 111, 114, 116, 117, 118, 138, 139, 140, 142, 200, 207

> SECTEUR 14 MÉCANIQUE D'ENTRETIEN

Mécanique industrielle de construction et d'entretien (DEP)

5, 9, 25, 44, 51, 53, 60, 61, 69, 83, 87, 90, 91, 96, 99, 110, 114, 117, 119, 139, 140, 195, 197, 205

> SECTEUR 16 MÉTALLURGIE

Soudage-montage (DEP)

3, 8, 9, 10, 22, 23, 24, 25, 44, 45, 51, 53, 54, 61, 67, 69, 70, 77, 84, 87, 99, 100, 110, 113, 114, 117, 118, 119, 123, 138, 139, 140, 142, 143, 195, 200, 201, 206, 207, 208

> SECTEUR 17 TRANSPORT

Transport par camion (DEP)

4, 9, 10, 11, 23, 27, 28, 45, 46, 51, 67, 68, 77, 79, 87, 90, 101, 111, 113, 117, 121, 141, 200, 208

> SECTEUR 19 SANTÉ

Assistance à la personne à domicile (DEP)

5, 8, 9, 11, 20, 23, 25, 27, 44, 45, 51, 53, 54, 60, 67, 68, 70, 77, 79, 84, 87, 88, 89, 90, 96, 97, 100, 110, 111, 112, 113, 117, 123, 124, 138, 139, 140, 144, 194, 200, 201, 206, 207, 208

Assistance à la personne en établissement de santé (DEP)

5, 9, 10, 11, 21, 25, 27, 44, 45, 51, 52, 53, 54, 60, 61, 67, 68, 69, 70, 77, 78, 79, 84, 87, 88, 89, 90, 95, 96, 97, 100, 110, 111, 112, 113, 114, 115, 117, 118, 123, 124, 135, 138, 139, 140, 142, 144, 195, 197, 199, 200, 201, 206, 207, 208

Assistance technique en pharmacie (DEP)

5, 10, 27, 45, 67, 84 , 87, 100, 112, 115, 124, 136, 139, 142, 144, 198, 207

Santé, assistance et soins infirmiers (DEP)

5, 8, 9, 10, 20, 21, 23, 25, 27, 44, 45, 51, 52, 53, 54, 60, 61, 67, 68, 70, 77, 79, 84, 87, 88, 89, 90, 95, 96, 97, 100, 110, 111, 113, 114, 115, 117, 118, 122, 123, 124, 135, 139, 140, 144, 195, 197, 199, 200, 201, 206, 207, 208

FORMATION COLLÉGIALE

> SECTEUR 01 ADMINISTRATION, COMMERCE ET INFORMATIQUE

Techniques de bureautique (Coordination du travail de bureau) (DEC)

31, 39, 48, 56, 57, 64, 72, 86, 93, 103, 126, 128, 147, 202, 209, 210

Techniques de comptabilité et de gestion (DEC)

6, 12, 13, 14, 15, 16, 30, 31, 32, 36, 37, 48, 49, 55, 56, 57, 63, 64, 71, 72, 73, 81, 86, 92, 93, 98, 102, 105, 125, 126, 127, 129, 130, 146, 147, 149, 151, 156, 157, 158, 162, 169, 185, 202, 203, 209, 210, 211, 212, 213

Techniques de l'informatique (DEC)
(Informatique de gestion et Gestion de réseaux informatiques)

6, 12, 13, 14, 15, 30, 31, 32, 48, 49, 55, 56, 57, 64, 71, 72, 73, 81, 86, 92, 93, 98, 102, 105, 114, 125, 127, 128, 129, 130, 147, 149, 151, 154, 156, 157, 158, 162, 169, 179, 181, 185, 202, 203, 209, 210, 211, 213

> SECTEUR 09 ÉLECTROTECHNIQUE

Technologie de l'électronique industrielle (DEC)

6, 13, 15, 32, 49, 56, 57, 63, 64, 71, 72, 81, 86, 98, 102, 126, 129, 147, 149, 151, 179, 185, 209, 210

> SECTEUR 11 FABRICATION MÉCANIQUE

Techniques de génie mécanique (DEC)

14, 32, 48, 56, 57, 72, 92, 102, 105, 126, 127, 129, 148, 149, 169, 202, 210

> SECTEUR 19 SANTÉ

Soins infirmiers (DEC)

6, 12, 13, 14, 15, 29, 30, 31, 32, 35, 48, 49, 55, 56, 57, 63, 64, 71, 72, 73, 81, 86, 92, 98, 102, 105, 125, 126, 127, 128, 129, 130, 147, 148, 149, 154, 156, 169, 181, 185, 202, 203, 209, 210, 211, 212, 213

> SECTEUR 20 SERVICES SOCIAUX, ÉDUCATIFS ET JURIDIQUES

Techniques d'éducation à l'enfance (DEC)

6, 15, 29, 30, 48, 50, 55, 64, 71, 72, 81, 86, 92, 98, 104, 105, 114, 125, 129, 130, 149, 150, 162, 166, 185, 202, 203, 210

Techniques d'éducation spécialisée (DEC)

6, 12, 14, 30, 35, 38, 49, 50, 55, 57, 63, 71, 72, 73, 81, 86, 92, 104, 126, 129, 149, 150, 162, 185, 202, 210

FORMATION UNIVERSITAIRE

> SECTEUR 01 ADMINISTRATION, COMMERCE ET INFORMATIQUE

Comptabilité/Sciences comptables (Baccalauréat)

7, 19, 41, 58, 75, 76, 106, 188, 190, 192, 193, 204, 214, 215, 216

Gestion des ressources humaines et Relations industrielles (Baccalauréats)

7, 19, 40, 41, 58, 75, 76, 106, 188, 190, 191, 192, 193, 204, 214, 215, 216

> SECTEUR 19 SANTÉ

Sciences infirmières (Baccalauréat)

7, 19, 41, 58, 76, 94, 106, 191, 193, 204, 214, 215, 216

> SECTEUR 20 SERVICES SOCIAUX, ÉDUCATIFS ET JURIDIQUES

Formation des enseignants au préscolaire et au primaire (Baccalauréat)

7, 19, 41, 58, 75, 76, 94, 106, 190, 191, 192, 193, 204, 214, 215, 216

Service social (Baccalauréat et maîtrise)

7, 19, 41, 58, 76, 94, 191, 192, 193, 204, 214, 215, 216

RÉPERTOIRE
des établissements d'enseignement

Voici la liste des établissements d'enseignement en formation professionnelle Ⓟ, collégiale Ⓒ et universitaire Ⓤ, et leurs coordonnées. Chaque établissement porte également un numéro servant à indiquer où sont offertes les formations traitées dans la section *Les formations gagnantes de 2014* (pages 30 à 164).

ABITIBI-TÉMISCAMINGUE région 08

Ⓟ **1 Commission scolaire de l'Or-et-des-Bois**
✆ 819 825-4220
www.csob.qc.ca

Ⓟ **2 Commission scolaire de Rouyn-Noranda**
✆ 819 762-8161
www.csrn.qc.ca

Ⓟ **3 Commission scolaire du Lac-Abitibi**
✆ 819 333-5411
www.csdla.qc.ca

Ⓟ **4 Commission scolaire du Lac-Témiscamingue**
✆ 819 629-2472
www.cslactem.qc.ca

Ⓟ **5 Commission scolaire Harricana**
✆ 819 732-6561
www.csharricana.qc.ca

Ⓒ **6 Cégep de l'Abitibi-Témiscamingue**
✆ 1 866 234-3728
www.cegepat.qc.ca

Ⓤ **7 Université du Québec en Abitibi-Témiscamingue**
✆ 1 877 870-8728
www.uqat.ca

BAS-SAINT-LAURENT région 01

Ⓟ **8 Commission scolaire de Kamouraska-Rivière-du-Loup**
✆ 418 862-8201
www.cskamloup.qc.ca

Ⓟ **9 Commission scolaire des Monts-et-Marées**
✆ 418 629-6200
www.csmm.qc.ca

Ⓟ **10 Commission scolaire des Phares**
✆ 418 723-5927
www.csphares.qc.ca

Ⓟ **11 Commission scolaire du Fleuve-et-des-Lacs**
✆ 418 854-2370
www.csfl.qc.ca

Ⓒ **12 Cégep de La Pocatière**
✆ 418 856-1525
www.cegeplapocatiere.qc.ca

Ⓒ **13 Cégep de Matane**
✆ 1 800 463-4299
www.cegep-matane.qc.ca

Ⓒ **14 Cégep de Rimouski**
✆ 1 800 463-0617
www.cegep-rimouski.qc.ca

Ⓒ **15 Cégep de Rivière-du-Loup**
✆ 418 862-6903
www.cegep-rdl.qc.ca

Ⓒ **16 Centre matapédien d'études collégiales**
✆ 418 629-4190
www.centre-matapedien.qc.ca

Ⓒ **17 Institut de technologie agroalimentaire de La Pocatière**
✆ 418 856-1110
www.ita.qc.ca

Ⓒ **18 Institut maritime du Québec (affilié au Cégep de Rimouski)**
✆ 418 724-2822
www.imq.qc.ca

Ⓤ **19 Université du Québec à Rimouski**
✆ 1 800 511-3382
www.uqar.ca

CAPITALE-NATIONALE région 03

Ⓟ **20 Central Québec School Board**
✆ 1 800 249-5573
www.cqsb.qc.ca

Ⓟ Ⓒ **21 Collège CDI (Campus de Québec)**
✆ 1 800 763-0587
www.collegecdi.ca

Ⓟ **22 Collège technique Aviron Québec**
✆ 1 800 663-1321
www.avironquebec.com

Ⓟ **23 Commission scolaire de Charlevoix**
✆ 418 435-2824
www.cscharlevoix.qc.ca

Ⓟ **24 Commission scolaire de la Capitale**
✆ 418 686-4040
www.cscapitale.qc.ca

Ⓟ **25 Commission scolaire de Portneuf**
✆ 418 285-2600
www.csportneuf.qc.ca

Ⓟ **26 Commission scolaire des Découvreurs**
✆ 418 652-2121
www.csdecou.qc.ca

Ⓟ **27 Commission scolaire des Premières-Seigneuries**
✆ 418 666-4666
www.csdps.qc.ca

Ⓟ **28 École nationale de camionnage et équipement lourd (E.N.C.E.L.)**
✆ 1 800 663-5053
www.encel.ca

Ⓒ **29 Campus Notre-Dame-de-Foy**
✆ 1 800 463-8041
www.cndf.qc.ca

Ⓒ **30 Cégep de Sainte-Foy**
✆ 418 659-6600
www.cegep-ste-foy.qc.ca

Ⓒ **31 Cégep Garneau**
✆ 418 688-8310
www.cegepgarneau.ca

Ⓒ **32 Cégep Limoilou**
✆ 418 647-6600
www.cegeplimoilou.ca

Ⓒ **33 Centre de formation et de consultation en métiers d'art**
✆ 418 647-0567
www.metierdart.com

Ⓒ **34 Centre d'études collégiales de Montmagny**
✆ 418 248-7164
www.cegeplapocatiere.qc.ca

Ⓒ **35 Centre d'études collégiales en Charlevoix**
✆ 418 665-6606
www.ceccharlevoix.qc.ca

Ⓒ **36 Champlain Regional College (Campus St. Lawrence)**
✆ 418 656-6921
www.slc.qc.ca

Ⓒ **37 Collège Bart**
✆ 1 877 522-3906
www.bart.qc.ca

Ⓒ **38 Collège Mérici**
✆ 1 800 208-1463
www.merici.ca

Ⓒ **39 Collège O'Sullivan de Québec**
✆ 1 866 944-9044
www.osullivan-quebec.qc.ca

Ⓤ **40 TÉLUQ**
✆ 1 888 843-4333
www.teluq.ca

Ⓤ **41 Université Laval**
✆ 1 877 785-2825
www.ulaval.ca

CENTRE-DU-QUÉBEC région 17

Ⓟ Ⓒ **42 CDE Collège (Campus de Drummondville)**
✆ 1 888 346-5530
www.cde-college.com

Ⓟ **43 Commission scolaire de la Riveraine**
✆ 819 293-5821
www.csriveraine.qc.ca

Ⓟ **44 Commission scolaire des Bois-Francs**
✆ 819 758-6453
www.csbf.qc.ca

Ⓟ **45 Commission scolaire des Chênes**
✆ 819 478-6700
www.csdeschenes.qc.ca

Ⓟ **46 École du routier G.C. (Drummondville)**
✆ 1 877 379-9209
www.ergc.ca

Ⓟ Ⓒ **47 École nationale du meuble et de l'ébénisterie (Campus de Victoriaville)**
✆ 1 888 284-9476
www.ecolenationaledumeuble.ca

Ⓒ **48 Cégep de Drummondville**
✆ 819 478-4671
www.cdrummond.qc.ca

Ⓒ **49 Cégep de Victoriaville**
✆ 1 888 284-9476
www.cgpvicto.qc.ca

Ⓒ **50 Collège Ellis (Campus de Drummondville)**
✆ 1 800 869-3113
www.ellis.qc.ca

RÉPERTOIRE
des établissements d'enseignement

CHAUDIÈRE-APPALACHES région 12

P **51 Commission scolaire de la Beauce-Etchemin**
✆ 418 228-5541
www.csbe.qc.ca

P **52 Commission scolaire de la Côte-du-Sud**
✆ 418 248-1001
www.cscotesud.qc.ca

P **53 Commission scolaire des Appalaches**
✆ 418 338-7800
www.csappalaches.qc.ca

P **54 Commission scolaire des Navigateurs**
✆ 418 839-0500
www.csdn.qc.ca

C **55 Cégep Beauce-Appalaches**
✆ 1 800 893-5111
www.cegepba.qc.ca

C **56 Cégep de Lévis-Lauzon**
✆ 1 888 833-5110
www.cll.qc.ca

C **57 Cégep de Thetford**
✆ 418 338-8591
www.cegepth.qc.ca

U **58 Université du Québec à Rimouski (Campus de Lévis)**
✆ 1 800 511-3382
www.uqar.ca/etudes/campus-levis/

CÔTE-NORD région 09

P **59 Commission scolaire de la Moyenne-Côte-Nord**
✆ 418 538-3044
www.csmcn.qc.ca

P **60 Commission scolaire de l'Estuaire**
✆ 1 877 589-0806
www.csestuaire.qc.ca

P **61 Commission scolaire du Fer**
✆ 418 968-9901
www.csdufer.qc.ca

P **62 Commission scolaire du Littoral**
✆ 418 962-5558
www.csdulittoral.qc.ca

C **63 Cégep de Baie-Comeau**
✆ 1 800 463-2030
www.cegep-baie-comeau.qc.ca

C **64 Cégep de Sept-Îles**
✆ 418 962-9848
www.cegep-sept-iles.qc.ca

ESTRIE région 05

P C **65 CDE Collège (Campus de Sherbrooke)**
✆ 1 888 346-5530
www.cde-college.com

P **66 Collège de comptabilité et de secrétariat (Campus de Sherbrooke)**
✆ 1 888 346-5530
www.ccsq.ca

P **67 Commission scolaire de la Région-de-Sherbrooke**
✆ 819 822-5540
www.csrs.qc.ca

P **68 Commission scolaire des Hauts-Cantons**
✆ 819 832-4953
www.cshc.qc.ca

P **69 Commission scolaire des Sommets**
✆ 1 888 847-1610
www.csdessommets.qc.ca

P **70 Eastern Townships School Board**
✆ 819 868-3100
www.etsb.qc.ca

C **71 Cégep de Granby Haute-Yamaska**
✆ 450 372-6614
www.cegepgranby.qc.ca

C **72 Cégep de Sherbrooke**
✆ 819 564-6350
www.cegepsherbrooke.qc.ca

C **73 Champlain Regional College (Campus Lennoxville)**
✆ 819 564-3666
www.crc-sher.qc.ca

C **74 Séminaire de Sherbrooke**
✆ 819 563-2050
www.seminaire-sherbrooke.qc.ca

U **75 Université Bishop's**
✆ 819 822-9600
www.ubishops.ca

U **76 Université de Sherbrooke**
✆ 819 821-7000
www.usherbrooke.ca

GASPÉSIE–ÎLES-DE-LA-MADELEINE région 11

Ⓟ **77 Commission scolaire des Chic-Chocs**
✆ 418 368-3499
www.cschic-chocs.net

Ⓟ **78 Commission scolaire des Îles**
✆ 418 986-5511
www.csdesiles.qc.ca

Ⓟ **79 Commission scolaire René-Lévesque**
✆ 418 534-3003
www.csrl.ca

Ⓟ **80 Eastern Shores School Board**
✆ 418 752-2247
www.essb.qc.ca

Ⓒ **81 Cégep de la Gaspésie et des Îles (Campus de Gaspé)**
✆ 1 888 368-2201
www.cegepgim.ca

- **Campus de Carleton-sur-Mer**
  ✆ 1 866 424-3341
- **Campus des Îles-de-la-Madeleine**
  ✆ 418 986-5187

Ⓒ **82 École des pêches et de l'aquaculture du Québec**
✆ 418 385-2241
www.epaq.qc.ca

LANAUDIÈRE région 14

Ⓟ **83 Commission scolaire des Affluents**
✆ 450 492-9400
www.csaffluents.qc.ca

Ⓟ **84 Commission scolaire des Samares**
✆ 450 758-3500
www.cssamares.qc.ca

Ⓟ **85 Sir Wilfrid Laurier School Board (Lanaudière)**
✆ 1 866 621-5600
www.swlauriersb.qc.ca

Ⓒ **86 Cégep régional de Lanaudière**
✆ 450 470-0911
www.cegep-lanaudiere.qc.ca

- **Collège constituant de Joliette**
  ✆ 450 759-1661
- **Collège constituant de L'Assomption**
  ✆ 450 470-0922
- **Collège constituant de Terrebonne**
  ✆ 450 470-0933

LAURENTIDES région 15

Ⓟ **87 Commission scolaire de la Rivière-du-Nord**
✆ 450 438-3131
www.csrdn.qc.ca

Ⓟ **88 Commission scolaire de la Seigneurie-des-Mille-Îles**
✆ 450 974-7000
www.cssmi.qc.ca

Ⓟ **89 Commission scolaire des Laurentides**
✆ 819 326-0333
www.cslaurentides.qc.ca

Ⓟ **90 Commission scolaire Pierre-Neveu**
✆ 1 866 334-4114
www.cspn.qc.ca

Ⓟ **91 Sir Wilfrid Laurier School Board (Laurentides)**
✆ 1 866 621-5600
www.swlauriersb.qc.ca

Ⓒ **92 Cégep de Saint-Jérôme**
✆ 1 877 450-2785
www.cstj.qc.ca

Ⓒ **93 Collège Lionel-Groulx**
✆ 450 430-3120
www.clg.qc.ca

Ⓤ **94 Université du Québec en Outaouais (Campus Saint-Jérôme)**
✆ 1 800 567-1283
www.uqo.ca/saint-jerome/

LAVAL région 13

Ⓟ Ⓒ **95 Collège CDI (Campus de Laval)**
✆ 1 800 763-0587
www.collegecdi.ca

Ⓟ **96 Commission scolaire de Laval**
✆ 450 662-7000
www.cslaval.qc.ca

Ⓟ **97 Sir Wilfrid Laurier School Board (Laval)**
✆ 1 866 621-5600
www.swlauriersb.qc.ca

Ⓒ **98 Collège Montmorency**
✆ 450 975-6100
www.cmontmorency.qc.ca

MAURICIE région 04

- Ⓟ 99 **Commission scolaire de l'Énergie**
  ✆ 1 888 711-0013
  www.csenergie.qc.ca
- Ⓟ 100 **Commission scolaire du Chemin-du-Roy**
  ✆ 819 379-6565
  www.csduroy.qc.ca
- Ⓟ 101 **École du routier G.C. (Trois-Rivières)**
  ✆ 1 877 379-9209
  www.ergc.ca
- Ⓒ 102 **Cégep de Trois-Rivières**
  ✆ 819 376-1721
  www.cegeptr.qc.ca
- Ⓒ 103 **Collège Ellis (Campus de Trois-Rivières)**
  ✆ 1 877 691-9800
  www.ellis.qc.ca
- Ⓒ 104 **Collège Laflèche**
  ✆ 819 375-7346
  www.clafleche.qc.ca
- Ⓒ 105 **Collège Shawinigan**
  ✆ 819 539-6401
  www.collegeshawinigan.qc.ca
- Ⓤ 106 **Université du Québec à Trois-Rivières**
  ✆ 1 800 365-0922
  www.uqtr.ca

MONTÉRÉGIE région 16

- Ⓟ 107 **Académie Internationale Compétence Beauté Ltée**
  ✆ 1 866 679-1110
  www.competencebeaute.com
- Ⓟ 108 **Centre de formation professionnelle d'électrolyse et d'esthétique**
  ✆ 450 677-5605
  www.cfpee.com
- Ⓟ 109 **Collège de comptabilité et de secrétariat du Québec (Campus de Longueuil)**
  ✆ 1 877 670-5060
  www.ccsq.ca
- Ⓟ 110 **Commission scolaire de la Vallée-des-Tisserands**
  ✆ 1 877 225-2788
  www.csvt.qc.ca
- Ⓟ 111 **Commission scolaire de Saint-Hyacinthe**
  ✆ 450 773-8401
  www.cssh.qc.ca
- Ⓟ 112 **Commission scolaire des Grandes-Seigneuries**
  ✆ 514 380-8899
  www.csdgs.qc.ca
- Ⓟ 113 **Commission scolaire des Hautes-Rivières**
  ✆ 1 877 359-6411
  www.csdhr.qc.ca
- Ⓟ 114 **Commission scolaire de Sorel-Tracy**
  ✆ 450 746-3990
  www.cs-soreltracy.qc.ca
- Ⓟ 115 **Commission scolaire des Patriotes**
  ✆ 1 877 449-2919
  www.csp.qc.ca
- Ⓟ 116 **Commission scolaire des Trois-Lacs**
  ✆ 514 477-7000
  www.cstrois-lacs.qc.ca
- Ⓟ 117 **Commission scolaire du Val-des-Cerfs**
  ✆ 450 372-0221
  www.csvdc.qc.ca
- Ⓟ 118 **Commission scolaire Marie-Victorin**
  ✆ 450 670-0730
  www.csmv.qc.ca
- Ⓟ 119 **Eastern Townships Schoolboard**
  ✆ 819 868-3100
  www.etsb.qc.ca
- Ⓟ 120 **École de technologie gazière**
  ✆ 450 449-6960
  www.etg.gazmetro.com
- Ⓟ 121 **Extra centre de formation**
  ✆ 1 800 665-1110
  www.extraressources.ca
- Ⓟ 122 **Institut de formation Santérégie**
  ✆ 1 866 742-4774
  www.santeregie.qc.ca/services/institut-de-formation-santeregie
- Ⓟ 123 **New Frontiers School Board**
  ✆ 450 691-1440
  nfsb.qc.ca
- Ⓟ 124 **Riverside School Board**
  ✆ 450 672-4010
  www.rsb.qc.ca
- Ⓒ 125 **Cégep de Saint-Hyacinthe**
  ✆ 450 773-6800
  www.cegepsth.qc.ca
- Ⓒ 126 **Cégep de Sorel-Tracy**
  ✆ 450 742-6651
  www.cegep-sorel-tracy.qc.ca

(C) 127 Cégep Saint-Jean-sur-Richelieu
✆ 450 347-5301
www.cstjean.qc.ca

(C) 128 Champlain Regional College (Campus Saint-Lambert)
✆ 450 672-7360
www.champlainonline.com

(C) 129 Collège de Valleyfield
✆ 450 373-9441
www.colval.qc.ca

(C) 130 Collège Édouard-Montpetit
✆ 450 679-2631
www.college-em.qc.ca

(C) 131 École nationale d'aérotechnique
✆ 450 678-3561
ena.college-em.qc.ca

(C) 132 Institut de technologie agroalimentaire de Saint-Hyacinthe
✆ 450 778-6504
www.ita.qc.ca

(U) 133 Université de Sherbrooke (Campus de Longueuil)
✆ 1 888 463-1835
www.usherbrooke.ca/longueuil

MONTRÉAL région 06

(P) 134 Centre de céramique Bonsecours
✆ 514 866-6581
www.centreceramiquebonsecours.com

(P) (C) 135 Collège CDI
✆ 1 800 763-0587
www.collegecdi.ca

(P) (C) 136 Collège Herzing
✆ 514 935-7494
www.herzing.ca

(P) 137 Collège supérieur de Montréal
✆ 1 866 932-1121
www.collegecsm.com

(P) 138 Commission scolaire de la Pointe-de-l'Île
✆ 514 642-9520
www.cspi.qc.ca

(P) 139 Commission scolaire de Montréal
✆ 514 596-6000
www.csdm.qc.ca

(P) 140 Commission scolaire Marguerite-Bourgeoys
✆ 514 855-4500
www.csmb.qc.ca

(P) 141 École du routier professionnel du Québec
✆ 1 866 861-9002
www.techni-data.com

(P) 142 English Montreal School Board
✆ 514 483-7200
www.emsb.qc.ca

(P) 143 Institut Technique Aviron de Montréal
✆ 514 739-3010
www.avirontech.com

(P) 144 Lester B. Pearson School Board
✆ 514 422-3000
www.lbpsb.qc.ca

(C) 145 Académie des arts et du design
✆ 1 800 268-9777
www.aadmtl.com

(C) 146 Cégep à distance
✆ 1 800 665-6400
www.cegepadistance.ca

(C) 147 Cégep André-Laurendeau
✆ 514 364-3320
www.claurendeau.qc.ca

(C) 148 Cégep de Saint-Laurent
✆ 514 747-6521
www.cegep-st-laurent.qc.ca

(C) 149 Cégep du Vieux Montréal
✆ 514 982-3437
www.cvm.qc.ca

(C) 150 Cégep Marie-Victorin
✆ 514 325-0150
www.collegemv.qc.ca

(C) 151 Collège Ahuntsic
✆ 1 866 389-5921
www.collegeahuntsic.qc.ca

(C) 152 Collège André-Grasset
✆ 514 381-4293
www.grasset.qc.ca

(C) 153 Collège April-Fortier
✆ 1 888 878-1414
www.april-fortier.com

MONTRÉAL (SUITE) région 06

C 154 **Collège de Bois-de-Boulogne**
✆ 514 332-3000
www.bdeb.qc.ca

C 155 **Collège de l'immobilier du Québec**
✆ 1 888 762-1862
www.collegeimmobilier.com

C 156 **Collège de Maisonneuve**
✆ 514 254-7131
www.cmaisonneuve.qc.ca

C 157 **Collège de Rosemont**
✆ 514 376-1620
www.crosemont.qc.ca

C 158 **Collège Gérald-Godin**
✆ 514 626-2666
www.cgodin.qc.ca

C 159 **Collège Inter-DEC**
✆ 1 877 341-4445
www.collegeinterdec.com

C 160 **Collège international des Marcellines**
✆ 514 488-0031
cim.marcelline.qc.ca

C 161 **Collège Jean-de-Brébeuf**
✆ 514 342-9342
www.brebeuf.qc.ca

C P 162 **Collège LaSalle**
✆ 1 800 363-3541
www.collegelasalle.com

C 163 **Collège Marsan**
✆ 1 800 338-8643
www.collegemarsan.qc.ca

C 164 **Collège O'Sullivan de Montréal**
✆ 1 800 621-8055
www.osullivan.edu

C 165 **Collège Salette**
✆ 514 388-5725
www.collegesalette.com

C 166 **Collège TAV**
✆ 514 731-2296
www.tav.ca

C 167 **Collège technique de Montréal**
✆ 514 932-6444
www.mtccollege.com

C 168 **Conservatoire Lassalle**
✆ 514 288-4140
www.colass.qc.ca

C 169 **Dawson College**
✆ 514 931-8731
www.dawsoncollege.qc.ca

C 170 **École de danse contemporaine de Montréal**
✆ 514 866-9814
www.edcmtl.com

C 171 **École du Show-Business**
✆ 1 877 271-2244
www.ecoledushowbusiness.com

C 172 **École nationale de cirque**
✆ 1 800 267-0859
www.ecolenationaledecirque.ca

C 173 **École nationale de l'humour**
✆ 514 849-7876
www.enh.qc.ca

C 174 **École nationale du meuble et de l'ébénisterie (Campus de Montréal)**
✆ 514 528-8687
www.ecolenationaledumeuble.ca

C 175 **Institut d'enregistrement du Canada**
✆ 1 877 224-8366
recordingarts.com

C P 176 **Institut de tourisme et d'hôtellerie du Québec**
✆ 1 800 361-5111
www.ithq.qc.ca

C 177 **Institut Grasset**
✆ 1 866 345-6053
www.institut-grasset.qc.ca

C 178 **Institut supérieur d'informatique I.S.I.**
✆ 514 842-2426
www.isi-mtl.com

C 179 **Institut Teccart**
✆ 1 866 832-2278
www.teccart.qc.ca

C 180 **Institut Trebas**
✆ 514 845-4141
www.trebas.com

C 181 **John Abbott College**
✆ 514 457-6610
www.johnabbott.qc.ca

C 182 **Macdonald College**
✆ 514 398-7814
www.mcgill.ca

C 183 **Marianopolis College**
✆ 514 931-8792
www.marianopolis.edu

C 184 **Musitechnic**
✆ 1 800 824-2060
www.musitechnic.com

C 185 **Vanier College**
✆ 1 855 744-7500
www.vaniercollege.qc.ca

U 186 **École des arts numériques, de l'animation et du design (NAD)**
✆ 514 288-3447
www.nad.ca

U 187 **École de technologie supérieure (ÉTS)**
✆ 514 396-8800
www.etsmtl.ca

U 188 **HEC Montréal**
✆ 514 340-6000
www.hec.ca

U 189 **Polytechnique Montréal**
✆ 514 340-4711
www.polymtl.ca

U 190 **Université Concordia**
✆ 514 848-2424
www.concordia.ca

U 191 **Université de Montréal**
✆ 514 343-6111
www.umontreal.ca

U 192 **Université du Québec à Montréal**
✆ 514 987-3000
www.uqam.ca

U 193 **Université McGill**
✆ 514 398-4455
www.mcgill.ca

NORD-DU-QUÉBEC région 10

P 194 **Commission scolaire Crie**
✆ 1 866 999-2764
www.cscree.qc.ca

P 195 **Commission scolaire de la Baie-James**
✆ 418 748-7621
www.csbj.qc.ca

P 196 **Commission scolaire Kativik**
✆ 514 482-8220
www.kativik.qc.ca

OUTAOUAIS région 07

P 197 **Commission scolaire au Cœur-des-Vallées**
✆ 1 800 958-9966
www.cscv.qc.ca

P 198 **Commission scolaire des Draveurs**
✆ 819 663-9221
www.csdraveurs.qc.ca

P 199 **Commission scolaire des Hauts-Bois-de-l'Outaouais**
✆ 1 888 831-9606
www.cshbo.qc.ca

P 200 **Commission scolaire des Portages-de-l'Outaouais**
✆ 819 771-4548
www.cspo.qc.ca

P 201 **Western Quebec School Board**
✆ 1 800 363-9111
www.wqsb.qc.ca

C 202 **Cégep de l'Outaouais**
✆ 1 866 770-4012
www.cegepoutaouais.qc.ca

C 203 **Heritage College**
✆ 819 778-2270
www.cegep-heritage.qc.ca

U 204 **Université du Québec en Outaouais (Campus Gatineau)**
✆ 1 800 567-1283
www.uqo.ca

RÉPERTOIRE
des établissements d'enseignement

SAGUENAY–LAC-SAINT-JEAN région 02

Ⓟ**205** **Commission scolaire De La Jonquière**
✆ 418 542-7551
www.csjonquiere.qc.ca

Ⓟ**206** **Commission scolaire des Rives-du-Saguenay**
✆ 418 698-5000
www.csrsaguenay.qc.ca

Ⓟ**207** **Commission scolaire du Lac-Saint-Jean**
✆ 418 669-6000
www.cslsj.qc.ca

Ⓟ**208** **Commission scolaire du Pays-des-Bleuets**
✆ 418 275-4136
www.cspaysbleuets.qc.ca

Ⓒ**209** **Cégep de Chicoutimi**
✆ 418 549-9520
www.cchic.ca

Ⓒ**210** **Cégep de Jonquière**
✆ 418 547-2191
cegepjonquiere.ca

Ⓒ**211** **Cégep de St-Félicien**
✆ 418 679-5412
www.cegepstfe.ca

Ⓒ**212** **Centre d'études collégiales à Chibougamau**
✆ 418 748-7637
www.cec-chibougamau.qc.ca

Ⓒ**213** **Collège d'Alma**
✆ 418 668-2387
www.calma.qc.ca

Ⓤ**214** **Université du Québec à Chicoutimi**
✆ 1 800 463-9880
www.uqac.ca

UNIVERSITÉS HORS DU QUÉBEC

Ⓤ**215** **Université de Moncton**
✆ 1 800 363-8336
www.umoncton.ca

Ⓤ**216** **Université d'Ottawa**
✆ 1 877 868-8292
www.uottawa.ca

Ⓤ**217** **Université Saint-Paul**
✆ 1 800 637-6859
www.ustpaul.ca

AUTRES RESSOURCES

Association québécoise d'information scolaire et professionnelle
✆ 418 847-1781
www.aqisep.qc.ca

Conseil interprofessionnel du Québec
✆ 514 288-3574
www.professions-quebec.org

Fédération des cégeps
✆ 514 381-8631
www.fedecegeps.qc.ca

Fédération des établissements d'enseignement privés
✆ 1 888 381-8891
www.feep.qc.ca

Fédération nationale des enseignantes et des enseignants du Québec
✆ 1 877 312-2241
www.fneeq.qc.ca

Ministère de l'Éducation, du Loisir et du Sport du Québec (renseignements généraux)
✆ 1 866 747-6626
www.mels.gouv.qc.ca

Ministère de l'Enseignement supérieur, de la Recherche, de la Science et de la Technologie
✆ 1 855 390-7130
www.mesrst.gouv.qc.ca

Ordre des conseillers et conseillères d'orientation du Québec
✆ 1 800 363-2643
www.orientation.qc.ca

SRAM (Service régional d'admission du Montréal métropolitain)
✆ 514 271-2454
www.sram.qc.ca

SRACQ (Service régional d'admission au collégial de Québec)
✆ 418 659-4873
www.sracq.qc.ca

SRASL (Service régional de l'admission des cégeps du Saguenay–Lac-Saint-Jean)
✆ 418 548-7191
www.srasl.qc.ca

RAPPORTS DE RECHERCHE

Abitibi-Témiscamingue (08) 208

Bas-Saint-Laurent (01) 211

Capitale-Nationale (03) 214

Centre-du-Québec (17) 217

Chaudière-Appalaches (12) 220

Côte-Nord (09) 223

Estrie (05) 226

Gaspésie–Îles-de-la-Madeleine (11) 229

Lanaudière (14) 232

Laurentides (15) 235

Laval (13) 238

Mauricie (04) 241

Montérégie (16) 244

Montréal (06) 247

Nord-du-Québec (10) 250

Outaouais (07) 253

Saguenay–Lac-Saint-Jean (02) 256

RAPPORTS DE RECHERCHE

SECTEURS ÉTOILES

Administration et comptabilité....174
Aérospatiale....172
Technologies de l'information et des communications....170

AUTRES

Agriculture et transformation alimentaire....178
Arpentage et géomatique....179
Arts et culture, communications....180
Assurances et services financiers....182
Biotechnologie et pharmaceutique....184
Chimie, pétrochimie et raffinage....185
Commerce de détail....186
Construction et bâtiment....187
Économie sociale....190
Éducation....191
Énergie....192
Environnement....194
Fabrication métallique industrielle....195
Fonction publique....196
Foresterie....197
Ingénierie....198
Mines et métallurgie....200
Santé et services sociaux....201
Tourisme....202
Transport....204

FORMATION PROFESSIONNELLE

Arboriculture-élagage .... DEP 30
Assistance à la personne à domicile .... DEP 62
Assistance à la personne en établissement de santé .... DEP 64
Assistance technique en pharmacie .... DEP 65
Boucherie de détail .... DEP 158
Calorifugeage .... DEP 38
Charpenterie-menuiserie .... DEP 39
Chaudronnerie .... DEP 57
Conduite de grues .... DEP 56
Conduite de procédés de traitement de l'eau .... DEP 36
Cuisine .... DEP 34
Cuisine du marché .... ASP 35
Dessin industriel .... DEP 158
Électricité .... DEP 45
Ferblanterie-tôlerie .... DEP 58
Installation et entretien de systèmes de sécurité .... DEP 46
Installation et fabrication de produits verriers .... DEP 40
Mécanique agricole .... DEP 47
Mécanique d'ascenseur .... DEP 53
Mécanique de machines fixes .... DEP 41
Mécanique de moteurs diesels et de contrôles électroniques .... ASP 48
Mécanique d'engins de chantier .... DEP 49
Mécanique de véhicules lourds routiers .... DEP 50
Mécanique industrielle de construction et d'entretien .... DEP 54
Montage de lignes électriques .... DEP 158
Montage structural et architectural .... DEP 59
Pâtes et papiers – Opérations .... DEP 158
Plomberie et chauffage .... DEP 42
Production acéricole .... DEP 31
Production animale .... DEP 32
Réfrigération .... DEP 44
Santé, assistance et soins infirmiers .... DEP 66
Secrétariat médical .... ASP 158
Soudage-montage .... DEP 60
Techniques d'usinage .... DEP 51
Transport par camion .... DEP 61
Usinage sur machines-outils à commande numérique .... ASP 52
Vente-conseil .... DEP 156

FORMATION COLLÉGIALE

Archives médicales .... DEC 98
Audioprothèse .... DEC 99
Conseil en assurances et en services financiers .... DEC 68
Environnement, hygiène et sécurité au travail .... DEC 80
Gestion d'un établissement de restauration .... DEC 76
Gestion et exploitation d'une entreprise agricole (Productions animales) .... DEC 72
Paysage et commercialisation en horticulture ornementale (Aménagement paysager) .... DEC 73
Soins infirmiers .... DEC 100
Techniques de bureautique (Coordination du travail de bureau) .... DEC 69
Techniques de comptabilité et de gestion .... DEC 70
Techniques de construction aéronautique .... DEC 91
Techniques de denturologie .... DEC 101
Techniques d'éducation à l'enfance .... DEC 114
Techniques d'éducation spécialisée .... DEC 115
Techniques de génie chimique .... DEC 81
Techniques de génie mécanique .... DEC 92
Techniques de gestion hôtelière .... DEC 77
Techniques de laboratoire (Biotechnologies et Chimie analytique) .... DEC 82
Techniques de la documentation .... DEC 94
Techniques de la logistique du transport .... DEC 97
Techniques d'électrophysiologie médicale .... DEC 102
Techniques de l'informatique (Informatique de gestion et Gestion de réseaux informatiques) .... DEC 71
Techniques de maintenance d'aéronefs .... DEC 159
Techniques de production et de postproduction télévisuelles (Postproduction télévisuelle) .... DEC 95
Techniques de prothèses dentaires .... DEC 103
Techniques de réadaptation physique .... DEC 104
Techniques de santé animale .... DEC 74
Techniques de thanatologie .... DEC 105

FORMATION COLLÉGIALE (SUITE)

Techniques d'hygiène dentaire ..... DEC 106
Techniques d'inhalothérapie ..... DEC 108
Techniques d'intervention en délinquance ..... DEC 116
Techniques d'orthèses visuelles ..... DEC 109
Techniques juridiques ..... DEC 117
Technologie d'analyses biomédicales ..... DEC 110
Technologie de la géomatique (Cartographie et Géodésie) ..... DEC 83
Technologie de la mécanique du bâtiment ..... DEC 84
Technologie de l'architecture ..... DEC 85
Technologie de l'électronique (Télécommunications) ..... DEC 159
Technologie de l'électronique industrielle ..... DEC 90
Technologie de l'estimation et de l'évaluation en bâtiment (Évaluation immobilière) ..... DEC 159
Technologie de médecine nucléaire ..... DEC 111
Technologie de radiodiagnostic ..... DEC 112
Technologie de radio-oncologie ..... DEC 113
Technologie des procédés et de la qualité des aliments ..... DEC 78
Technologie des productions animales ..... DEC 75
Technologie du génie civil ..... DEC 86
Technologie du génie industriel ..... DEC 159
Technologie forestière ..... DEC 159
Technologie minérale (Exploitation) ..... DEC 96
Théâtre-Production (Gestion et techniques de scène) ..... DEC 79

FORMATION UNIVERSITAIRE

Actuariat ..... Baccalauréat 118
Adaptation scolaire ..... Baccalauréat 145
Administration des affaires ..... Baccalauréat et maîtrise 119
Administration publique ..... Maîtrise 160
Administration scolaire ..... Maîtrise 160
Architecture ..... Maîtrise 127
Audiologie ..... Maîtrise 134
Bibliothéconomie et archivistique ..... Maîtrise 160

FORMATION UNIVERSITAIRE (SUITE)

Chiropratique. . . . . Doctorat de 1er cycle 135
Comptabilité/Sciences comptables. . . . . Baccalauréat 120
Criminologie. . . . . Baccalauréat 146
Droit . . . . Baccalauréat 165
Ergothérapie . . . . Maîtrise 136
Formation des enseignants au préscolaire et au primaire . . . . . Baccalauréat 147
Formation des enseignants au secondaire. . . . . Baccalauréat 148
Formation des enseignants spécialistes au primaire et au secondaire. . . . . Baccalauréat 149
Génie civil/Génie de la construction . . . . Baccalauréat 128
Génie des technologies de l'information. . . . . Baccalauréat 121
Génie forestier, foresterie et sciences du bois (sylviculture). . . . Baccalauréat 160
Génie géomatique et Géomatique appliquée à l'environnement . . .Baccalauréats 129
Génie industriel. . . . . Baccalauréat 131
Génie informatique. . . . . Baccalauréat 122
Génie logiciel. . . . . Baccalauréat 123
Génie mécanique . . . . Baccalauréat 132
Génie minier . . . . Baccalauréat 133
Gestion des ressources humaines et Relations industrielles . . . Baccalauréats 124
Informatique/Sciences de l'informatique. . . . . Baccalauréat 125
Médecine. . . . . Doctorat et formation postdoctorale . . 137
Médecine dentaire . . . . Doctorat de 1er cycle 138
Médecine vétérinaire . . . . Doctorat de 1er cycle 139
Nutrition/Sciences de la nutrition . . . . Baccalauréat 163
Optométrie. . . . . Doctorat de 1er cycle 140
Orientation, information scolaire et professionnelle . . . . Maîtrise 150
Orthophonie. . . . . Maîtrise 141
Pharmacie . . . . Baccalauréat et doctorat de 1er cycle . . 142
Physiothérapie. . . . . Maîtrise 143
Pratique sage-femme . . . . Baccalauréat 164
Psychoéducation. . . . . Maîtrise 151
Santé communautaire et épidémiologie. . . . . Maîtrise 160
Sciences et technologie des aliments. . . . . Baccalauréat 126
Sciences géomatiques . . . . Baccalauréat 130
Sciences infirmières . . . . Baccalauréat 144
Service social . . . . Baccalauréat et maîtrise. 152
Traduction . . . . Baccalauréat 162

Remerciements aux **PARTENAIRES** et aux **ANNONCEURS**

A

Aviron Québec ... 43

C

Casino de Montréal ... 13
Cégep André-Laurendeau ... 283
Centre de formation professionnelle Paul-Gérin-Lajoie ... 37
Coalition pour la promotion des professions en assurance de dommages ... 168
Commission de la construction du Québec ... 188 et 189
Commission scolaire de Laval ... 2
Commission scolaire Marguerite-Bourgeoys ... 55

E

École de technologie supérieure ... Encart
École du Routier Professionnel du Québec Inc. ... 205

F

Fédération des cégeps ... 3
Fédération des commissions scolaires du Québec ... 9
Fujitsu ... 169

H

Hatch ... 199
HEC Montréal ... Encart

I

Institut en génie de l'énergie électrique ... 193
Institut maritime du Québec ... 93

HEC MONTRÉAL

M

MAtv ... 107
Ministère de la Santé et des Services sociaux ... 63
Ministère de l'Emploi et de la Solidarité sociale ... Encart

O

Ordre des hygiénistes dentaires du Québec ... 107
Ordre des infirmières et infirmiers auxiliaires du Québec ... 67

P

Polytechnique Montréal ... Encart

R

RTL Réseau de transport de Longueuil ... 203

S

SFL Partenaire de Desjardins Sécurité financière ... 183

T

TD Assurance ... 157
Transelec Common ... 87

U

Université de Sherbrooke ... Encart
Université du Québec à Montréal ... 176 et 177
Université du Québec à Trois-Rivières ... 153

V

Vidéotron S.E.N.C. ... Encart

RÉDACTION

Directeur de la publication
Simon Granger

Rédactrice en chef – Dossiers
Julie Leduc

Rédactrice en chef – Régions
Emmanuelle Gril

Rédactrices en chef – Secteurs et formations gagnantes
Corinne Fréchette-Lessard • Emmanuelle Gril • Julie Leduc • Karine Moniqui

Collaborateurs
Jean-François Barbe • Maxime Beauregard-Martin • Carole Boulé • Gabrielle Brassard-Lecours • Frédérique Charest • Sophie Chartier • Julie Chaumont • Clémence Cireau • Amélie Cournoyer • Ariane Dadier-Hénaut • Maxime Desroches • Florence Sara G. Ferraris • Anne Gaignaire • Geneviève Gignac • Emmanuelle Gril • Ariane Gruet-Pelchat • Laurence Hallé • Josianne Haspeck • Guillaume Jousset • Benoîte Labrosse • Anne Laguë • André Lavoie • Marie Lyan • Catherine Mainville-M. • Mélanie Marquis • Jean-Sébastien Marsan • Mélissa Pelletier • Sarah-Geneviève Perreault • Élise Prioleau • Lysane Sénécal Mastropaolo • Pierre St-Arnaud • Emmanuelle Tassé • Anne-Marie Tremblay • Jean-François Venne

Secrétaire à la rédaction
Stéphane Plante

Réviseure
Johanne Girard

PRODUCTION

Coordination de la production
Jean Coulombe • Nathalie Renauld

Infographie
Gestion d'impressions Gagné inc.

Distribution
Messageries ADP

Conception graphique et couverture
Maria Fernanda Quintero Casas

Ilustration
Tonwen Jones, colagene.com

VENTES PUBLICITAIRES

Directeur des ventes – produits Web et imprimés
Tony Esposito

Représentants
Mario Denis
Manon Labelle
Sophie Painchaud
Yannick Paradis

JOBBOOM

Directeur général
Patrick Tapp

Directrice éditions et auditoire
Patricia Richard

Date de publication
Janvier 2014

Dépôt légal
Bibliothèque nationale du Québec
ISBN : 978-2-89582-142-7

Bibliothèque nationale du Canada
ISSN : 1702-3300

Le guide *Les carrières d'avenir* est publié par Jobboom inc., une compagnie de Mediagrif.

Le genre masculin est utilisé au sens neutre et désigne aussi bien les femmes que les hommes.

Les opinions exprimées dans cette publication ne sont pas nécessairement partagées par les éditeurs et les commanditaires.

Le guide *Les carrières d'avenir 2014* est également disponible en format numérique. Pour plus d'informations, visitez le jobboom.com.

Pour nous joindre

1111, rue Saint-Charles Ouest
Tour Est – bureau 255
Longueuil (Québec) J4K 5G4
Téléphone : 514 871-0222
Télécopieur : 514 373-9117
www.jobboom.com/librairie